D0994689

JODY ET LE FAON

ŒUVRES DE MARJORIE KINNAN RAWLINGS

LES POMMES D'OR.

LE WHISKY DU CLAIR DE LUNE.

MARJORIE KINNAN RAWLINGS

Jody et le faon

(The yearling)

ROMAN TRADUIT DE L'AMÉRICAIN
PAR DENISE VAN MOPPÈS

ALBIN MICHEL

I

Une colonne de fumée s'élevait, mince et droite, de la cheminée de la cabane. La fumée se détachait en bleu sur le rouge des tuiles. En se dissolvant dans l'azur du ciel d'avril, elle devenait grise. Le jeune Jody la regardait avec attention. Le feu de la cuisine se mourait. Sa mère raccrochait les casseroles et les poêles après la vaisselle de midi. C'était un vendredi. Elle allait balayer le sol avec un balai de raphia, puis, si Jody avait de la chance, elle l'astiquerait encore avec de la paille. Si elle frottait le carrelage, il aurait le temps de gagner le vallon avant qu'elle s'occupât de lui. Il hésita une minute, balançant la houe sur son épaule.

La clairière aurait, certes, été plaisante s'il n'avait pas eu devant lui ce champ de jeune blé à sarcler. Les guêpes avaient découvert l'arbre à chapelets devant l'entrée. Elles plongeaient avidement dans les délicates touffes mauves, comme s'il n'y avait jamais eu d'autres fleurs dans la brousse, comme si elles avaient oublié le jasmin jaune de mars, la glycérie et les magnolias qui les attendaient en mai. Il se dit qu'en suivant le vol rapide des petits corps noirs et jaunes on trouverait bien un arbre à abeilles plein de miel ambré. Le sirop de canne à sucre de cet hiver était fini, et presque toutes les confitures. Découvrir un arbre à abeilles était une besogne plus noble que de sarcler, et le champ pouvait encore attendre. L'après-midi était habité par une agréable agitation. Elle bourdonnait en lui comme les abeilles dans le buisson et il avait envie de s'en aller à travers les pins pour descendre la route jusqu'à l'eau courante. L'arbre à abeilles était peut-être près de la rivière.

Il posa sa houe contre la barrière. Il longea le champ de blé jusqu'au moment où il fut hors de vue de la cabane. Il sauta la haie en s'appuyant sur ses deux mains. La vieille chienne, Julia, avait accompagné son père en carriole à Grahamsville, mais Rip le bulldog et Perk le nouveau bâtard virent quelqu'un passer par-dessus la haie et coururent à lui. Rip aboyait d'une voix grave, mais les jappements du métis étaient vifs et aigus. Les chiens agitèrent dédaigneusement la queue en reconnaissant le garçon. Il les renvoya dans la cour. Ils le suivirent d'un œil indifférent. C'était une triste paire, songea-t-il, bonne tout au plus pour poursuivre, attraper, tuer. Ils ne s'intéressaient à lui que lorsqu'il leur apportait, matin et soir, leur plat rempli des restes de la table. La vieille Julia, elle, était affable avec les humains, mais son antique vénération ne s'adressait qu'à Penny Baxter. Jody avait essayé de faire la cour à Julia, mais elle ne voulait rien savoir.

— Quand vous étiez gosses tous les deux, lui avait dit son père à ce propos, il y a de cela dix ans — toi, tu avais deux ans et elle venait de naître — tu lui as fait mal un jour sans le vouloir. Elle ne peut pas arriver à avoir confiance en toi. C'est souvent comme ça, avec les chiens.

Jody contourna les hangars et la grange, et coupa vers le sud. Il regrettait de n'avoir pas un chien comme celui de grand-mère Hutto, un chien blanc et frisé qui faisait des tours. Quand grand-mère Hutto riait à ne pas pouvoir s'arrêter, son chien sautait sur ses genoux et lui léchait la figure, en balançant sa queue touffue comme s'il riait avec elle. Jody aurait aimé avoir n'importe quoi à lui, une bête qui lui eût léché le visage et l'eût suivi comme la vieille Julia suivait son père. Il déboucha sur le chemin de sable et prit sa course vers l'est. Il y avait presque deux kilomètres jusqu'au vallon, mais il avait l'impression qu'il pourrait courir indéfiniment. Il n'avait pas mal aux jambes comme lorsqu'il sarclait. Il ralentit pour faire durer le trajet. Il avait passé les grands pins et les avait laissés derrière lui. Là où il marchait à présent, la forêt avait gagné, se rapprochant de la route en rangs serrés de pins si minces qu'il semblait au petit garçon que chacun d'eux n'était fait que de petit bois. La route montait une pente. Arrivé au sommet, il s'arrêta. Le ciel d'avril était encadré par le sable beige et les pins. Il était aussi bleu que sa chemise de flanelle teinte dans l'indigo de grand-mère Hutto. De petits nuages immobiles ressemblaient à des balles de coton. Tandis qu'il regardait, le soleil s'assombrit un instant dans le ciel et les nuages devinrent gris.

Il va y avoir une espèce de petite averse de bruine avant ce soir, pensa-t-il.

L'inclinaison du chemin l'invitait à la glissade. Il se retrouva dans l'épaisseur de sable de la route du Vallon d'Argent. Le *tar-flower* était en fleur et les ronces et toutes les broussailles. Il cessa de courir afin de passer devant cette grande variété de plantes en les regardant bien, arbre après arbre, buisson après buisson, chacune unique et familière. Il arriva au magnolia où il avait gravé la tête d'un chat sauvage. Cette végétation annonçait la proximité de l'eau. Il s'étonnait de voir les pins croître dans la brousse, tandis qu'au bord de tous les ruisseaux, lacs et rivières, poussaient des magnolias. Les chiens étaient les mêmes partout, et les bœufs, et les mulets et les chevaux. Mais les arbres étaient différents selon les endroits.

C'est sans doute parce qu'ils ne peuvent pas bouger, décida-t-il. Ils prenaient ce qu'il y avait de nourriture dans le sol où ils se trouvaient.

Le bord oriental de la route descendait soudain de façon abrupte. Il dévalait de vingt pieds jusqu'à une source. Les abords en étaient touffus de magnolias et de gardonies. Il descendit à la source dans la fraîcheur de leur ombre. Un plaisir aigu le possédait. C'était là un lieu délicieux et secret.

Une source claire comme l'eau d'un puits jaillissait on ne savait d'où au milieu des sables. On eût dit que le terrain s'incurvait comme une paume pleine de feuillage pour la recevoir. Il y avait un tourbillon là où l'eau sortait du sol. Des grains de sable y tournoyaient. A quelque distance, la source même bouillonnait plus haut, se creusant un lit dans le calcaire, et descendait en hâte la colline, pressée de former une crique. Cette crique regoignait le Lac Georges, et le Lac Georges à son tour faisait partie de la Rivière Saint-John, le grand fleuve qui coulait vers le nord et se jetait dans la mer. Cela passionnait Jody de regarder naître l'océan. Ce n'était pas son unique source, c'en était une. Il aimait à se dire que nul autre que lui ne venait là, sauf les animaux sauvages et les oiseaux altérés.

La course lui avait donné chaud. Le vallon ombreux posait sur lui des mains fraîches. Il releva les jambes de son pantalon de toile bleue et entra, pieds nus, dans l'eau profonde. Ses orteils s'enfonçaient dans le sable qui filtrait entre eux et autour de ses chevilles maigres. L'eau était si froide qu'il en eut un instant une sensation de brûlure. Puis elle coula entre ses jambes comme dans un canal avec un murmure et une caresse délicieuse. Il se mit à patauger, tâtant de l'orteil le dessous des roches lisses qu'il rencontrait. Une bande d'épinoches surgit en face de lui, remontant le courant. Il les pourchassa entre les rocs. Elles furent bientôt hors de vue, on eût dit qu'elles n'avaient jamais existé. Il s'accroupit sous la racine dénudée et surplombante d'un chêne-liège où une crique profonde s'était formée, espérant les voir revenir, mais seule une reinette affleura de la boue, le regarda puis, terrorisée, plongea sous la racine. Il se mit à rire.

— Je ne suis pas un ragondin. Je ne t'aurais pas attrapée! lui cria-t-il.

Une brise agitait les feuilles au-dessus de lui. Le soleil passait au travers et baignait sa tête et ses épaules. C'était bon de se sentir la tête chaude tandis que ses pieds durs et calleux se tenaient au frais. La brise tomba, le soleil ne l'atteignit plus. Il pataugea jusqu'à la rive opposée plus découverte. Un palmier nain le frôla. Cela lui rappela qu'il avait son couteau en poche et qu'il projetait depuis Noël de se fabriquer un moulin à eau.

Il n'en avait jamais construit tout seul. Olivier, le fils de grand-mère Hutto, lui en faisait toujours quand il était à terre. Jody se mit au travail avec ardeur, essayant de se rappeler en fronçant le sourcil l'angle nécessaire pour que la roue du moulin tournât régulièrement. Il coupa deux rameaux fourchus et les tailla pour en faire deux Y égaux. Olivier tenait beaucoup à ce que la traverse fût ronde et lisse, il s'en souvenait. Un merisier sauvage poussait à quelque distance. Il y grimpa et en coupa une branchette aussi polie qu'un crayon. Il choisit une palme et coupa deux morceaux de sa solide fibre, sur une largeur de deux centimètres, une longueur de quatre. Il pratiqua une fente en long, au milieu de chacune, assez large pour y introduire le rameau de merisier. Les lanières de palme devaient être placées en croix comme les ailes d'un moulin. Il les ajusta soigneusement. Il enfonça le pied des Y profondément dans le sable de la rivière, quelques mètres au-dessus de la source, séparés par une distance égale à peu près à la longueur du rameau de merisier.

L'eau n'avait pas plus de quelques centimètres de hauteur, mais le courant était vif. Les ailes du moulin découpées dans la palme devaient juste effleurer la surface de l'eau. Il fit des essais de profondeur et, quand il fut satisfait, il posa la traverse de merisier entre les rameaux fourchus. Elle reposait, immobile. Il la tordit anxieusement pour l'aider à se placer sur ses supports. La barre se mit à tourner. Le courant saisit les bouts flexibles de la palme. Au moment où la première aile se souleva, la rotation de la traverse amena l'extrémité de la seconde au niveau du courant. Les petites palettes vertes montaient et descendaient. La petite roue tournait avec le rythme facile du grand moulin à eau de Lynne qui transformait le blé en farine.

Jody respira profondément. Il s'étendit sur le sable herbu tout au bord de l'eau et s'abandonna à la magie du mouvement. En haut, au-dessus, en bas, le moulin l'enchantait. La source jaillirait toujours du sol, le mince courant ne finirait pas. La source était le commencement des eaux qui coulaient vers la mer. A moins qu'une feuille n'y tombât, ou que les écureuils ne jetassent des rameaux qui bloqueraient la roue fragile, le moulin pourrait tourner éternellement. Quand il serait vieux, vieux comme son père, il n'y avait pas de raison pour que ce mouvement menu ne continuât pas comme il avait commencé.

Il déplaça une pierre qui enfonçait un coin contre ses côtes maigres et creusa un petit nid dans le sable pour son épaule et sa hanche. Il étendit un bras et y posa sa tête. Un rayon de soleil, chaud et mince comme un filet, s'étendait sur son corps. Enveloppé de sable et de soleil, il contemplait nonchalamment le moulin. Ce mouvement était fascinant. Ses paupières battaient avec les palettes de palme. Des gouttelettes d'argent soulevées par la roue ruisselaient comme la queue d'une étoile filante. L'eau faisait le même bruit que les chatons en train de happer leur lait. Une grenouille chanta un instant puis se tut. Il y eut une seconde où le petit garçon fut suspendu sur une hauteur faite du bruissement doux des genêts; et le chant de la grenouille, et le ruissellement d'étoiles du moulin y flottaient avec lui. Au lieu de tomber dans le vide, il s'enfonça dans de la douceur. Le ciel bleu aux touffes blanches se referma sur lui. Il s'endormit.

Lorsqu'il se réveilla, il se crut ailleurs que sur le bord du ruisseau. C'était un autre monde, si bien que, l'espace d'une seconde, il put croire qu'il continuait à rêver. Le soleil avait disparu, avec toutes les lumières et les ombres. Il n'y avait plus d'écorce noire aux chênes-lièges, plus de vert brillant aux feuilles de magnolia, plus de treillis de dentelle d'or là où, tout à l'heure, les branches du merisier sauvage tamisaient le soleil. Le monde était tout entier d'un gris doux, et il était étendu dans une averse fine comme la poussière d'une chute d'eau. La pluie effleurait sa peau en la mouillant à peine. Elle était tout ensemble chaude et froide. Il s'étendit sur le dos et il avait l'impression de regarder le plumage gris et léger d'une tourterelle.

Il restait étendu, absorbant le brouillard aux gouttelettes ténues, comme une jeune plante; quand son visage fut enfin mouillé et sa chemise humide au toucher, il quitta son lit. Debout, il s'arrêta net. Un animal était venu à la rivière pendant qu'il dormait. Les traces fraîches descendaient la rive orientale et cessaient au bord de l'eau. Elles étaient pointues. C'étaient les pas d'une biche. Ils s'enfonçaient profondément dans le sol, apprenant à Jody que cette biche était vieille et lourde. Peut-être portait-elle un faon. Elle était descendue à la source et y avait bu avidement, sans le voir qui dormait. Puis elle l'avait senti. Il y avait un désordre de pas dans le sable, indiquant l'endroit où, prise de peur, elle avait fait volte-face. Les pas sur la rive opposée avaient laissé de longues traces profondes derrière eux. Peut-être n'avait-elle pas encore bu lorsqu'elle l'avait senti, et s'était-elle retournée pour se sauver aussitôt avec ce pas allongé qui foulait le sable. Il espérait qu'elle ne souffrait pas de la soif en ce moment, les yeux grands ouverts dans la brousse.

Il chercha d'autres traces. Les écureuils avaient couru le long des deux rives, mais ils étaient toujours hardis. Un ragondin était passé par là avec ses pieds pareils à des mains aux ongles aigus, mais il n'aurait su dire avec certitude quand. Son père, lui, pouvait préciser l'heure du passage de toutes les bêtes sauvages. La seule présence récente dont Jody fût sûr, c'était celle de la biche et son effroi. Il revint à son moulin. Celui-ci tournait aussi régulièrement que s'il avait toujours été là. Les ailes de palme étaient fragiles mais elles montraient bravement leur force, égratignant l'eau peu profonde. La lente pluie les rendait luisantes.

Jody regarda le ciel. Il ne pouvait reconnaître l'heure dans cette brume et ne savait pas combien de temps il avait dormi. Comme il hésitait s'il allait s'en aller ou non, la pluie cessa aussi doucement qu'elle avait commencé. Une légère brise s'éleva du sud-ouest. Le soleil apparut. Les nuages se rapprochèrent formant de grands amas de plumes roulées et, vers l'est, un arc-en-ciel se recourba, si joli et varié que Jody se sentit s'épanouir en le regardant. Le sol était d'un vert pâle, l'air lui-même presque visible, doré par le soleil, lavé de pluie, et tous les arbres, toutes les herbes, tous les buissons, brillaient, vernis et perlés d'eau.

Une source de délices bouillonnait en lui, aussi irrésistible que la source du ruisseau. Il leva les bras tout droit et se mit à tournoyer sur lui-même. Il tournait de plus en plus vite; sa joie était un tourbillon et quand il eut l'impression qu'elle allait le faire éclater, il se sentit tout étourdi, ferma les yeux et se laissa tomber à plat dans les genêts. Le sol roulait sous lui et avec lui. Il ouvrit les yeux, et le ciel bleu d'avril et les nuages cotonneux roulaient au-dessus de lui. L'enfant, et la terre et les arbres et le ciel tournaient ensemble. Ce tourbillon s'arrêta, sa tête se dégagea et il se leva. Il se sentait le crâne vide, mais quelque chose s'était libéré en lui, et il pouvait à présent supporter ce jour d'avril comme n'importe quel autre jour.

Il prit la direction de la maison et se mit à galoper. Il aspirait profondément l'odeur des pins aiguisée par l'humidité. Le sable mou qui tirait ses pieds à l'aller, était raffermi par la pluie. Le chemin du retour était aisé. Le soleil n'était pas loin de son coucher lorsque les pins aux longues branches qui entouraient la clairière Baxter apparurent à son regard. Ils se dressaient hauts et sombres contre l'occident enivré. Jody entendait les poules caqueter, se quereller, et il sut qu'on venait de leur jeter du grain. Il entra dans la clairière. Le gris délavé de la barrière était illuminé par la brillante clarté du printemps. La fumée s'enroulait, épaisse, hors de la cheminée de brique. Le dîner cuisait dans la cheminée, et le pain dans le four. Il espérait que son père n'était pas encore rentré de Grahamsville. Il songea, pour la première fois de sa vie, qu'il n'aurait peut-être pas dû quitter la maison pendant l'absence de son père. Si sa mère avait eu besoin de bois, il allait la trouver en colère. Son père lui-même hocherait un peu la tête et dirait : " Petit!... " Il entendit hennir le vieux César et comprit que son père l'avait devancé.

La clairière faisait un joyeux tapage. Le cheval appelait à la grille, le veau meuglait dans son étable, et la vache laitière lui répondait, les poulets caquetaient et les chiens aboyaient à l'approche de la nourriture et du soir. Il était agréable d'avoir faim et de manger, et le bétail était tout animé d'une attente sans inquiétude. La fin de l'hiver avait été pauvre, le blé peu abondant, de même que le foin et le cerfeuil sauvage. Mais les pâturages d'avril étaient verts et succulents et la volaille elle-même savourait les jeunes pousses d'herbe. Les chiens avaient découvert ce soir-là une nichée de jeunes lapins et après un tel hors-d'œuvre, les restes du dîner des Baxter leur devenaient assez indifférents. Jody aperçut la vieille Julia couchée sous la carriole, exténuée par ses kilomètres de trot. Il ouvrit la porte de la barrière et se mit à la recherche de son père.

Penny Baxter était au bûcher. Il portait encore le veston de cheviotte qui était son costume de mariage et qu'il revêtait à présent comme une marque de son rang lorsqu'il allait à l'église ou bien en tournée d'affaires. Les manches étaient trop courtes, non que Penny eût grandi, mais parce que l'humidité de nombreux étés et les repassages multiples avaient resserré le tissu. Jody vit les mains de son père, grandes pour sa taille, s'arrondir autour d'un fagot de bois. Il faisait la besogne de Jody, et dans son beau costume. Jody courut à lui.

— Je vais le faire, Pa.

Il espérait que son zèle effacerait sa faute. Son père se redressa.

— Pour un peu, je ne t'attendais plus, petit, dit-il.

— J'ai été au vallon.

— C'était une belle journée pour aller là, dit Penny. Et pour aller n'importe où. Qu'est-ce qui t'a pris de courir si loin?

C'était aussi difficile de se rappeler pourquoi il était allé là que si cela se fût passé il y avait des années. Il lui fallait remonter jusqu'au moment où il avait posé sa houe.

— Oh! (Il y était maintenant.) Je voulais suivre les guêpes et trouver un arbre à essaim.

— Tu l'as trouvé?

Jody ouvrit de grands yeux.

— C'est que je n'ai plus pensé à chercher. J'y pense seulement maintenant.

Il se sentait aussi penaud qu'un chien de chasse surpris à poursuivre une souris. Les yeux bleu pâle de son père brillaient.

— Dis la vérité, Jody, fit-il, et tant pis si tu as honte. Est-ce que l'arbre à abeilles n'était pas un bon prétexte à aller se balader?

Jody sourit.

— L'idée m'a pris, avoua-t-il, avant de chercher l'arbre à abeilles.

— C'est bien ce que je pensais. Ça m'est venu pendant que j'étais dans ma carriole sur la route de Grahamsville et je me suis dit : Voilà Jody, il n'en a pas pour bien longtemps à sarcler. Qu'est-ce que je ferais, moi, si j'étais gamin, par une belle journée de printemps comme celle-ci? Et alors je me suis dit : J'irais me balader.

Une chaleur enveloppa l'enfant, qui n'était pas celle du soleil bas et doré. Il acquiesça.

— Oui, mais Maman, reprit Penny en tournant la tête vers la maison. Elle n'entend rien aux balades, elle. La plupart des femmes ne comprennent pas pourquoi les hommes aiment tant ça. Je ne lui ai pas dit que tu n'étais pas là. Elle a demandé : Où est Jody? et j'ai dit : Oh! je crois qu'il est quelque part par là.

Il cligna de l'œil et Jody lui rendit son regard d'intelligence.

— Il faut se soutenir entre hommes si on veut avoir la paix. Mais maintenant va porter un bon fagot à Maman.

Jody prit une pleine brassée de bois et se hâta vers la maison. Sa mère était à genoux devant le feu. L'odeur épicée qui flatta ses narines lui fit sentir sa faim presque jusqu'à la faiblesse.

— Ce n'est pas du gâteau de patates, Maman?

— Si, c'est du gâteau de patates, et ne vous en allez pas au diable tous les deux. Le dîner est prêt.

Il jeta le bois dans la caisse et courut à l'étable. Son père trayait Trixie.

— Maman dit de rentrer, fit-il.

Penny se leva de son escabeau.

— Prends le lait et ne le fais pas sauter et couler du seau comme hier. Doucement, Trixie...

Il s'éloigna de la vache et s'en alla vers la crèche où le veau était couché.

— Par ici, Trixie. Allons, ma fille...

La vache s'approcha de son petit.

— Voilà. Il est aussi goulu que Jody.

Il caressa les deux bêtes et suivit l'enfant vers la maison. Ils se lavèrent l'un après l'autre au petit réservoir et s'essuyèrent la figure et les mains au torchon pendu à côté de la porte de la cuisine. Ma Baxter les attendait en remplissant leurs assiettes. Sa volumineuse personne occupait le bout de la longue table étroite. Jody et son père s'assirent à ses côtés, en face l'un de l'autre. Il leur semblait à tous deux légitime qu'elle présidât.

— Vous avez faim, ce soir? demanda-t-elle.

— Je pourrais avaler un tonneau de viande et une caisse de biscuits, dit Jody.

— Que tu dis. Tu as les yeux plus grands que le ventre.

— Je dirais comme lui, si je n'avais plus d'expérience. Ça me donne toujours faim d'aller à Grahamsville.

— Tu as pris l'apéritif là-bas, voilà pourquoi.

— Oh, pas grand-chose! C'était la tournée de Jim Tumbuckle.

— Alors, sûr que ça n'a pas dû te faire de mal.

Jody n'entendait rien, il ne regardait que son assiette. Il n'avait jamais eu si faim de sa vie, et, après un maigre hiver et un printemps tardif où les Baxter n'avaient, pas plus que leurs bêtes, connu l'abondance, sa mère avait fait un dîner digne du pasteur. Il y avait des épinards cuits avec des lardons, des croquettes de pommes de terre et d'oignons et de la foulque noire qu'il avait trouvée la veille, des biscuits aux oranges amères et, à côté de sa mère, la galette de patates. Il était partagé entre son désir de reprendre des biscuits et une croquette et la certitude née de mainte expérience pénible que, s'il les mangeait, il ne lui resterait plus de place pour la galette. Le choix était simple.

— Ma, est-ce que je peux avoir ma galette tout de suite?

Elle s'arrêta un instant de remplir sa vaste charpente et lui coupa adroitement une large part. Il plongea dans sa saveur sucrée.

— Le temps qu'il m'a fallu pour faire cette galette! Et, avec toi, la voilà engloutie avant qu'on ait dit ouf.

— Je la mange vite, reconnut-il, mais je me la rappellerai longtemps.

Le dîner était fini, Jody repu. Même son père qui, d'ordinaire, mangeait comme un moineau, s'était servi deux fois. Ma Baxter poussa un soupir.

— Si quelqu'un m'allumait une chandelle, dit-elle, je me débarrasserais de la vaisselle tout de suite, et comme ça j'aurais un peu de temps à moi.

Jody se leva et alla allumer une grande bougie. Tandis que la flamme jaune ondoyait, il tourna les yeux vers la fenêtre. La pleine lune se levait.

— Dommage de gaspiller de la lumière quand il y a le clair de lune, hein? fit son père.

Il s'approcha de la fenêtre et ils regardèrent tous deux audehors.

— A quoi est-ce que ça te fait penser, petit? Tu te rappelles ce qu'on avait dit qu'on ferait au clair de lune d'avril?

— Non, j'ai oublié.

Les saisons le prenaient toujours à l'improviste. Il devait falloir être aussi vieux que son père pour les conserver dans sa pensée, sa mémoire, pour se rappeler le clair de lune d'une année à l'autre.

— Tu n'as pas oublié ce que je t'ai dit, Jody, j'en suis sûr. Voyons, mon garçon, les ours quittent leur hivernage au clair de lune d'avril.

— Pied-Bot! Tu as dit qu'on le guetterait quand il sortirait.

— Voilà!

— Tu as dit qu'on irait quand on verrait ses traces se croiser et qu'on le verrait sortir en avril.

— Et gras. Gras et paresseux. La chair tendre de son sommeil.

— Et plus facile à prendre, encore mal réveillé.

— Voilà!

— Quand est-ce qu'on y va, Pa?

— Dès qu'on aura fini de sarcler. Et qu'on verra des traces d'ours.

— Par quel côté est-ce qu'on commencera?

— Il faudra d'abord aller voir à la source du vallon s'il y est venu boire.

— Il y avait une grosse biche aujourd'hui, dit Jody, pendant que je dormais. Je me suis fabriqué un moulin, Papa. Il tourne bien.

Ma Baxter interrompit son tintement de pots et de plats.

— Petit voyou! dit-elle. Je ne savais pas que tu avais filé. Tu es glissant comme une route sous la pluie.

Il éclata de rire.

— Je t'ai bien attrapée, hein, Maman, que je t'ai attrapée?

— Tu m'as attrapée, oui, et moi, pendant ce temps, qui m'esquintais à faire une galette!

Elle n'était pas vraiment en colère.

— Écoute, Ma, fit-il câlin, tu voudrais que je sois une petite bête qui ne mange que de l'herbe et des racines?

— Comme ça, je n'aurais pas à m'énerver, dit-elle.

Au même moment, il vit sa bouche se retrousser. Elle essaya de la serrer mais n'y arriva pas.

— Maman rit! Maman rit! Tu n'es pas énervée quand tu ris!

Il sauta derrière elle et dénoua les cordons de son tablier. Le tablier tomba par terre. Elle retourna vivement son large torse et le gifla, mais d'une main légère comme une plume. La même griserie que l'après-midi s'empara de lui. Il se mit à tourner sur lui-même comme dans les genêts.

— C'est ça, fais tomber les assiettes de sur la table, dit-elle, et tu verras qui s'énerve.

— Ce n'est pas ma faute, fit-il, je suis tout étourdi.

— Tu es saoul, dit-elle. Saoul, tout simplement.

C'était vrai. Il était saoul d'avril. Il était gris de printemps. Il était aussi ivre que Lem Forrester le samedi soir. Sa tête bourdonnait, pleine d'un puissant alcool de soleil, d'air et de pluie fine. Le moulin l'avait enivré, et le passage de la biche, et son père couvrant son absence, et sa mère lui faisant de la galette et se moquant de lui. Il était en sûreté dans la lumière de la bougie, à l'intérieur de la cabane entourée de clair de lune. Il imaginait Pied-Bot, le grand ours sauvage auquel il manquait un orteil, se dressant lourdement sur son lit d'hiver et goûtant l'air si doux et flairant le clair de lune, comme lui, Jody, les goûtait et les flairait. Il se coucha très agité et ne put s'endormir. Les délices de cette journée l'avaient marqué de telle sorte que, toute sa vie, lorsque avril serait d'un vert tendre, avec une odeur de pluie sur sa langue, Jody sentirait palpiter en lui une ancienne blessure, et une nostalgie le remplirait de quelque chose qu'il n'arriverait pas à se rappeler tout à fait. Un engoulevent cria à travers la nuit lumineuse, et, tout d'un coup, il s'endormit.

II

Penny Baxter était étendu, tout éveillé, près de la vaste forme endormie de sa femme. Il veillait toujours les nuits de clair de lune. Il s'était souvent demandé si par une telle lumière les hommes n'auraient pas dû aller dans leurs champs travailler. Il aurait aimé se glisser hors de son lit et s'en aller, par exemple, couper un chêne pour faire du bois, ou bien finir de sarcler ce que Jody avait laissé.

— Je crois que j'aurais dû le gronder, se dit-il.

Dans son temps, il aurait été durement fouetté s'il avait été ainsi vagabonder et paresser. Son père l'aurait renvoyé à la source, sans souper, arracher son moulin.

" Tant pis! se dit-il. On n'est pas enfant si longtemps. "

En regardant en arrière par-dessus les années, il s'apercevait qu'il n'avait pas eu d'enfance. Son père était pasteur et sévère comme le Dieu de l'Ancien Testament. Toutefois, ce n'est pas des Écritures qu'il tirait sa subsistance, mais de la petite ferme près de Volusia, où il avait élevé ses nombreux enfants. Il leur avait appris à lire, à écrire et à connaître la Bible, mais tous, aussitôt qu'ils avaient pu trottiner derrière lui dans les sillons en portant le sac de grains, avaient travaillé jusqu'à ce que leurs membres en croissance fussent courbaturés jusqu'aux os. La nourriture était limitée et les vers blancs en abondance. Penny n'avait jamais dépassé la taille d'un jeune garçon. Ses pieds étaient petits, ses épaules étroites, son thorax et ses hanches composaient une fragile charpente. Il s'était trouvé un jour au milieu des Forrester comme un jeune arbrisseau parmi des chênes géants.

Lem Forrester l'avait toisé et lui avait dit :

— Espèce de petite pièce d'un penny. Monnaie honnête, pour sûr, mais il n'y a pas plus petit. Mon vieux petit Penny Baxter.

Le nom lui était resté. Lorsqu'il votait, il signait : Ezra Ezechiel Baxter, mais là où il payait ses impôts, on l'inscrivait Penny Baxter et il ne protestait pas. Il était de sain métal, ferme comme le cuivre, et avec quelque chose aussi de la douceur du cuivre. Sa scrupuleuse honnêteté faisait souvent de lui une proie tentante pour les boutiquiers, les meuniers et les maquignons. Le boutiquier Boyles, de Volusia, aussi honnête que lui, lui avait donné une fois un dollar de trop avec sa monnaie. Penny, dont le cheval boitait, était revenu à pied par un long chemin de plusieurs kilomètres pour le lui rendre.

— Ça aurait pu attendre la prochaine fois que vous auriez eu à faire par ici, dit Boyles.

— Je sais, répondit Penny, mais ce n'était pas à moi, et je n'aurais pas voulu mourir avec cet argent sur moi. Mort ou vivant, je veux seulement ce qui m'appartient.

Cette remarque aurait pu éclairer, pour ceux qui s'en étonnaient, son installation dans la brousse. Les gens qui habitaient le long du fleuve profond et calme, animé par le négoce, les canoës, les chalands, les péniches et les bateaux de marchandises et de passage, les vapeurs à hélices qui, par endroits, tenaient presque toute la largeur du fleuve d'une rive à l'autre, disaient que Penny Baxter devait être bien courageux ou bien insensé pour quitter ces lieux habités et emmener sa femme au cœur même de la jungle de Floride, peuplée d'ours, de loups et de panthères. On comprenait cela des Forrester, car cette nombreuse famille de grands mâles brutaux et querelleurs avait besoin d'espace et ne voulait pas se laisser embêter. Mais qui serait venu embêter Penny Baxter?

Il ne s'agissait pas d'être embêté. Mais dans les villes et les villages, dans les régions de culture où les fermes étaient voisines, l'opinion, l'action et la propriété de chacun étaient mal délimitées. Des intrusions se produisaient dans votre vie. Il y avait des actes d'amitié, certes, et de solidarité dans les moments difficiles, mais il y avait aussi de la hargne et de l'indiscrétion et l'on se méfiait les uns des autres. Il était passé du monde de son enfance sévèrement gouverné par son père, dans un univers moins droit, moins honnête dans sa dureté, et par là même plus inquiétant.

Il avait peut-être été trop souvent blessé. La paix de la vaste brousse écartée lui offrait le bienfait de son silence. Il y avait en lui quelque chose de nu et de tendre. Le contact des hommes lui était douloureux, mais celui des pins l'apaisait. Gagner sa vie était plus difficile ici, les distances étaient fatigantes lorsqu'il s'agissait d'acheter des denrées et de vendre sa récolte. Mais la clairière était son bien. Les bêtes sauvages lui paraissaient moins redoutables que certaines gens qu'il avait connus. L'agression des ours, des loups et des chats sauvages et des panthères contre le bétail était compréhensible; il n'aurait pu en dire autant de la férocité humaine.

Il avait épousé à plus de trente ans une belle fille, deux fois grosse comme lui, l'avait chargée dans une carriole avec les objets domestiques de première nécessité, et s'en était allé avec elle cahin-caha vers la clairière où il avait construit une cabane de ses propres mains. Il avait choisi son sol aussi bien que possible dans cette forêt vierge de broussailles et de pins. Il avait acheté aux Forrester, qui vivaient à une confortable distance, quatre kilomètres au moins de là, un fort bon

Soulières, Daniel.

prix pour son ardeur
au travail.

prix pour sa mise
propre et correcte
en toutes circonstances.

terrain au centre d'un îlot de pins. On l'appelait îlot parce qu'il se dressait, avec ses arbres aux longues branches, au milieu de la brousse, comme une île fertile sur les vagues d'un océan. Il existait d'autres îlots du même genre, dispersés au nord et à l'ouest, là où quelque différence dans la nature du sol ou son irrigation produisait des oasis de végétation luxuriante; on y trouvait même des agaves dont la culture était des plus précieuses. Les chênes-lièges, le houblon rouge et le magnolia, le merisier sauvage et la canne à sucre, l'hickory et le houx croissaient par là.

La rareté de l'eau était le seul inconvénient de l'endroit; le niveau d'eau enfoui si profond que les puits étaient sans prix. Tant que les briques et le mortier resteraient aussi chers, les habitants de l'île Baxter devraient continuer à se fournir d'eau à la mare qui formait la limite occidentale d'une étendue de cent acres. Cette mare était un phénomène connu dans ces régions calcaires de Floride où coulaient des rivières souterraines. Les sources bouillonnantes qui s'écoulaient aussitôt n'en étaient que des jaillissements. Il arrivait qu'une mince écorce s'effondrât, révélant une grande caverne, parfois remplie d'eau courante. La mare comprise dans la propriété de Penny Baxter ne comportait malheureusement pas de source jaillissante. Mais une eau pure y filtrait nuit et jour à travers les hautes rives. Les Forrester avaient essayé de vendre à Penny un pauvre bout de terrain dans la brousse même, mais, se sentant de l'argent en poche, celui-ci avait exigé l'îlot.

Il leur avait dit :

— La brousse est bonne pour l'élevage du gibier et de tous les animaux sauvages : les renards, les cerfs, les panthères et les serpents. Je ne peux pas élever des petits à moi dans la jungle.

Les Forrester s'étaient tapé sur les cuisses et avaient éclaté de rire dans leurs barbes.

Lem avait gloussé :

— Combien y a-t-il de demi-pennies dans un penny? Tu ferais mieux d'adopter un renardeau.

Penny l'entendait encore au bout de tant d'années. Il se retourna doucement dans son lit, soucieux de ne pas réveiller sa femme. C'est vrai qu'il avait audacieusement rêvé de fils et de filles courant en grand nombre entre les pins. Des enfants étaient venus. Ora Baxter était visiblement bâtie pour enfanter. Mais on eût dit que sa semence à lui était aussi menue que sa personne.

“ A moins que Lem ne m'ait jeté un sort? ” songeait-il.

Les nouveau-nés étaient fragiles et, aussitôt venus, tombaient malades et mouraient. Penny les avait enterrés, les uns après les autres, sous des chênes où le sol pauvre et mou cédait facilement à la bêche. Il avait fallu finir par entourer ce terrain d'une grille pour le protéger contre le vandalisme des porcs et des félins. Il avait découpé des petites tombes de bois pour tous ses enfants morts. Il les imaginait en ce moment, droites et blanches sous la lune. Certaines portaient des noms : Ezra junior, Petite Ora, William. Les autres avaient pour toute inscription : Bébé Baxter âgé de 3 mois, 6 jours. Sur l'une d'elles, Penny avait gravé laborieusement avec son canif : “ Elle n'a jamais vu la lumière du jour. ” Son souvenir redescendait les ans, les touchait l'un après l'autre, comme un promeneur touche au passage les barreaux d'une grille.

Il y avait eu un arrêt dans les naissances. Puis, au moment où la solitude de l'endroit commençait à l'effrayer un peu et où sa femme avait presque passé l'âge de la fécondité, Jody Baxter était né et avait subsisté. Quand l'enfant en était aux gazouillements de la deuxième année, Penny était parti pour la guerre. Il avait emmené sa femme et son fils au bord du fleuve, habiter chez sa vieille amie, grand-mère Hutto, pendant les quelques mois où il pensait être absent. Il était revenu au bout de quatre ans, marqué par l'âge. Il avait repris sa femme et son petit et les avait ramenés dans la brousse, heureux de retrouver la paix et la solitude.

La mère de Jody avait accueilli son dernier-né avec un certain détachement; on eût dit qu'elle avait donné aux autres tout ce qu'elle avait d'amour, de soins et d'intérêt. Mais Penny était touché par son fils jusqu'aux entrailles. Il lui donnait plus qu'un amour paternel. Il regardait l'enfant s'arrêter, les yeux grands ouverts, le souffle coupé, devant le miracle des oiseaux, des fleurs et des arbres, du vent et de la pluie, du soleil, de la lune, exactement comme lui. Et si, par une douce journée d'avril, il avait été vagabonder, suivant son instinct garçonnier, Penny comprenait ce qui l'avait poussé.

Sa femme remua et soupira dans son sommeil. Il protégerait toujours son fils contre la sévérité de sa mère dans des circonstances de ce genre, il le savait. L'engoulevent s'envola vers la forêt et reprit plus loin sa plainte adoucie par la distance. La lune s'écartait du cadre de la fenêtre.

“ Qu'il batifole, songeait-il, et qu'il coure où il veut. Qu'il construise des moulins. Le jour viendra où il ne s'en souciera même plus. ”

III

JODY ouvrit les yeux à contrecœur. Un jour, songeait-il, il se sauverait dans les bois et dormirait du vendredi au lundi. Le jour paraissait à la fenêtre orientale de sa petite chambre. Il ne savait pas si c'était cette pâle lumière qui l'avait éveillé ou le pépiement des oiseaux dans le pêcher. Il les entendait voleter parmi les branches. Le jour étendait des rayons orange. Les pins derrière la clairière étaient encore noirs. En avril, le soleil se levait de bonne heure. Il ne devait pas être tard. C'était agréable de se réveiller de soi-même avant que votre mère vous appelât. Il se retourna voluptueusement. La paille de son matelas bruissait sous lui.

Les rayons lumineux du levant s'élargissaient et flamboyaient. Un éclatement d'or montait aussi haut que les pins, et, tandis que Jody le regardait, le soleil lui-même apparut, tel un vaste disque de cuivre qu'on élevait pour le suspendre dans les branches. Un vent léger se leva, comme soufflé par la croissante lumière au sein mouvementé de l'est. Les rideaux en toile à sac se gonflèrent dans la chambre. La brise atteignit le lit et le caressa avec la douce fraîcheur d'une fourrure lisse. Il hésita un instant, partagé entre le plaisir de son lit et l'appel du jour. Puis il se leva, debout sur la peau de cerf, il attrapa sa culotte pendue à portée de sa main, et sa chemise par un heureux hasard tournée du bon côté;

il les revêtit et, une fois habillé, il ne sentit plus le besoin de sommeil ni rien d'autre que le jour et l'odeur des gâteaux chauds dans la cuisine.

— Bonjour, M'man, dit-il sur le seuil. Je t'aime bien, M'man.

— Tu es comme les chiens et les autres bêtes, dit-elle. Tout ce qu'il y a d'aimant quand vous avez le ventre vide et moi un plat à la main.

— C'est comme ça que tu es le plus jolie, dit-il en lui souriant.

Il s'en alla se laver en sifflotant et puisa de l'eau dans le baquet pour remplir la cuvette. Il plongea sa figure et ses mains dedans, méprisant le savon. Il mouilla ses cheveux, les partagea et les lissa avec ses doigts. Il décrocha le petit miroir du mur et s'examina un moment.

— Je suis terriblement laid, M'man, dit-il.

— Bah! On n'a jamais vu de beautés chez les Baxter depuis que leur nom existe.

Il fronça le nez devant le miroir. Cette grimace rapprochait ses taches de rousseur.

— Je voudrais être brun comme les Forrester.

— Sois content de ne l'être pas. Ces gars sont noirs comme leur âme. Tu es un Baxter et tous les Baxter sont blonds.

— Tu parles comme si je n'étais pas de ta famille.

— Chez nous aussi, on est plutôt blond. Mais il n'y en a pas de petits. Si tu apprends à travailler, tu seras tout à fait ton père.

Le miroir lui montrait un petit visage aux pommettes hautes. Ce visage était taché de son et pâle, mais sain comme du sable fin. Ses cheveux le tourmentaient les jours où il allait à l'église ou à Volusia. Ils étaient couleur de paille et raides, et son père avait beau les couper avec soin une fois par mois, le dimanche matin le plus proche de la pleine lune, ils rebiquaient en mèches par-derrière. Sa mère appelait cela des queues de dragon. Il avait les yeux grands et bleus. Quand il fronçait le front, absorbé par son livre de lecture ou un spectacle qui l'intéressait, ils devenaient étroits. C'est alors que sa mère le revendiquait pour sien.

— Il tient tout de même un brin des Alverse, disait-elle.

Jody tourna le miroir pour inspecter ses oreilles; non pour s'assurer si elles étaient propres, mais au souvenir d'un jour pénible où Lem Forrester lui avait pris le menton dans une de ses vastes mains et lui avait tiré l'oreille avec l'autre.

— Mon gars, tu as les oreilles plantées comme celles d'un opossum, avait dit Lem.

Jody se fit la grimace et remit le miroir au mur.

— On attend Papa pour le petit déjeuner? demanda-t-il.

— Bien sûr! On te servirait tout, il n'en resterait pas pour lui.

Il hésitait devant la porte.

— Mais ne te sauve pas quand même. Il est seulement à la grange.

Venant du sud, derrière les buissons, il entendit la voix sonore de la vieille Julia dont les aboiements révélaient la surexcitation. Il crut entendre aussi son père donnant un ordre à la chienne. Jody s'élança avant que les reproches de sa mère pussent le retenir. Elle aussi avait entendu les aboiements. Elle vint à la porte et lui cria :

— Ne vous en allez pas au diable, ton père et toi pour suivre cette chienne folle. Je n'ai pas l'intention de vous attendre toute la matinée avec le petit déjeuner pendant que vous courez les bois.

Il n'entendait plus ni la vieille Julia ni son père. Il tremblait que le jeu fût terminé, l'intrus parti et, peut-être, son père et la chienne avec lui. Il passa à travers les buissons derrière lesquels il avait entendu le tapage. La voix de son père s'éleva, toute proche.

— Doucement, petit. Ce n'est plus la peine de te presser.

Il s'arrêta court. La vieille Julia était tout frémissante, non de peur mais d'ardeur. Son père regardait par terre la carcasse écrasée et déchiquetée de Betsy, la truie noire.

— Il a dû m'entendre venir, dit Penny. Regarde bien, petit. Voyons si tu remarques la même chose que moi.

La vue de la truie mutilée l'écœurait. Mais son père regardait au-delà de la bête morte. La vieille Julia tournait son nez fin dans la même direction. Jody fit quelques pas et examina le sable. Les traces si nettes firent battre son sang. C'étaient les pas d'un ours géant. Et, sur la marque laissée par une des pattes de devant, aussi large qu'un fond de chapeau, un orteil manquait.

— Le vieux Pied-Bot!

Penny acquiesça.

— Je suis content que tu reconnaisses sa trace.

Ils se penchèrent ensemble et étudièrent les pas et la direction par laquelle ils étaient venus et repartis.

— Voilà ce que j'appelle porter la guerre dans le camp ennemi, dit Penny.

— Aucun des chiens n'a aboyé, Papa. A moins que je n'aie pas entendu pendant que je dormais.

— Aucun n'a aboyé. Il avait le vent pour lui. Tu peux être sûr qu'il savait ce qu'il faisait. Il s'est glissé là comme une ombre, il a fait sa mauvaise action et est reparti avant le jour.

Un frisson parcourut l'échine de Jody. Il imaginait l'ombre, énorme et noire comme une grange en marche, avançant entre les buissons et terrassant la truie craintive et endormie, d'un seul geste de sa grande patte griffue. Puis les crocs blancs avaient pénétré dans la colonne vertébrale, la broyant, et dans la chair chaude et palpitante, Betsy n'avait même pas eu la possibilité de hurler au secours.

— Il était déjà repu, remarqua Penny. Il n'en a pas mangé plus d'une bouchée. L'estomac de l'ours est resserré quand il sort de l'hivernage. C'est pour ça que je déteste les ours. Une bête qui tue et mange selon ses besoins, c'est tout pareil à nous autres, et elle fait ce qu'elle peut. Mais un animal, ou même une personne, qui fait du mal pour le plaisir... Si tu regardes la tête d'un ours, tu verras qu'il n'a pas de conscience.

— Qu'est-ce que tu vas faire de Betsy maintenant?

— La viande est salement déchiquetée. Mais je crois qu'il reste tout de même des saucisses. Et du lard.

Jody savait qu'il aurait dû plaindre la pauvre Betsy, mais tout cela l'excitait trop. Le meurtre inopiné à l'intérieur du sanctuaire Baxter faisait un ennemi personnel du grand ours qui échappait depuis cinq ans à tous les propriétaires de bétail. Il était impatient de commencer la chasse. Il s'avouait aussi un sentiment de peur. Le vieux Pied-Bot était venu jusque chez eux.

Il prit une des jambes de derrière de la truie, et Penny l'autre. Ils la traînèrent dans la maison, Julia, réticente, sur leurs talons. La vieille chienne de chasse ne comprenait pas qu'ils n'eussent pas suivi tout de suite la piste offerte.

— Je te jure que ça ne m'amuse pas d'annoncer ça à Maman, dit Penny.

— Elle va crier pour sûr, reconnut Jody.

— C'était une truie qui faisait beaucoup de petits, Betsy.

Ma Baxter les attendait à la grille.

— Je vous appelle et je vous appelle, cria-t-elle en les entendant. Où diable avez-vous été courir? Mais mon Dieu... mon Dieu... ma truie, oh ma truie!

Elle leva les bras au ciel. Penny et Jody franchirent la

grille et se dirigèrent derrière la maison. Elle les suivit en gémissant.

— On va accrocher la viande à la poutre, mon petit, dit Penny. Comme ça, les chiens ne l'atteindront pas.

— Vous pourriez tout de même me raconter, dit Ma Baxter. C'est bien le moins que vous m'expliquiez comment ça se fait que la voilà sous mon nez, morte et déchiquetée.

— C'est le vieux Pied-Bot, Maman, dit Jody. C'étaient ses traces, pour sûr.

— Et ces chiens qui ne se sont même pas réveillés!

Les trois chiens arrivaient justement flairant l'odeur fraîche du sang. Elle leur jeta une pierre.

— Sales bêtes! leur cria-t-elle. Vous voulez manger notre part et vous n'avez même pas empêché une chose pareille!

— Il n'y a pas un chien qui soit de taille contre cet ours, dit Penny.

— Ils auraient toujours pu aboyer.

Elle leur jeta une nouvelle pierre et les chiens s'esquivèrent.

Les Baxter entrèrent dans la maison. Au milieu du désordre, Jody alla droit à la cuisine où l'odeur du petit déjeuner l'attirait impérieusement. Mais sa mère n'était pas troublée au point d'en oublier de le surveiller.

— Va-t'en tout de suite te laver les mains! cria-t-elle.

Il rejoignit son père près du baquet. Le petit déjeuner était servi. Ma Baxter était assise, hochant la tête dans sa détresse; elle ne mangeait rien. Jody remplit son assiette. Il y avait du gruau avec du jus, des gâteaux chauds et du lait caillé.

— En tout cas, dit-il, ça nous fait de la viande pour un bout de temps, maintenant.

Elle se tourna vers lui.

— De la viande maintenant, et rien cet hiver.

— Je demanderai une truie aux Forrester, fit Penny.

— C'est ça, pour être en reste avec ces chenapans! Elle se remit à se lamenter. Cette sale bête d'ours... Je voudrais l'avoir sous la main.

— Je lui dirai quand je le rencontrerai, fit doucement Penny entre deux bouchées.

Jody éclata de rire.

— Parfait, dit-elle. Prenez-moi comme tête de Turc!

Jody caressa son gros bras.

— C'est parce que je me représente comment ça ferait, M'man, toi et le vieux Pied-Bot ensemble.

— Je parie pour Maman, dit Penny.

— Il n'y a que moi qui prenne la vie au sérieux ici, gémit-elle.

IV

Penny repoussa son assiette et se leva de table.

— Eh bien, petit, je crois que nous avons du travail pour aujourd'hui.

Le cœur de Jody s'assombrit. Sarcler...

— Nous avons une belle chance d'attraper cet ours aujourd'hui.

Le soleil brillait de nouveau.

— Apporte-moi mon sac de cartouches et ma corne de poudre.

Jody courut les chercher.

— Regarde-le, dit sa mère. A le voir sarcler, on le prendrait pour un colimaçon. Dis-lui "chasse" et le voilà comme du vif-argent.

Elle ouvrit le placard de la cuisine et prit un des rares pots de confitures qui y restaient. Elle l'étendit sur les gâteaux qu'ils avaient laissés, les noua dans un morceau d'étoffe et les mit au fond du sac de Penny. Elle prit la galette de la veille, et après en avoir coupé une part qu'elle se réservait, la mit dans le sac, enveloppé dans du papier. Puis, elle regarda sa part de galette et, d'un geste rapide, la joignit au reste.

— Ça ne fait guère un déjeuner, dit-elle. Mais peut-être que vous rentrerez de bonne heure.

— Tu verras bien quand on sera là, dit Penny. En tout cas, on ne meurt pas de rester un jour sans manger.

— Jody, lui, il commence à mourir de faim une heure après le petit déjeuner.

Penny mit son sac sur son dos et sa corne sur l'épaule.

— Jody, prends le grand couteau et va couper un bon morceau de la queue de l'alligator.

La viande qu'on laissait sécher pour la nourriture des chiens était suspendue dans la réserve. Jody y courut et ouvrit la lourde porte de bois. La réserve était sombre et fraîche, aromatisée par l'odeur des jambons et du lard, poudrée par la cendre d'hickory qu'on y brûlait pour fumer la viande. Les crochets fixés au plafond où l'on suspendait les quartiers de venaison, étaient presque tous vides à présent. On y voyait trois jambons maigres, à la peau ridée, et une queue d'alligator fumée. Pied-Bot avait vraiment fait un beau travail. La progéniture rebondie de Betsy aurait rempli la pièce à l'automne si l'on eût laissé la pauvre truie vivre jusque-là. Jody découpa un morceau d'alligator. La viande était sèche mais tendre. Il y mit la langue. Sa saveur salée n'était pas déplaisante. Il rejoignit son père dans la cour.

A la vue du fusil de chasse, Julia se mit à aboyer de plaisir; c'était un vieux fusil qu'on chargeait par le canon. Rip déboucha de la maison pour les rejoindre. Perk, le nouveau, agitait sottement la queue sans comprendre. Penny caressa les chiens l'un après l'autre.

— Vous ne serez plus si joyeux tout à l'heure, leur dit-il. Jody, mon gars, tu ferais mieux de mettre des souliers. Nous allons dans de mauvais terrains.

Jody avait l'impression qu'il allait éclater si le départ tardait encore. Il se précipita dans sa chambre et sortit de dessous son lit ses grosses bottines en peau de vache. Il les enfila et courut après son père comme si la chasse allait être finie avant qu'il l'eût rejoint. La vieille Julia filait en avant, son museau allongé flairant la piste de l'ours.

— La piste ne va pas être refroidie, Pa? Tu ne crois pas qu'il est trop loin pour qu'on le rattrape?

— Il est loin, mais nous avons bien plus de chance de le rattraper si nous lui laissons de l'avance et du temps. Un ours qui se sait poursuivi file bien plus vite qu'un qui s'imagine que le monde est à lui, et qui flâne et s'arrête pour manger.

La piste menait vers le sud à travers les buissons. Après la pluie de la veille, les grands pas lourds laissaient une trace nette dans le sable.

— Pa, il est grand comment, tu crois?

— Il est grand. Il n'a pas tout son poids à présent parce que son estomac est vide et rétréci par l'hivernage. Mais regarde ces traces. Elles sont assez profondes quand même. Et, regarde, elles s'enfoncent plus en arrière. C'est la même chose pour les traces de cerf. Un cerf ou un ours, gros et lourd, marche comme ça. Un petit chevreuil léger, ou un faon, marche sur la pointe des pieds et tu ne verras que l'avant de son sabot. Oh, il est grand.

— Tu n'auras pas peur, quand on y arrivera, Papa?

— Non, à moins que les choses ne tournent mal. C'est toujours pour les pauvres chiens que j'ai peur. C'est eux qui ont la plus mauvaise part.

Penny cligna de l'œil.

— Je suis sûr que toi, tu n'as pas peur, hein, petit?

— Oh! non. — Il réfléchit un instant. — Mais si j'avais peur tout de même, est-ce qu'il faudrait grimper à un arbre?

Penny se mit à rire.

— Oui, petit. Et même si tu n'as pas peur, c'est un bon endroit pour observer la bagarre.

Ils marchèrent en silence. La vieille Julia avançait avec assurance. Rip, le bulldog, se contentait de suivre sur ses talons, reniflant quand elle reniflait, s'arrêtant quand elle hésitait. Perk, le bâtard, faisait des bonds de côté et il se mit même à courir après un lapin qui venait de déboucher sous son nez. Jody le siffla.

— Laisse-le, petit, lui dit Penny. Il reviendra bien quand il s'apercevra qu'il est tout seul.

La vieille Julia fit entendre un aboiement étouffé et regarda par-dessus son épaule.

— Le vieux malin a changé de direction, dit Penny. Sans doute qu'il s'en va au marécage. Si c'est son idée, nous pourrons faire le tour et le prendre par surprise.

Jody commençait à entrevoir quelque chose des secrets de chasse de son père. Les Forrester, songea-t-il, se seraient précipités à la poursuite de Pied-Bot, aussitôt sa victime découverte. Ils auraient juré et crié, leur meute aurait aboyé à tous les échos de la brousse, et le vieil ours endurci se serait trouvé amplement averti de leur venue. Son père avait dix fois plus de ruse. Le petit bonhomme était connu pour ça.

Jody lui dit : " C'est vrai que tu te représentes bien ce que les bêtes vont faire. "

— Il faut bien se le représenter. La bête sauvage est plus rapide que l'homme et beaucoup plus forte. Qu'est-ce qu'un homme a, qu'un ours n'ait pas? Un brin de raison. Il ne peut pas gagner un ours à la course, mais c'est un pauvre chasseur s'il ne peut le gagner de connaissance.

Les pins commençaient de se claisemer. La brousse remplaçait le bois avec quelques bouquets de chênes-lièges et des palmiers nains. Les buissons étaient épais. Bientôt, vers le sud et l'ouest, s'offrit une vaste étendue plate qui, au premier coup d'œil, ressemblait à une prairie. C'était le marécage. L'eau montait dans l'herbe à la hauteur d'un genou d'homme; ces espèces de roseaux coupants formaient une végétation compacte. La vieille Julia plongea dedans. L'eau agitée révéla la mare. Un souffle d'air traversa la prairie, les roseaux ondulèrent et s'écartèrent et une douzaine de petites mares apparurent au regard. Penny observait attentivement sa chienne. L'étendue découverte paraissait plus passionnante à Jody que le bois ombreux. A tout moment, la grande forme noire pouvait se dresser.

Il chuchota : " On fait le tour? "

Penny secoua la tête. Il répondit à voix basse :

— Le vent est mauvais. Je ne crois pas qu'il traverse maintenant.

Perk fit entendre une série de courts aboiements et Penny le tapa pour le faire taire. Jody avançait prudemment derrière son père. Un héron bleu vola soudain au-dessus de lui, si près qu'il tressaillit. L'eau du marécage était froide et lourde contre ses jambes, sa culotte était collante, la vase aspirait ses chaussures.

— Il a mangé ici, chuchota Penny.

Il montrait les feuilles plates qui portaient des traces de dents sur leurs bords. D'autres avaient été coupées net à la tige.

— " C'est sa médecine de printemps. Voilà la première chose qu'un ours cherche quand il sort d'hiverner. " Il se pencha et toucha une feuille dont le bord mordu tournait au brun. " Du diable s'il n'est pas venu déjà hier soir. C'est ce qui l'a mis en appétit pour se jeter sur la pauvre vieille Betsy. "

Julia s'arrêta aussi. La piste n'était plus au sol mais sur les herbes et les feuilles que la fourrure aux fortes odeurs avait frôlées. La chienne posa son long museau contre un buisson et regarda au loin, puis, sûre de la direction, s'élança allégrement vers le sud.

Ils la suivirent des yeux.

— Ce n'est pas d'hier, fit Penny, que j'ai vu un ours manger de ces feuilles au clair de lune. Il ronfle et traîne ses pieds et patauge et grogne. Il arrache les feuilles et les porte à sa vilaine gueule comme une personne. Puis il avance le nez et mord à même comme un chien qui mange de l'herbe. Et les oiseaux de nuit crient en passant au-dessus de lui, et les crapauds font leur tapage et le malart appelle : " C'n'est qu'lui, c'n'est qu'lui, c'n'est qu'lui ! " et les gouttes d'eau sur les feuilles luisent comme des yeux.

Jody croyait y être.

— Oh Papa, comme j'aimerais voir un ours manger de ces plantes !

— Vis seulement aussi longtemps que moi et tu verras encore un tas d'autres choses bizarres et curieuses.

— Est-ce que tu en as tué, Pa, pendant qu'ils mangeaient?

— Non, petit, j'ai retenu mon fusil et je me suis souvent contenté de regarder quand les bêtes se nourrissent sans faire de mal. Ce n'est pas dans ma nature de tirer à ces moments-là. Ou bien quand les animaux s'accouplent. De temps en temps, quand on manquait de viande et que les Baxter avaient faim, j'ai fait des choses qui ne me plaisaient pas. Mais ne deviens pas comme les Forrester qui tuent sans besoin, pour s'amuser. C'est être aussi malfaisant que les ours. Tu m'entends?

— Oui, père.

La vieille Julia fit entendre un aboiement aigu. La piste tournait vers l'est à angle droit.

— C'est ce que je craignais, dit Penny.

Les fourrés paraissaient impénétrables. Ce pays aux brusques variations offrait au gibier une bonne protection. Le vieux Pied-Bot que l'appétit ne poussait pas impérieusement ne s'était jamais beaucoup éloigné de son abri. Les arbustes étaient aussi serrés que les pieux d'un clos. Jody se demandait comment l'ours avait réussi à y glisser sa large masse. Mais çà et là les buissons s'écartaient, et il y reconnaissait un passage nettement marqué. D'autres bêtes l'avaient emprunté. Les traces s'entrecroisaient. Le chat sauvage y avait poursuivi le cerf, le lynx le chat sauvage, et, tout autour, on reconnaissait l'empreinte des petites pattes des ragondins, des lapins, des opossums, et des skunks.

Penny dit :

— Je crois que je ferais bien de charger.

Il fit signe à Julia de l'attendre. Jody portait la corne de poudre sur son épaule. Penny l'ouvrit et fit tomber une mesure de poudre dans le canon de son fusil. Il sortit de sa pochette une touffe de mousse séchée, l'y inséra également en la tassant avec la baguette. Il y versa une mesure de petit plomb, bourra encore, boucha.

— Ça va, Julia. On y va.

La course du matin avait été une promenade, plutôt qu'une chasse. A présent les fourrés embarrassaient leurs pas.

Mais ils s'espacèrent enfin. Le soleil les traversait à travers des creux grands comme des corbeilles. Il y avait là des fougères arborescentes qui montaient plus haut que leur tête. L'une d'elles, abattue, marquait la place où l'ours les avait traversées. Son odeur épicée parfumait l'air chaud. Un jeune rameau se redressait justement. Penny le montra à Jody. Il comprit que l'ours n'avait pas passé bien longtemps auparavant. La vieille Julia était fébrile. Son nez frôlait le sol humide. Un geai s'envola en criant.

Soudain Julia se mit à aboyer et Penny à courir.

— La crique! cria-t-il. Il essaye de gagner la crique.

Un bruit s'éleva. Des arbustes craquèrent. L'ours apparut comme un ouragan noir, écrasant les obstacles. Les chiens hurlaient. Mais un son dominait tout dans les oreilles de Jody : le battement de son sang. Une tige de bambou le fit trébucher, il tomba et se releva. Les courtes jambes de Penny couraient devant lui d'un mouvement régulier. Pied-Bot gagnerait la crique avant que les chiens pussent l'arrêter.

Une clairière s'ouvrait au bord de la crique. Jody y vit

déboucher une grande masse informe et noire. Penny s'arrêta et leva son fusil. Au même instant, une petite forme brune bondissait sur la tête hirsute. La vieille Julia engageait l'ennemi. Elle bondit et recula, se jeta de nouveau sur lui. Rip s'élança à son côté. Pied-Bot vira sur lui-même et le frappa. Julia sauta sur son flanc.

Penny retenait son fusil. Il ne pouvait pas tirer à cause des chiens.

Rusé, le vieux Pied-Bot prit soudain un air indifférent. Il restait debout, se balançait lentement, feignant l'hésitation. Il geignait comme un enfant. Les chiens s'écartèrent un instant. C'était le moment de tirer et Penny mit son fusil en joue. On entendit un léger choc mais pas d'explosion. Il tira de nouveau. La sueur perlait à son front. Le chien du fusil s'abattit une seconde fois en vain. Puis un ouragan noir se précipita sur les chiens avec une rapidité inouïe. Les crocs blancs, les griffes courbes y mettaient des éclairs. Il grondait et tourbillonnait et grinçait des dents, frappant dans toutes les directions. Les chiens ne lui cédaient pas en vivacité. Julia faisait de rapides sorties hors du buisson et, quand Pied-Bot tourna pour se jeter sur elle, Rip sauta et s'accrocha à sa gorge velue.

Jody était paralysé d'horreur. Il vit que son père avait remis son fusil en joue et se tenait voûté, mordant ses lèvres, le doigt sur la gâchette. La vieille Julia se jeta sur le flanc droit de l'ours. Il se tourna non vers elle mais vers le bulldog à sa gauche. Il l'attrapa de côté et l'envoya rouler dans les broussailles. Penny tira. L'explosion qui suivit avait un son sifflant et Penny tomba sur le dos. Le fusil avait éclaté en arrière.

Jody courut à son père. Penny était déjà debout. Sa joue droite était noire de poudre. Pied-Bot vira vers Julia et l'éleva vers son poitrail dans ses deux pattes de devant. Elle hurlait.

Rip se précipita derrière l'ours, lui enfonça ses dents dans la croupe.

Jody cria : « Il va tuer Julia! »

Penny se rua désespérément au cœur de la mêlée, il enfonça la crosse de son fusil entre les côtes de l'ours. Malgré sa douleur, Julia avait réussi à mordre la gorge noire au-dessus d'elle. Pied-Bot grogna, tourna brusquement, descendit la rive de la crique et fonça dans l'eau. Les deux chiens ne lâchèrent pas prise. Pied-Bot nageait de toutes ses forces. Seule la tête de Julia dépassait l'eau sous la gueule de l'ours. Rip naviguait bravement sur le large dos de la bête. Pied-Bot atteignit la rive opposée et y grimpa. Julia relâcha son étreinte et tomba mollement sur le sol. L'ours se précipita dans les épais fourrés. Rip resta accroché sur son dos, un moment encore. Puis, ne sachant que faire, lui aussi se laissa glisser par terre et se tourna hésitant vers la crique.

Penny appela : « Ici, Rip! Ici, Julia! »

Rip agita son bout de queue. Penny porta sa corne de chasse à ses lèvres et souffla doucement. Jody vit Julia lever la tête puis retomber.

Penny dit : « Il faut que j'aille la chercher. »

Il ôta ses chaussures et glissa du haut de la berge dans l'eau. Il avançait vigoureusement. A quelques mètres de la rive, le courant s'empara de lui et le déporta violemment comme une bûche vers le milieu de la rivière. Il luttait pour remonter. Jody le vit se relever bien en aval, essuyer l'eau de ses yeux, remonter et gagner la rive. Il se pencha pour examiner la chienne, puis la prit sous son bras. Cette fois, il remonta un peu le cours du fleuve avant de descendre dans la crique. Quand il entra dans l'eau, nageant de son bras libre, le courant le cueillit dans le bon sens et le déposa presque aux pieds de Jody. Rip nageait derrière lui, il atteignit la rive et se secoua. Penny posa doucement Julia à terre.

— Salement blessée, dit-il.

Il ôta sa chemise et y coucha la chienne. Il noua les manches ensemble pour faire un balluchon qu'il prit sur son dos.

— Il n'y a pas, il faut que je m'achète un nouveau fusil.

La brûlure de poudre sur sa joue formait déjà une cloque.

— Qu'est-ce qu'il a ton fusil, Pa?

— A peu près tout. La gâchette est resserrée. Ça, je le savais. Il fallait la tirer deux ou trois fois. Mais s'il a éclaté en arrière, ça veut dire que le grand ressort est à plat. Bon, allons-nous-en. Prends ce sacré vieux fusil.

Ils reprirent, l'un derrière l'autre, le chemin de leur maison à travers le marécage.

— Maintenant, je ne serai pas content tant que je n'aurai pas cet ours, dit Penny. Mais que j'aie seulement un nouveau fusil, et du temps.

Tout à coup, Jody sentit qu'il ne pouvait plus supporter la vue du paquet mou balancé devant lui. Des gouttes de sang en tombaient sur le dos maigre et nu de son père.

— Je voudrais marcher devant, Papa.

Penny se retourna et le dévisagea.

— Tu ne vas pas me tomber dessus évanoui.

— Je pourrai te tracer un chemin.

— Ça va. Passe devant, Jody, prends mon sac. Sors-toi un bout de pain. Mange un morceau, petit. Tu te sentiras mieux.

Jody tâtonna dans le sac et en sortit le paquet de crêpes. La gelée de mûres était acide et froide sur sa langue. Il avait honte de la trouver si bonne. Il avala plusieurs crêpes. Il en tendit quelques-unes à son père.

— Ça remonte bien de manger, dit Penny.

Un gémissement retentit dans les buissons. Une petite forme sautillante les suivait. C'était Perk, le bâtard. Jody, furieux, le reçut à coups de pied.

— Laisse-le tranquille, dit Penny. Je me suis toujours méfié de lui. Il y a des chiens qui sont bons pour la chasse à l'ours, d'autres pas, on n'y peut rien.

C'était agréable de quitter enfin le marécage où l'on avançait péniblement et d'arriver dans le bois de pins. Même la brousse qui lui succédait pendant un kilomètre ou deux paraissait facile et pénétrable. Il était tard dans l'après-midi, lorsque les hauts pins de l'île Baxter apparurent à l'horizon. Ils s'engagèrent dans le chemin de sable et gagnèrent la clairière. Rip et Perk coururent en avant vers le tronc creux où l'on gardait de l'eau pour la volaille. Ma Baxter était assise dans un fauteuil à bascule sous le porche étroit, un monceau de linge à raccommoder sur ses genoux.

— Un chien mort et pas d'ours, hein? dit-elle.

— Pas encore mort. Donne-moi de l'eau, des chiffons et la grosse aiguille avec du fil.

Elle se leva vivement pour l'aider. Jody était toujours surpris de l'agilité de sa grande charpente et de ses mains dans les moments difficiles. Penny posa la vieille Julia par terre sous le porche. Elle geignait. Jody se pencha pour caresser sa tête et elle lui montra les dents. Il suivit sa mère, tout déçu. Elle déchirait en bandes un vieux tablier.

— Va chercher de l'eau, dit-elle; et il courut à la bouilloire.

Penny revint avec une brassée de sacs de crocus pour faire une litière à la chienne. Ma Baxter apportait l'attirail de chirurgie. Penny ôta la chemise sanglante qui enveloppait la chienne et lava ses profondes plaies. La vieille Julia se laissait faire. Ce n'était pas la première fois qu'elle était déchirée par des griffes. Il recousit les deux coupures les plus profondes et les oignit toutes de résine. Elle aboya une fois, puis se tut tandis qu'il la soignait. Il y avait une côte brisée, dit-il. Il n'y pouvait rien, mais cela se remettrait si elle vivait. Elle avait perdu beaucoup de sang. Son souffle était court. Penny la prit dans ses bras avec sa litière.

Ma Baxter demanda : “ Et où tu vas la porter, maintenant? ”

— Dans la chambre. Il faut que je la veille cette nuit.

— Ah! pas dans ma chambre, Ezra Baxter! Je ferai ce qu’il faut pour elle, mais je ne veux pas que tu passes la nuit à te lever et te recoucher en me réveillant chaque fois. Je n’ai presque pas dormi l’autre nuit.

— Alors je coucherai avec Jody et je mettrai Julia dans sa chambre, dit-il. Je ne veux pas la laisser seule dans le hangar cette nuit. Va me chercher de l’eau froide, Jody.

Il la porta dans la chambre de Jody et la posa dans un coin sur une pile de sacs. Elle ne voulait ou ne pouvait pas boire; il lui ouvrit la gueule et versa de l’eau dans sa gorge sèche.

— Laissons-la se reposer maintenant. Nous avons encore à faire.

La clairière avait ce soir un calme singulier. Jody alla chercher les œufs et traire la vache, puis, lui ayant amené son veau, il se mit à couper du bois pour sa mère. Penny, comme toujours, partit pour la mare portant sur sa maigre épaule un joug de bois auquel pendaient deux seaux. Ma Baxter fit cuire des morelles et du cerfeuil pour le dîner. Elle coupa une mince tranche de porc frais et le mit à griller.

— Un morceau de viande d’ours n’aurait pas fait de mal, ce soir, grommela-t-elle.

Jody était affamé, mais Penny n’avait guère d’appétit. Il quitta deux fois la table pour porter à manger à Julia qui refusa. Ma Baxter se leva lourdement pour desservir et laver la vaisselle. Elle ne demanda pas de détails sur la chasse. Jody brûlait d’en parler, de se libérer de l’ensorcellement de la piste, du combat, et de la peur qui l’avait saisi. Penny gardait le silence. Personne ne faisait attention à l’enfant et il s’absorba dans son plat de cerfeuil.

Le soleil se coucha, rouge et clair. Des ombres noires s'allongeaient dans la cuisine des Baxter.

Penny dit : “ Je suis éreinté. Je me coucherai avec plaisir. ”

Les pieds de Jody étaient endoloris et écorchés par ses bottines de cuir.

— Moi aussi, dit-il.

— Je reste encore un peu, dit Ma Baxter. Je n'ai pas fait grand-chose aujourd'hui, avec tous ces soucis, ces tracas, et puis les saucisses à préparer.

Penny et Jody allèrent dans leur chambre. Ils se déshabillèrent à côté du lit étroit.

— Eh bien, fit Penny, si j'étais aussi gros que maman, on ne pourrait pas se coucher là sans qu'un de nous tombe par terre.

Il y avait assez de place pour les deux corps maigres et osseux. La lumière rouge s'effaça à l'ouest, et la chambre plongea dans l'ombre. La chienne dormait et gémissait dans son sommeil. La lune se leva enfin et la petite chambre fut baignée d'une lumière d'argent. Les pieds de Jody brûlaient. Ses genoux s'agitaient.

Penny dit : “ Tu ne dors pas, petit? ”

— Je ne peux pas m'empêcher de marcher.

— Nous avons fait une longue route. Ça te plaît, petit, la chasse à l'ours?

— Voilà... — Il se frotta les genoux. — Ça me plaît d'y penser.

— Je comprends.

— J'aimais bien la piste, et ça m'a plu de voir les arbustes tomber et les fougères cassées dans le marécage.

— Oui.

— J'aimais bien quand la vieille Julia aboyait par moments...

— Mais la lutte est un peu terrible, hein, petit?

— Très terrible.

— C'est écœurant, les chiens qui saignent et tout ça. Et encore, petit, tu n'as jamais vu tuer un ours. Mais ils ont beau être malfaisants, c'est tout de même pitoyable quand ils tombent et que les chiens leur déchirent la gorge, alors ils crient tout à fait comme une personne et ils se couchent par terre et ils meurent comme ça devant vous.

Le père et le fils restèrent un temps silencieux, étendus côte à côte.

— Si seulement les bêtes sauvages nous laissaient tranquilles, reprit Penny.

— Je voudrais qu'on les tue toutes, dit Jody. Celles qui viennent nous voler et nous font du mal.

— Ce n'est pas voler, pour un animal. Un animal doit gagner sa vie, et il le fait à sa manière. Comme nous. C'est la nature de la panthère, et du loup et de l'ours, de tuer leur viande. Les bornes des provinces ne comptent pas pour eux, ni les barrières des hommes. Comment veux-tu qu'un animal sache que ce terrain est à moi et que je l'ai payé? Comment veux-tu qu'un ours sache que j'ai besoin de mes cochons pour me nourrir? Tout ce qu'il sait, lui, c'est qu'il a faim.

Jody étendu regardait devant lui. L'île Baxter lui apparaissait comme une forteresse assiégée par la faim. En ce moment, dans le clair de lune, des yeux luisaient, rouges, verts, jaunes. L'affamé se glisserait à longs pas dans la clairière, tuerait, mangerait, et repartirait. Les chats et les opossums attaqueraient le poulailler, le loup ou la panthère égorgeraient peut-être le veau avant l'aube, le vieux Pied-Bot pouvait revenir pour tuer et dévorer.

— L'animal ne fait pas autre chose que moi quand je vais à la chasse pour nous rapporter de la viande, dit Penny. Je vais le chasser là où il vit et dort et fait ses petits. C'est une dure loi, mais c'est la loi. Tue ou meurs de faim.

Mais la clairière était protégée. Les bêtes y venaient puis

s'en retournaient. Jody se mit à frissonner sans savoir pourquoi.

— Tu as froid, petit?

— Je crois.

Il voyait le vieux Pied-Bot chanceler, frapper, grogner. Il voyait la vieille Julia bondir, il la voyait prise, écrasée, puis il la voyait tomber, sanglante et brisée. Mais la clairière était protégée.

— Approche-toi, petit. Je vais te réchauffer.

Il se glissa contre le corps osseux de son père. Penny glissa un bras autour de lui et le serra le long de sa hanche maigre. Son père était le cœur de la sécurité. Son père nageait contre le courant pour chercher sa chienne blessée. La clairière était protégée et son père combattait pour cela. Un sentiment d'agréable sécurité l'envahit et il s'endormit. Il s'éveilla une fois, inquiet. Penny était accroupi dans le coin de la chambre au clair de lune en train de soigner la chienne.

V

PENNY dit au petit déjeuner : “ Il va falloir s'occuper d'un nouveau fusil, ou bien j'aurai des ennuis. ”

La vieille Julia allait mieux. Ses blessures étaient nettes, sans enflure. Elle était épuisée par la perte de sang et ne voulait que dormir. Elle avait avalé un peu de lait de la gourde que Penny lui tendait.

— Tu as l'intention de t'acheter un nouveau fusil? demanda Ma Baxter. On n'a même pas d'argent pour les impôts.

— J'ai dit “ m'occuper ”, rectifia Penny.

— Le jour où tu auras quelque chose sans le payer, je veux bien être pendue.

— Écoute, Maman. Je ne voudrais jamais duper personne. Mais il y a des échanges où tout le monde trouve son compte.

— Qu'est-ce que tu vas échanger?

— Le bâtard.

— Qui en voudra?

— C'est un bon chien.

— Oui, bon pour attraper des biscuits.

— Tu sais aussi bien que moi que les Forrester sont fous de chiens.

— Ezra Baxter, si tu vas faire des affaires avec les Forrester, estime-toi heureux de rentrer avec ta culotte.

— Enfin, c'est chez eux que nous allons aujourd'hui.

Penny parlait avec une fermeté devant laquelle tout le poids de sa femme n'était que du vent. Elle soupira.

— C'est ça. Laisse-moi seule, sans personne pour me couper mon bois, ou me chercher de l'eau, ou s'inquiéter si je tombe dans la mare. C'est ça, va et emmène-le!

— Je ne t'ai jamais laissée sans eau ni bois.

Jody écoutait, anxieux. Il se serait privé de manger pour aller chez les Forrester.

— Il faut que Jody rencontre des gens, apprenne à connaître les hommes.

— Bel endroit pour ça que la maison Forrester. Ce qu'il apprendra chez eux c'est à avoir un cœur aussi noir que le minuit.

— Il peut aussi bien apprendre à ne pas les imiter. En tout cas, c'est là que nous allons.

Il se leva de table.

— Je vais chercher de l'eau, et toi, Jody, va couper un beau fagot.

— Vous emportez à déjeuner? leur cria-t-elle comme ils s'éloignaient.

— Je ne tiens pas à offenser mes voisins. On déjeunera chez eux.

Jody courut au bûcher. Chaque coup de hache dans l'épais sapin le rapprochait des Forrester et de son ami Aile-de-Paille. Il coupa un grand morceau de bois et en porta assez à la cuisine pour remplir la caisse à bois de sa mère. Son père n'était pas encore rentré de la mare avec sa charge d'eau. Jody courut à l'écurie et sella le cheval. Si le cheval était prêt, ils pourraient partir avant que sa mère imaginât un nouveau prétexte pour le retenir. Il vit Penny descendre le chemin de sable, courbé sous le joug, portant les deux seaux de bois remplis d'eau jusqu'au bord. Il se précipita pour l'aider à poser son fardeau, car un manque d'équilibre pouvait faire basculer les seaux, et l'ennuyeuse corvée serait tout entière à recommencer.

— César est sellé, dit-il.

— Et le bois au feu, j'en suis sûr, dit Penny en souriant. Parfait. Laisse-moi aller mettre ma veste d'affaires, attacher Rip, prendre mon fusil, et nous partons.

La selle avait été achetée aux Forrester qui la trouvaient trop petite pour leurs larges séants. Penny et Jody y tenaient à l'aise.

— Monte devant, mon gars. Mais si tu continues à grandir comme ça, je serai obligé de te prendre en croupe car je ne verrai plus la route devant moi. Ici, Perk! Suis-nous.

Le bâtard accourut. Un instant, il s'arrêta pour regarder derrière lui.

— J'espère que c'est la dernière fois que tu regardes cette maison, lui dit Penny.

César, bien reposé, partit au trot. Sa vieille échine était large, la selle vaste, et chevaucher ainsi, appuyé à son père, était aussi reposant pour Jody que se balancer dans un fauteuil. Le chemin de sable était un ruban ensoleillé, tacheté par l'ombre des feuilles. A l'ouest, près de la mare, la route se divisait : une branche continuait vers l'île Forrester, l'autre tournait au nord. De vieilles entailles faites à la hache sur le tronc vénérable d'un sapin marquaient le tournant.

— C'est toi ou les Forrester qui ont fait ces marques? demanda Jody.

— Elles étaient là avant que les Forrester et moi n'en ayons entendu parler. Tu vois, petit, il y en a de si profondes et les pins poussent si lentement que je ne serais pas étonné que ce soit des entailles espagnoles. Ton professeur, que tu avais l'année dernière, ne t'a pas appris l'histoire? Eh bien, petit, ce sont les Espagnols qui ont fait ce chemin. Celui-ci, que nous quittons maintenant, c'est la vieille piste espagnole qui traverse la Floride. Elle commence près de Fort-Butler. L'autre va à Tampa. C'est la piste du Dragon. Celle-ci, c'est celle de l'Ours noir.

Jody se tourna vers son père en ouvrant de grands yeux.

— Tu crois que les Espagnols tuaient les ours?

— Ils y étaient bien obligés. Ils avaient des Indiens à combattre, les panthères et les ours. Exactement comme nous, sauf que nous n'avons pas d'Indiens.

— Est-ce qu'il y a encore des Espagnols par ici?

— Il n'y a plus un homme vivant, Jody, qui ait entendu son grand-père dire qu'il ait jamais vu un Espagnol. Les Espagnols venaient de l'autre côté de l'océan, ils ont traversé la Floride en faisant du commerce et en chassant, et personne ne sait où ils sont allés.

Les jeux du bois printanier se poursuivaient à loisir dans le matin doré. Les rouges-gorges s'accouplaient, et les mâles, fiers de leur crête, étaient partout et chantaient si bien que l'île Baxter ruisselait de trilles.

— C'est plus joli que le violon et les guitares, hein? dit Penny.

Jody fut brusquement ramené à la brousse. Il était au milieu de l'océan avec les Espagnols.

Les cannes à sucre avaient déjà toutes leurs feuilles. Le jasmin avait fleuri et défleuri, mais les airelles et le raphia étaient en pleine floraison. La route menait vers l'ouest à travers un kilomètre de tendres feuillages, de fleurs roses et blanches. Des guêpes respiraient les petits pétales dentelés. Après une clairière abandonnée, la route devenait plus étroite. César se mit au pas. Les broussailles se rapprochaient. Les chênes nains et les buissons de myrte frôlaient leurs jambes. La végétation était dense et basse et sans ombrage. Le soleil d'avril brillait haut et fort. César transpirait et les harnais frottaient et grinçaient.

Puis la route s'élargit, les plantes s'écartèrent et les grands arbres de l'île Forrester apparurent comme un signal. Penny descendit de cheval, ramassa le bâtard et remonta en tenant le chien dans ses bras.

Jody demanda : " Pourquoi tu le portes? "

— Ne t'occupe pas de cela.

Ils traversèrent un champ frais et sombre sous des palmiers et des chênes-lièges. La route tournait, et le gris délavé de la cabane Forrester apparut sous un chêne géant. Une mare brillait derrière elle.

Penny dit : " Maintenant, ne taquine pas Aile-de-Paille. "

— Je ne le taquine jamais. C'est mon ami.

— C'est très bien. Il est de la seconde couvée, et ce n'est pas sa faute s'il est bizarre.

— C'est mon meilleur ami. A part Olivier.

— J'aime mieux Olivier. Il raconte des histoires aussi énormes qu'Aile-de-Paille, mais au moins, lui, il sait qu'il ment.

Soudain le silence de la forêt fut rompu par de grands éclats. Le tapage venait de la cabane. Il y eut un bruit de chaises renversées, de vaisselle brisée, des pas lourds battirent le plancher, et les voix des Forrester mâles résonnèrent contre les murs. Une voix féminine aiguë dominait le tumulte. La porte s'ouvrit d'un seul coup et une meute de chiens se précipita dehors. Ma Forrester les poursuivit avec un balai, tandis qu'ils couraient se mettre à l'abri. Ses fils se précipitèrent derrière elle.

Penny appela. " Est-ce qu'il n'y a pas de danger à entrer? "

Les Forrester rugirent des saluts aux Baxter et des ordres aux chiens. Ma Forrester saisit à deux mains son tablier de guingan et l'agita comme un drapeau. Les cris de bienvenue étaient si mêlés aux ordres donnés aux chiens que Jody se sentait gêné, mal sûr de la réception.

— Descendez et entrez! Voulez-vous filer, sacrés voleurs de lard! Hé! Oh! Comment ça va? Allez au diable!

Ma Forrester tapa du pied dans la direction des chiens qui se dispersèrent dans la forêt.

— Penny Baxter! Jody! Descendez et entrez!

Jody se laissa glisser à terre et Ma Forrester lui tapota le dos. Elle sentait le tabac à priser et la fumée de bois. L'odeur ne le gênait pas mais il ne pouvait s'empêcher de penser au délicat parfum de grand-mère Hutto. Penny descendit de cheval. Il tenait tendrement le bâtard. Les Forrester l'entouraient, le dominant de leur haute taille. Buck emmena le cheval au corral. La Meule souleva Jody, le balança sur son épaule et le reposa à terre comme il eût fait d'un petit chat.

Plus loin, devant les marches de la cabane, Jody vit Aile-de-Paille qui accourait vers lui. Le corps bossu et tordu avançait par saccades, tel un singe blessé. Aile-de-Paille leva sa canne et l'agita. Jody courut à lui. Le visage d'Aile-de-Paille était illuminé de plaisir.

Il cria : « Jody! »

Ils étaient l'un devant l'autre, timides et ravis.

Un sentiment de joie qu'il ne connaissait avec personne d'autre remplissait Jody. Le corps de son ami ne lui paraissait pas plus anormal que celui d'un caméléon ou d'un opossum. Il ne discutait pas l'opinion des grandes personnes qui disaient qu'Aile-de-Paille était demeuré. C'est vrai que lui n'aurait jamais fait, par exemple, une chose comme celle qui avait donné son nom à Aile-de-Paille. Le petit Forrester s'était dit que, s'il arrivait à s'attacher à quelque chose de léger, d'aérien, il pourrait s'envoler du toit de la grange sans plus d'effort qu'un oiseau. Ayant fixé à ses bras de grandes gerbes de foin, il avait sauté. C'est par miracle qu'il avait survécu, ajoutant quelques fractures au squelette déjà difforme avec lequel il était né. C'était fou, évidemment. Pourtant, au fond de lui, Jody se disait qu'une chose de ce genre pouvait fonctionner. Il avait souvent pensé lui-même à des cerfs-volants, de très grands cerfs-volants. Et il comprenait bien, sans le dire, la nostalgie du petit infirme rêvant de voler, de s'alléger, de se libérer un instant de son corps pesant, courbé et trébuchant.

Il dit : " Bonjour. "

Aile-de-Paille dit : " J'ai un bébé ragondin. "

Il avait chaque fois un nouveau pensionnaire.

— Allons le voir.

Aile-de-Paille le conduisit derrière la cabane, vers une série de caisses et de cages qui abritaient sa collection changeante d'oiseaux et d'autres bêtes.

— Mon aigle est mort, dit Aile-de-Paille. Il était trop sauvage pour vivre enfermé.

Le couple de lapins noirs n'était pas nouveau.

— Ils ne veulent pas avoir de petits, déplora Aile-de-Paille. J'ai envie de leur rendre leur liberté.

Un écureuil tournait une petite roue.

— Je te le donne, offrit Aile-de-Paille. J'en trouverai un autre.

L'espoir se gonfla et mourut en Jody.

— Maman ne veut pas que j'aie des animaux.

Son cœur était blessé de désir pour l'écureuil.

— Voilà mon ragondin. Ici, Racket!

Un museau noir se glissa entre deux lattes de bois. Une patte noire et menue comme la main d'un bébé nègre se tendit. Aile-de-Paille souleva une latte et sortit le ragondin. Celui-ci s'accrocha à son bras avec un bizarre gazouillement.

— Tu peux le tenir. Il ne te mordra pas.

Jody serra le ragondin contre lui. Il n'avait jamais vu ni touché d'objet aussi délicieux. Le pelage gris était aussi doux que la chemise de flanelle de sa mère. Le museau pointu était marqué entre les yeux par une ligne noire. La queue touffue était merveilleusement recourbée. Le ragondin lui mordilla le bras et fit entendre de nouveau son étrange petit cri.

— Il veut sa sucette, dit Aile-de-Paille, maternel. Amenons-le à la maison pendant que les chiens sont sortis. Il a terriblement peur des chiens, mais il s'y habituera. Il n'aime pas le bruit.

— Il y en avait un tapage quand nous sommes arrivés! dit Jody. Qu'est-ce que vous faisiez?

— Je n'y étais pas, dit Aile-de-Paille avec dédain. C'étaient eux.

— Qu'est-ce qu'il y avait?

— Oh! un des chiens avait sali par terre. Ils ne pouvaient pas se mettre d'accord pour dire lequel c'était.

VI

Le ragondin tétait avidement son suçon. Il était couché sur le dos, dans le bras de Jody et il tenait son bout de chiffon rempli de sucre, avec ses pattes de devant. Il fermait voluptueusement les yeux. Son petit ventre était déjà tout rond de lait et il repoussa bientôt son suçon et se débattit pour se dégager. Jody le posa sur son épaule. Le ragondin lui ratissa les cheveux, et lui frôla le cou et les oreilles de ses petites mains inquiètes.

— Il bouge ses mains tout le temps, dit Aile-de-Paille.

Le père Forrester se mit à parler du coin d'ombre où il était assis près de la cheminée. Jody ne l'avait pas remarqué tant il était tranquille.

— Moi aussi j'avais un ragondin quand j'étais gamin, dit-il. Pendant deux ans, il est resté sage comme un petit chat. Puis, un jour, il m'a arraché un morceau de mollet. — Il cracha dans le feu. — Celui-là mordra aussi quand il sera grand. C'est la nature du ragondin.

Ma Forrester entra et s'occupa de ses casseroles. Ses fils la suivaient en troupe : Buck et La Meule, Gabby et Paquet, Arch et Lem. Jody regardait, étonné, le couple desséché, ratatiné, qui avait donné naissance à ces personnages gigantesques. Ils se ressemblaient tous, sauf Lem et Gabby. Gabby était plus petit que les autres, et assez malin. Lem seul se rasait. Il était aussi grand qu'eux, mais moins noir et c'est lui qui parlait le moins. Il se tenait souvent à l'écart, rêvant et boudant, tandis que Buck et La Meule péroraient.

Penny Baxter entra aussi, perdu au milieu d'eux. Pa Forrester continuait à discourir sur la nature des ragondins. Personne ne l'écoutait sauf Jody, mais le vieil homme savourait ses propres paroles.

— Ce ragondin deviendra grand comme un chien. Et il rossera tous les chiens de la cour. Le ragondin ne vit pas pour autre chose que pour rosser les chiens. Il peut nager sur le dos en luttant contre toute une meute. Il les noiera l'un après l'autre. Et mordre! Un ragondin mort, il faut encore qu'il morde un coup.

Jody était partagé entre le désir de l'entendre et celui de suivre la conversation des autres Forrester. Il s'étonnait de voir son père continuer à tenir le bâtard avec sollicitude dans ses bras. Penny traversa la salle.

— Comment allez-vous, M. Forrester? Content de vous voir. Comment va la santé?

— Bonjour, Monsieur. Ça ne va pas trop mal quand on pense que j'étais presque fichu il n'y a pas si longtemps. A la vérité, je devrais être mort aujourd'hui et déjà au ciel, mais j'ai préféré attendre... Il me semble que je suis mieux ici.

Ma Forrester dit : “ Asseyez-vous, M. Baxter. ”

Penny avança un fauteuil à bascule et s'assit.

Lem Forrester lui cria de l'autre bout de la pièce : “ Votre chien est estropié? ”

— Mais non! Il n'a jamais boité seulement, depuis que je le connais. Mais je préfère le garder des mâchoires de vos espèces de colosses.

— Il vaut cher, hein? demanda Lem.

— Oh! non. Il ne vaut pas un paquet de tabac. N'allez pas essayer de le retenir quand je m'en irai, il ne vaut pas la peine d'être volé.

— Vous en prenez bien soin, s'il est si misérable.
— C'est comme ça que je suis.
— Vous l'avez essayé pour la chasse à l'ours?
— Je l'ai essayé.
Lem s'approcha lourdement.
— Il flaire bien? Il tient l'ours en arrêt?
— Il ne vaut rien. Je n'ai jamais eu ni vu un chien plus lamentable.
Lem dit : " Je n'ai jamais entendu un homme débiner son chien comme ça. "
Penny dit : " Oui, je reconnais qu'il a bon air et qu'à le voir la plupart des gens en auraient envie, mais je voulais vous prévenir qu'il n'est pas question d'affaire avec ce chien-là parce que, si vous l'achetiez, vous seriez roulés. "
— Vous avez l'intention de chasser en vous en retournant?
— Oh! on a toujours l'intention de chasser.
— C'est drôle de votre part d'emmener un chien qui ne vous servira à rien.
Les Forrester se regardèrent. Ils se turent. Leurs yeux noirs se fixèrent sur le bâtard.
— Ce chien ne vaut rien, et mon vieux fusil ne vaut rien non plus, dit Penny. Je suis bien embringué.
Les yeux noirs se dirigèrent vers les murs de la cabane où les armes des Forrester étaient suspendues. Ces panoplies, songeait Jody, suffiraient à remplir la boutique d'un armurier. Les Forrester gagnaient beaucoup d'argent en faisant le commerce des chevaux et en vendant leur gibier. Ils achetaient des fusils, comme d'autres achètent de la farine ou du café.
— Je n'ai jamais entendu que vous soyez revenu bredouille, dit Lem.
— Ça m'est arrivé hier. Mon fusil ne voulait pas partir, et quand il s'est décidé, il a explosé.

— Qu'est-ce que vous chassiez?

— Le vieux Pied-Bot.

Ils se mirent à parler tous à la fois.

— Où est-il? De quelle direction venait-il? Où est-il allé?

Pa Forrester frappa le sol de son bâton.

— Allons, garçons, taisez-vous, et laissez parler Penny. Il ne peut pas raconter si vous êtes tous après lui comme des taureaux.

La Meule alla dans sa chambre et en revint avec une dame-jeanne. Il retira le bouchon et la tendit à Penny.

— Il faut m'excuser, dit Penny, je n'en bois pas beaucoup. Je n'ai pas autant de place que vous!

Ils éclatèrent de rire. La Meule fit circuler la cruche.

— Jody?

Penny dit : " Il n'est pas assez grand. "

Pa Forrester dit : " Moi j'en buvais dans mon berceau. "

Ma Forrester dit : " Verse-m'en une goutte, dans ma tasse. "

Elle était en train de disposer de la nourriture dans des plats grands comme des cuvettes. La longue table de bois brut était couverte de mets fumants. Il y avait du cerfeuil avec du lard, un quartier de gibier rôti, une platée d'écureuils grillés, des choux, une énorme bouillie de maïs, du pain blanc, de la confiture, et du café. Un pudding aux raisins attendait sur le coin du feu.

— Si j'avais su que vous veniez, dit-elle, j'aurais fait un vrai déjeuner.

Jody regarda son père pour voir si lui aussi était charmé par cette savoureuse abondance. Le visage de Penny avait une certaine gravité.

— Mais c'est un déjeuner de gouverneur, dit-il.

Ma Forrester fit, un peu gênée : " Je crois que vous avez l'habitude chez vous de dire les grâces. Pa, une petite bénédiction ne te fera pas de mal puisque nous avons de la compagnie. ”

Le vieux regarda autour de lui d’un air malheureux et joignit les mains.

— Seigneur, une fois de plus tu as daigné accorder à nos âmes et à nos corps de pécheurs une bonne subsistance. *Amen.*

Les Forrester se raclèrent la gorge, et dirent *Amen.* Jody s’assit en face de son père, entre Ma Forrester et Aile-de-Paille. Il trouva son assiette copieusement servie. Buck et La Meule choisissaient les meilleurs morceaux pour Aile-de-Paille. Il les repassait sous la table à Jody. Les Forrester mangeaient avec application, silencieux pour une fois. La nourriture fondait devant eux. Une discussion s’éleva entre Lem et Gabby. Leur père frappa la table de son poing ridé. Ils protestèrent un moment contre cette intervention, puis cédèrent. Pa Forrester se pencha vers Penny et lui dit tout bas :

— Mes gars sont brutes, je sais. Ils ne se conduisent pas comme il faut. Ils boivent fort, et ils sont batailleurs, et les femmes pour leur échapper doivent courir comme des biches. Mais ça, il faut le dire pour eux : aucun n’a jamais répondu à table à son père ou à sa mère.

VII

Pa Forrester dit : “ Et maintenant, voisin, donnez-nous des nouvelles de l’ours. ”

Ma Forrester dit : “ Oui, mais vous autres, chenapans, lavez-moi la vaisselle avant d’être en plein dedans. ”

Ses fils se levèrent vivement, chacun avec son assiette et un plat ou une poêle. Jody les regardait. Il n’aurait pas été plus étonné s’il les avait vus se mettre des rubans dans les cheveux. Ma Forrester lui pinça l’oreille en passant pour aller s’installer dans son fauteuil à bascule.

— Je n’ai pas de fille, dit-elle. Si je fais la cuisine pour tous les gars, ils peuvent bien au moins nettoyer après moi.

Jody regarda son père, le priant silencieusement de ne pas introduire une telle hérésie dans l’île Baxter. Le lavage de la vaisselle était pour les Forrester une affaire vivement menée. Aile-de-Paille sautillait derrière ses frères, rassemblant les restes pour les bêtes. Ce n’est qu’en portant lui-même à manger à la meute qu’il pouvait être sûr de récolter du même coup des miettes pour ses pensionnaires. Il souriait en pensant qu’il en aurait beaucoup à leur donner aujourd’hui. Jody s’émerveillait d’une telle abondance. Les Forrester finirent bruyamment leur besogne et suspendirent les casseroles et les pots aux clous de la cheminée. Ils approchèrent leurs chaises recouvertes en peau de vache et leurs bancs de bois taillés à la main, autour de Penny. Les uns allumèrent leurs pipes, d'autres se préparaient des chiques. Ma Forrester s'accorda une petite prise de tabac. Buck ramassa le fusil de Penny et une petite lime et se mit à travailler.

— Eh bien, commença Penny, il nous est tombé dessus, pile, par surprise.

Jody frémit.

— Il s'est glissé comme une ombre et a tué notre truie. Il l'a fendue de bout en bout et n'en a mangé qu'une bouchée. Pas affamé du tout, seulement vil et malfaisant.

Penny s'arrêta pour allumer sa pipe. Les Forrester se penchèrent vers lui avec des pommes de pin embrasées.

— Il est venu sans plus de bruit qu'un nuage noir dans le vent. Il avait fait le tour pour avoir le vent pour lui. Si tranquillement que les chiens ne l'ont même pas entendu ni senti. Même celui-là... même celui-là, — il se pencha pour caresser le bâtard à ses pieds — il l'a eu.

Les Forrester échangèrent des regards.

— Nous sommes partis après le petit déjeuner, Jody et moi et les trois chiens. Nous avons pisté l'ours à travers la brousse au sud. Nous l'avons pisté le long du marécage. Nous l'avons pisté, jusqu'à l'étang de Juniper. La piste était de plus en plus chaude. Nous l'avons rattrapé...

Les Forrester se frappèrent les genoux.

— Nous l'avons rattrapé, les gars, juste au bord de l'étang, là où l'eau est la plus profonde et la plus rapide.

Jody trouvait l'histoire encore plus belle que la chasse. Il était gonflé d'attention passionnée. Il était gonflé aussi d'admiration pour son père. Penny Baxter, pas plus grand qu'un petit tas de poussière, les dépassait tous comme chasseur.

Racontée par lui, l'expédition devenait une épopée. Quand il en fut à l'explosion du fusil à l'instant où le vieux Pied-Bot écrasait Julia contre son poitrail, Gabby avala sa chique et se précipita vers l'âtre en toussant et crachant.

— Dieu! fit Buck haletant. J'aurais voulu y être!

— Et où est allé Pied-Bot? demanda anxieusement Gabby.

— Personne ne sait, dit Penny.

Il y eut un silence.

Lem dit enfin : " Vous n'avez pas parlé une seule fois du chien que vous avez là. "

— Ne me demandez pas, fit Penny. Je vous ai dit qu'il ne valait rien.

— Je remarque qu'il s'en est joliment bien sorti. Pas une écorchure.

Penny tirait sur sa pipe.

Lem se leva et vint vers lui, le dominant comme une tour. Il fit craquer ses doigts. Il transpirait.

— J'ai envie de deux choses, dit-il brutalement. J'ai envie d'être dans le coup quand on tuera Pied-Bot, et j'ai envie de ce chien-là.

— Oh que non, fit Penny suavement. Je ne veux pas vous empiler en vous le vendant.

— Pas de boniments avec moi. Dites votre prix.

— J'aime mieux vous vendre Rip.

— Vous êtes malade. J'ai de meilleurs chiens que Rip.

Lem alla au mur et en décrocha un fusil. C'était une belle carabine anglaise. Le double canon brillait. La crosse était en noyer, chaude et luisante. Les chiens jumeaux étaient dorés. Lem épaula, visa, puis il le tendit à Penny.

— Il vient d'Angleterre. On ne le charge pas par le canon. C'est un jeu d'enfant avec celui-ci. Vous mettez votre plomb là, vous tirez ici. Bam! Bam! Deux coups. Il abat un aigle en plein vol. Donnant donnant.

— Oh que non, dit Penny, ce fusil vaut trop cher.

— On peut en avoir d'autres pareils. Ne discutez pas avec moi. Quand j'ai envie d'un chien, j'ai envie d'un chien. Prenez le fusil en échange, ou, par Dieu, je viendrai un jour vous le voler.

— Dans ce cas, très bien, fit Penny. Si c'est comme ça... Mais il faut que vous me promettiez devant témoin de ne pas venir me donner la raclée quand vous l'aurez essayé à la chasse.

— Tope-là! — Une main velue se referma sur la main de Penny. « Ici, petit. »

Lem siffla le bâtard, il le prit par la peau du cou et l'emmena dehors comme s'il avait encore peur qu'on ne le lui laissât pas.

Penny se balança dans son fauteuil, tenant négligemment le fusil sur ses genoux. Jody ne pouvait détourner ses yeux de cet objet si parfait. Il était rempli d'une horreur émerveillée à la façon dont son père avait mené son jeu contre ce Forrester. Il se demandait si Lem tiendrait sa promesse. Il avait entendu parler des ruses du négoce, mais il n'aurait jamais pensé qu'un homme pût en duper un autre rien qu'en lui disant la vérité.

On continua à bavarder le long de l'après-midi. Buck avait réparé le vieux tromblon de Penny de façon à le rendre encore utilisable, pensait-il. Les Forrester n'étaient pas pressés, ils n'avaient rien à faire. On racontait des anecdotes sur la malice du vieux Pied-Bot, d'autres ours ses prédécesseurs, mais aucun n'était aussi scélérat. On décrivit des chasses dans tous leurs détails. Aile-de-Paille, las de ces récits, voulait aller pêcher dans l'étang. Mais Jody ne pouvait se décider à quitter les hommes et leurs histoires. Pa et Ma Forrester y ajoutaient de temps en temps quelques exclamations criardes et s'assoupissaient dans l'intervalle, comme des grillons engourdis. Enfin, leur sénilité eut raison d'eux, et ils s'endormirent profondément dans les fauteuils voisins, leurs vieilles carcasses desséchées, raides même, dans le sommeil. Penny s'étira et se leva.

Il dit : “ C’est ennuyeux de quitter une compagnie agréable. ”

— Passez la nuit ici. On chassera le renard.

— Je vous remercie mais je n’aime pas laisser ma maison sans homme.

Aile-de-Paille le tira par le bras.

— Laissez Jody avec moi. Il n’a pas vu la moitié de mes affaires.

Buck dit : “ Laissez le gamin, Penny. Je dois aller à Volusia demain. Je le déposerai chez vous. ”

— Sa mère va crier, dit Penny.

— Les mères sont faites pour ça, eh Jody?

— Pa, je serais si content! Il y a longtemps que je n’ai pas joué.

— Non, avant-hier. Enfin, reste si on veut bien de toi ici. Lem, n’assommez pas le petit si vous essayez le bâtard avant que Buck ne me le ramène.

Ils éclatèrent de rire. Penny prit le fusil neuf sur son épaule avec le vieux et s’en alla chercher son cheval. Jody le suivit. Il tendit la main et caressa la crosse lisse du fusil.

— Si c’était n’importe qui au monde d’autre que Lem, lui chuchota Penny, j’aurais honte de le rapporter à la maison. Mais je devais une leçon à Lem depuis qu’il m’a donné mon surnom.

— Tu lui as dit la vérité.

— Mes paroles étaient droites, mais mes intentions tordues comme la rivière d’Ocklawaha.

— Qu’est-ce qu’il fera quand il s’en apercevra?

— Il aura envie de m’écorcher. Et après, j’espère qu’il rira. Au revoir, petit, à demain. Sois sage.

Les Forrester le regardèrent partir. Jody agita la main avec une sensation toute nouvelle de solitude. Il avait presque envie de le rappeler, de courir après lui et de grimper en selle pour reprendre avec lui le chemin familier de la clairière.

Aile-de-Paille cria : “ Le ragondin pêche dans une mare, Jody! Viens voir! ”

Il courut regarder le ragondin. Celui-ci pataugeait dans une flaque d’eau, tâtonnant avec ses petites mains humaines à la recherche de quelque chose dont seul son instinct pouvait lui révéler la présence. Jody joua avec Aile-de-Paille et le ragondin tout le reste de l’après-midi. Il aida à nettoyer la caisse des écureuils et à construire une cage pour un rouge-gorge estropié.

Jody aspirait une fois de plus à posséder un être à lui. Aile-de-Paille lui aurait bien offert l’écureuil roux et peut-être même le bébé ragondin. Mais l’expérience lui avait appris à ne pas imposer à sa mère une bouche de plus à nourrir, si petite fût-elle. Les Forrester s’étaient dispersés sur leur terre vers des tâches qu’ils accomplissaient nonchalamment. Buck et Arch conduisaient les vaches et leurs veaux à l’abreuvoir. La Meule portait à manger aux chevaux dans le corral. Paquet et Lem avaient disparu dans le bois derrière la cabane. L’endroit respirait l’aise et l’abondance aussi bien que la violence, c’est qu’ils étaient nombreux à travailler. Penny Baxter faisait la besogne d’une clairière presque aussi grande que la leur à lui tout seul. Jody se rappelait avec remords les sillons non sarclés qu’il avait laissés derrière lui. Mais Penny ne regarderait pas à les finir.

Pa et Ma Forrester étaient toujours endormis dans leurs fauteuils. Le soleil à l’ouest était rouge. L’ombre remplissait rapidement la cabane, car les chênes-lièges obscurcissaient un reste de jour qui brillait encore sûrement dans la clairière Baxter. Les frères rentrèrent l’un après l’autre. Aile-de-Paille alluma le feu pour réchauffer le café. Jody vit Ma Forrester ouvrir un œil attentif puis le refermer. Ses fils disposèrent sur la table les restes du repas de midi avec un tintement de vaisselle qui aurait réveillé un hibou en plein jour. Leur mère se redressa dans son fauteuil, donna un coup de coude dans les côtes de Pa Forrester et ils rejoignirent les autres à la table du souper. Cette fois, on vida les plats. Il ne resta même pas de quoi nourrir les chiens. Aile-de-Paille fit une pâtée de pain qu'il alla leur porter. Il boitait de côté, faisant déborder sa terrine et Jody courut l'aider.

Après le dîner, les Forrester se mirent à fumer en parlant chevaux. Les maquignons de la province et plus loin encore à l'ouest se plaignaient de la crise. Les loups, les ours et les panthères avaient fait des ravages sur les poulains. Les marchands du Kentucky qui amenaient généralement des files de chevaux n'avaient pas fait leur apparition. Les Forrester pensaient qu'ils auraient profit à aller vers le nord pour trouver des poneys. Jody et Aile-de-Paille se désintéressaient de la conversation et s'en allèrent dans un coin jouer au couteau. Ma Baxter n'aurait jamais permis qu'on enfonçât des lames de canif dans son parquet lisse et propre. Ici quelques entailles de plus ou de moins ne faisaient pas de différence.

— Je sais quelque chose que je parie que tu ne sais pas, dit Jody à son ami.

— Quoi?

— Les Espagnols traversaient la brousse juste devant votre porte.

— Mais si, je le savais! " Aile-de-Paille s'approcha tout près de lui et chuchota très excité : J'en ai vu.

Jody le regarda.

— Qu'est-ce que tu as vu?

— J'ai vu des Espagnols. Ils sont grands et noirs, ils ont des casques brillants et ils montent des chevaux noirs.

— Tu n'as pas pu en voir. Il n'y en a plus. Ils ont quitté le pays, comme les Indiens.

Aile-de-Paille ferma un œil d'un air malin.

— Qu'on dit! Mais écoute-moi. La prochaine fois que

tu iras à votre mare, tu sais ce grand magnolia à gauche avec des *dog-wood* tout autour? Regarde bien derrière le magnolia. Il y a toujours un Espagnol sur un cheval noir qui passe là.

Jody avait la chair de poule. Bien sûr, c'était encore une histoire d'Aile-de-Paille. C'est pour ça que son père et sa mère disaient qu'Aile-de-Paille était fou. Mais il voulait le croire. Il ne risquait rien, en tout cas, à regarder derrière le magnolia.

Les Forrester s'étirèrent, tapèrent leurs pipes ou crachèrent leurs chiques. Ils passèrent dans leurs chambres en défaisant leurs bretelles et en déboutonnant leurs culottes. Ils avaient un lit chacun car on n'aurait jamais pu en mettre deux, même dans un grand lit. Aile-de-Paille conduisit Jody à son propre lit dans une petite chambre qui ressemblait à une espèce de hangar, sous l'auvent de la cuisine.

— Tu peux prendre l'oreiller, lui dit-il.

Jody espérait que sa mère ne lui demanderait pas s'il s'était lavé les pieds. Quelle vie libre que celle des Forrester, songeait-il en se couchant. Aile-de-Paille se mit à lui raconter une histoire de fin du monde. C'était tout noir et vide, lui dit-il, avec seulement des nuages à chevaucher. Le commencement intéressait Jody. Puis l'histoire devint terne et traînante. Il s'endormit et rêva d'Espagnols montés sur des nuages en guise de chevaux.

Il se réveilla en sursaut dans la nuit. Un grand tumulte remplissait la cabane. Sa première idée fut que les Forrester recommençaient à se disputer. Mais les hurlements exprimaient une communauté d'intention, et Ma Forrester les encourageait de la voix. Une porte s'ouvrit avec fracas, et on appela les chiens. Une lumière parut dans l'encadrement de la porte d'Aile-de-Paille, et hommes et chiens envahirent la petite chambre. Les hommes étaient tout nus et ils paraissaient plus minces ainsi, mais aussi hauts que la maison. Ma Forrester tenait une chandelle allumée. Son petit corps de sauterelle était perdu dans une longue chemise de nuit de flanelle grise. Les chiens se précipitèrent sous le lit et en ressortirent. Aile-de-Paille et Jody sautèrent sur leurs pieds. Personne ne se donnait la peine d'expliquer le désordre. Les deux garçons suivirent la chasse. Elle se poursuivit dans toutes les pièces et se termina par une sortie en trombe des chiens à travers la moustiquaire qui fermait une des chambres.

— Ils l'attraperont dehors, dit Ma Forrester tout à coup apaisée. La sale bête.

— C'est maman qui entend toujours quand une bestiole entre dans la maison, dit fièrement Aile-de-Paille.

— Je pense que n'importe qui l'aurait entendue si elle était venue gratter le pied de son lit, dit-elle.

Pa Forrester entra dans la chambre, à pas lents, appuyé sur sa canne.

— La nuit est finie, autant dire, fit-il. J'aime autant prendre un verre de whisky et ne pas me recoucher.

Buck dit : « Ça, Papa, pour un vieil oiseau comme toi, ça n'est pas trop mal raisonné. »

Il alla chercher la dame-jeanne dans un placard. Le vieillard la déboucha et se mit à boire.

Lem dit : « Bois pas tout. Pense aux autres. »

Il but une grande gorgée et fit circuler la bouteille. Il s'essuya la bouche et frotta son estomac nu. Il s'approcha du mur et en décrocha son violon. Il en effleura nonchalamment les cordes, puis s'assit et se mit à jouer un air.

Arch dit : « Ce n'est pas comme ça » et il vint s'asseoir à côté de lui sur le banc avec sa guitare.

Ma Forrester posa la chandelle sur la table.

Elle dit : « Vous avez l'intention de rester comme ça jusqu'au jour, espèce de corbeaux tout nus? »

Arch et Lem étaient absorbés par leur musique et personne

ne lui répondit. Buck prit son harmonica sur une étagère et se mit à siffler un air à lui. Arch et Lem s'arrêtèrent pour l'écouter, puis suivirent sa mélodie sur leurs instruments.

" On peut dire ce qu'on veut, ça c'est joli, " fit Pa Forrester.

La dame-jeanne recommençait à circuler. Paquet apporta sa cithare et La Meule son tambourin. Buck abandonna son chant plaintif pour un joyeux air de danse, et la musique prit tout son volume. Jody et Aile-de-Paille s'assirent par terre entre Lem et Arch.

Ma Forrester dit : " Vous ne vous figurez pas que je m'en vais me recoucher pendant que vous vous amusez! "

Elle découvrit le feu dans l'âtre, y mit des bûches et en approcha la cafetière.

— Vous aurez votre petit déjeuner de bonne heure ce matin, espèce de hiboux à musique, dit-elle. Et, avec un clin d'œil à Jody : " Deux pierres d'un coup; j'écoute la fête et je fais le déjeuner en même temps. "

Il lui rendit son clin d'œil. Il se sentait hardi, gai et excité. Il ne comprenait pas comment sa mère pouvait mépriser des gens aussi joyeux.

Leur musique était criarde et pleine de fausses notes. On aurait dit que tous les chats de la brousse miaulaient à la fois, mais elle avait un rythme et un élan qui faisaient plaisir à l'oreille et à l'âme. Les notes sauvages vibraient en Jody comme si lui aussi eût été un violon sous les doigts de Lem Forrester.

Lem lui dit à voix basse : " Si j'avais seulement ma poule ici pour chanter et danser! "

Jody demanda hardiment : " Qui c'est ta poule? "

— Ma belle petite Twinck Weatherby.

— Mais c'est l'amie d'Olivier Hutto!

Lem leva son archet. Jody crut un instant qu'il allait le frapper. Puis il se remit à jouer, mais ses yeux étincelaient.

— Si tu répètes jamais une chose pareille, mon gars, je t'arrache la langue. Compris?

— Oui, Lem. Peut-être que je me suis trompé, fit-il vivement.

Il eut un instant de dépression, il se sentait traître à Olivier. Puis la musique s'empara de nouveau de lui comme si un grand souffle de vent l'emportait par-dessus les arbres. Le jour se leva et les merles dans le chêne-liège chantaient si clair et haut que les Forrester les entendirent, posèrent leurs instruments et virent que l'aube remplissait la cabane.

Le petit déjeuner servi était un peu frugal pour la table des Forrester, car Ma était trop distraite pour s'occuper beaucoup de la cuisine. Les hommes enfilèrent seulement leurs culottes, car le repas était prêt et fumant. Après le petit déjeuner, ils se débarbouillèrent au-dessus de leurs barbes, mirent leurs bottes et leurs chemises et s'en allèrent nonchalamment à leurs diverses besognes. Buck sella son gros étalon rouan et prit Jody en croupe derrière lui, car il ne restait pas place sur sa selle pour une plume.

Aile-de-Paille les suivit en boitant jusqu'à l'orée de la clairière, son ragondin sur l'épaule et il leur fit des signes d'adieu avec son bâton, jusqu'à ce qu'ils fussent hors de vue. Jody lui rendit ses signes en s'éloignant avec Buck dans la direction de l'île Baxter. Il était encore étourdi. C'est seulement en ouvrant la grille sous l'arbre à chapelets qu'il se rappela qu'il avait oublié de regarder derrière le magnolia s'il y avait un cavalier espagnol.

VIII

Jody fit claquer la porte derrière lui. Une indiscutable odeur de venaison grillée remplissait l'air. Il contourna la cabane en courant. Du dépit se mêlait à sa gourmandise. Résistant à la tentation de la porte de la cuisine, il se hâta d'aller trouver son père. Penny sortit de la réserve et l'appela.

La vérité, peine et plaisir mêlés, était devant lui.

Une ample peau de cerf était étendue contre le mur de la réserve.

Jody pleurnicha : " Tu as été chasser et tu ne m'as pas attendu. " Il frappa du pied. " Je ne te laisserai plus jamais sortir sans moi! "

— Attends, petit, attends de savoir. Et sois content que les choses aient si bien marché.

Sa colère se refroidit. La curiosité bouillonnait en lui comme une source.

— Raconte vite, Papa, comment ça s'est passé.

Penny s'assit sur ses talons dans le sable. Jody s'étendit à plat ventre à côté de lui.

— Un cerf, Jody. Je suis presque tombé dessus.

Il était de nouveau furieux.

— Pourquoi tu n'as pas attendu que je sois rentré?

— Est-ce que tu ne t'es pas amusé chez les Forrester? On ne peut pas manger tous ses gâteaux en même temps.

— Ç'aurait pu attendre. On n'a jamais le temps. Ça va trop vite.

Penny se mit à rire.

— Eh bien, petit, ce n'est ni toi, ni moi, ni personne qui arrivera à retenir le temps.

— Il courait, ce cerf?

— Je jure, Jody, que je n'ai jamais vu un gibier m'attendre comme ce cerf debout sur la route. Il n'a même pas pris garde au cheval. Il restait là. Ma première idée a été : Damnation! Et moi avec mon fusil neuf sans cartouches! Et alors j'ai regardé et grâce au Ciel, j'aurais dû savoir que les Forrester ont toujours leurs fusils chargés. Il y avait deux cartouches, et le cerf était là, qui ne bougeait pas. J'ai tiré et il est tombé. Au milieu de la route, prêt à emporter comme un sac de viande. Je l'ai hissé sur le dos de ce vieux César et nous sommes partis. Maintenant, écoute l'idée qui m'est venue : " Avec ce gibier que j'apporte, que je me suis dit, maman ne me grondera pas d'avoir laissé Jody chez Aile-de-Paille. "

— Qu'est-ce qu'elle a dit quand elle a vu le fusil neuf et la viande?

— Elle a dit : " Si tu n'étais pas un type aussi honnête, je dirais que tu as été voler. "

Ils rirent ensemble. Les odeurs de la cuisine étaient savoureuses. Les heures passées avec les Forrester étaient oubliées. Il n'y avait de réel que le déjeuner du jour. Jody alla dans la cuisine.

— Voilà, M'man. Je suis rentré.

— Et alors? Est-ce que je dois rire ou pleurer?

Sa vaste silhouette se penchait sur le feu. La journée était chaude et la sueur coulait sur sa lourde nuque.

— Pa est bon chasseur, hein, M'man?

— Oui, heureusement, avec toi qui n'es jamais là.

— M'man...

— Qu'est-ce qu'il y a?

— On mange du gibier aujourd'hui?

Elle se retourna vers lui.

— Miséricorde! Tu ne penses donc jamais à rien d'autre qu'à te remplir le ventre?

— Tu fais si bien les plats de gibier, M'man.

Elle s'amollit.

— On en mangera aujourd'hui. J'ai peur qu'il ne se garde pas par ces chaleurs.

— Le foie non plus ne se gardera pas.

— On ne peut tout de même pas manger tout d'un seul coup. Si tu me remplis ma caisse à bois cet après-midi, peut-être qu'on pourra manger le foie pour dîner.

Il se mit à fureter dans les plats.

— Sors de ma cuisine si tu ne veux pas m'énerver jusqu'à ce que j'en meure. Et alors, qu'est-ce que vous auriez pour dîner?

— Je ferais la cuisine.

— Oui, je vois ça d'ici.

Il sortit de la maison et courut à son père.

— Comment va la vieille Julia?

Il lui semblait qu'il avait été absent une semaine.

— Elle va bien. Qu'on lui laisse un mois et elle fera hurler Pied-Bot.

— Est-ce que les Forrester vont venir nous aider à la chasse?

— On n'a rien décidé. J'aimerais autant qu'on chasse chacun de son côté. Peu importe qui l'attrapera, pourvu qu'on en soit débarrassé.

— Pa, je ne t'ai pas dit. J'ai eu peur quand les chiens se jetaient sur lui. J'avais trop peur même pour courir.

— Je n'étais pas très fier non plus quand je me suis aperçu que je n'avais pas de fusil.

— Mais quand tu racontais ça aux Forrester, on aurait dit que nous étions très braves.

— C'est comme ça, petit, qu'on raconte les histoires. Jody examina la peau de cerf. Elle était grande et belle, rousse, tachetée. Le gibier prenait pour lui des aspects bien différents. Pendant la chasse, c'était la proie. Il ne désirait rien d'autre que de la voir s'abattre. Quand elle était étendue, morte et sanglante, il était triste et dégoûté. Son cœur pleurait sur sa fin douloureuse. Puis quand l'animal était coupé en morceaux, séché, salé, fumé, ou bien bouilli, frit ou rôti dans l'appétissante cuisine, ou bien grillé sur le feu de camp, ce n'était plus que de la viande, comme le lard, et l'eau lui en venait à la bouche. Il se demandait quelle alchimie accomplissait ces transmutations grâce auxquelles ce qui l'écœurait un moment, une heure après excitait sa gourmandise. On eût dit qu'il y avait au moins deux animaux, ou bien deux garçons différents.

Les peaux, elles, ne se métamorphosaient pas. Elles gardaient leur aspect vivant. Chaque fois qu'il posait ses pieds nus sur la douce peau de daim près de son lit, il s'attendait presque à la sentir frémir sous lui. Penny, si petit homme qu'il fût, avait une toison noire sur sa poitrine étroite. Enfant, il avait couché tout un hiver sous une peau d'ours, le poil contre lui. Ma Baxter disait que c'était comme cela qu'il avait attrapé celui de sa poitrine. C'était sa façon de plaisanter, mais Jody la croyait un peu.

Leur clairière était aussi bien fournie que celle des Forrester. Sa mère avait haché la truie en saucisses. Des vessies bien remplies pendaient dans la réserve. Un feu lent de bois d'hickory fumait au-dessous. Penny quitta son travail pour jeter quelques copeaux sur les braises.

Jody demanda : “ Est-ce qu'il faut que je coupe du bois ou que je finisse de sarcler le champ? ”

— Allons, Jody, tu sais très bien que je n'ai pas laissé le blé aux mauvaises herbes. J'ai fini de sarcler. Occupe-toi du bois.

Le temps commença par se traîner, et Jody était dévoré de la tentation de suivre les travaux de son père. Puis Penny s'en alla vaquer au bétail et Jody se mit à manier la hache sans distraction. Il porta une brassée de bois à sa mère, prétexte pour s'assurer où en était le déjeuner. Il fut heureux de le voir déjà servi. Elle versait le café.

— Appelle Papa, dit-elle. Et lave ces ignobles mains. Je jurerais que tu n'as pas touché l'eau depuis que tu as quitté la maison.

Penny arriva enfin. Le quartier de cerf remplissait le centre de la table. Penny enfonça le couteau dans la viande avec une sûreté fascinante.

Jody dit : " J'ai tellement faim que mon ventre croit que j'ai la gorge coupée. "

Penny posa son couteau et le regarda.

Ma Baxter dit : " C'est joli de parler comme ça ! Qui t'a appris des choses pareilles ? "

— C'est les Forrester qui disent ça.

— J'en étais sûre. Voilà ce que tu apprends chez ces bas voyous.

— Ils ne sont pas bas, M'man.

— Ils sont tous plus bas que des bulldogs. Et le cœur noir comme du cirage.

— Ils n'ont pas le cœur noir. Ils sont très gentils, M'man. Ils jouent du violon et ils chantent mieux qu'à la fête. Nous nous sommes levés, il faisait encore nuit, pour chanter et nous amuser. C'était très beau.

— Tant mieux pour eux, si c'est tout ce qu'ils ont à faire.

IX

UNE pluie fine tomba dans la nuit. Le matin d'avril qui suivit était clair et lumineux. Le jeune blé dressait ses feuilles pointues et avait gagné plusieurs centimètres. Le cerfeuil du champ contigu perçait la terre. La canne à sucre montrait de vertes pointes d'épingle contre le sol brun. C'était bizarre, pensait Jody; chaque fois qu'il quittait la clairière, il se mettait à son retour à voir des choses qu'il n'avait jamais remarquées auparavant et qui pourtant y avaient été de tout temps. Les jeunes mûres serraient leurs baies le long des buissons, et, avant d'aller chez les Forrester, il ne les avait pas même aperçues. La vigne, cadeau envoyé de Caroline par la famille de sa mère, donnait pour la première fois ses fleurs fines et dentelées. Les guêpes avaient perçu leur parfum et y plongeaient, la tête en bas, pour aspirer leur miel subtil.

Il avait tant mangé depuis deux jours, qu'il se sentait un peu las ce matin et sans véritable appétit. Son père s'était levé avant lui, comme d'habitude. Le petit déjeuner était prêt dans la cuisine, et sa mère était en train de fumer les saucisses. La caisse à bois était à moitié vide et Jody s'en alla en flânant chercher dehors de quoi la remplir. Il avait assez envie de travailler, mais il fallait que la besogne fût aisée et sans hâte. Il fit deux voyages pour remplir la caisse à bois. La vieille Julia se traînait en quête de Penny. Joddy se pencha pour lui caresser la tête. Elle semblait éprouver l'impression de bien-être qui émanait de la clairière. Elle agita sa longue queue et resta tranquille sous ses cajoleries. La plus profonde de ses blessures était encore ouverte et enflammée, mais les autres se cicatrisaient. Jody vit son père traverser la route, revenant des écuries vers la maison. Il balançait un objet étrange. Il cria à Jody :

— J'ai quelque chose de drôle.

Jody courut à lui. L'objet mou était un animal à la fois bizarre et familier. C'était un ragondin, mais au lieu d'avoir un pelage gris de fer comme ses semblables, il était d'un blanc de crème. Jody ne pouvait en croire ses yeux.

— Comment ça se fait qu'il est blanc, Pa? C'est un grand-père ragondin?

— C'est ça qui est drôle. Un ragondin ne blanchit jamais. Non, Monsieur, c'est un de ces phénomènes qu'on appelle albinos dans les livres. Il est né blanc. Et regarde, les cercles de sa queue qui devraient être noirs, c'est tout juste s'ils sont un peu plus crème.

Ils s'accroupirent par terre pour regarder le ragondin.

— Est-ce qu'il était dans le piège, Papa?

— Dans le piège. Très blessé, mais pas mort. Je te jure que ça m'a fait drôle de le tuer.

Jody eut l'impression d'avoir perdu quelque chose à n'avoir pas connu le ragondin blanc vivant.

— Laisse-moi le prendre, Pa.

Il coucha l'animal mort dans ses bras. La fourrure pâle semblait plus douce que celle des autres. Le pelage du ventre était aussi moelleux que le duvet des oiseaux nouveau-nés. Il le caressa.

— J'aurais aimé l'attraper tout petit, Pa, et l'élever.

— Ç'aurait sûrement été une jolie petite bête, mais aussi malfaisant que les autres ragondins.

Ils se dirigèrent vers la maison.

— Aile-de-Paille dit qu'aucun de ses ragondins n'a jamais été malfaisant.

— Oh! les Forrester ne doivent même pas s'apercevoir quand on les mord.

— Peut-être bien qu'ils mordent aussi alors, hein, Papa?

Ils rirent ensemble en se représentant leurs voisins. Ma Baxter les attendait à la porte de la cuisine. Son visage s'éclaira en voyant l'animal.

— Tu l'as attrapé. Ça c'est bien. Voilà ce qui tuait mes poules.

— Mais, M'man, protesta Jody, regarde-le. Il est blanc. C'est un phénomène.

— C'est une sale bête de voleur quand même, dit-elle avec indifférence. Est-ce que la peau vaut plus cher que d'habitude?

Jody regarda son père. Penny était penché sur la cuvette. Il ouvrit un œil brillant au-dessus de la mousse de savon et fit signe à son fils.

— Elle ne vaut pas un sou, dit-il négligemment. Jody a besoin d'un petit havresac. Qu'il se serve du cuir pour ça.

Rien, si ce n'est la capture du ragondin albinos vivant, n'aurait pu faire plus de plaisir à Jody qu'un sac taillé dans cet étrange et doux pelage. Jody ne pensait qu'à cela. Il ne put pas manger son petit déjeuner. Il voulait montrer sa gratitude.

— Je pourrais aller nettoyer les réservoirs d'eau, Pa, proposa-t-il.

Penny accepta.

— Chaque année, j'espère nous creuser un puits profond. Alors les abreuvoirs se rempliraient bien. Mais les briques sont très chères.

— Je ne saurai plus ce que c'est que de me servir d'eau

à volonté, dit Ma Baxter. Depuis vingt ans que je l'économise!

Resté seul avec Jody, Penny dit :

— Ça m'a fait quelque chose là quand Maman a dit vingt ans. Je n'avais pas compté. Les années passent l'une après l'autre sans qu'on y fasse attention. A chaque printemps, je décide de faire un puits pour Maman. Et puis j'ai besoin d'un bœuf, ou bien c'est la vache qui périt, ou c'était nos petits qui mouraient, et je n'avais pas le cœur à creuser et pas d'argent non plus avec tous les médicaments à payer. Les briques coûtent terriblement cher... Un jour, je me suis mis à creuser jusqu'à trente pieds sans rencontrer d'eau; alors j'ai compris que j'étais fait. Mais vingt ans, c'est trop longtemps demander à n'importe quelle femme de faire sa lessive sur une pente de rivière.

Jody l'écoutait gravement.

Il dit : " Nous aurons un puits plus tard. "

— Vingt ans..., répéta Penny. Mais il y avait toujours quelque chose qui se mettait en travers. Et la guerre... Et puis le terrain à défricher de nouveau.

Son regard lointain remontait les années.

— Quand je suis arrivé ici pour la première fois, dit-il, quand j'ai choisi cet endroit, j'espérais...

Une question à laquelle Jody avait pensé parfois lui vint de nouveau à l'esprit.

— Pourquoi tu l'as choisi, Pa?

— Mon Dieu, je l'ai choisi parce que... " Son visage se plissa, son esprit cherchait ses mots. " Je voulais la paix, c'est tout. — Il sourit. — Je l'ai trouvée ici. Et je n'en veux pas aux ours, aux panthères et aux loups... ni à Maman. "

Jody dit : " Pa, j'aimerais avoir quelque chose à cajoler et avec quoi jouer, comme Aile-de-Paille. Je voudrais un ragondin, ou un ourson, ou quelque chose comme ça. "

Penny dit : " Tu sais comme est ta mère. Moi, je ne dirais

pas non, j'aime les bêtes. Mais les temps sont durs parfois et la nourriture rare et c'est à Maman à décider. »

— J'aimerais un petit renardeau ou un bébé panthère. Est-ce qu'on peut les apprivoiser quand on les a tout petits?

— On peut apprivoiser un ragondin. On peut apprivoiser un ours. On peut apprivoiser un chat sauvage et aussi une panthère. Il réfléchit. Il se rappelait les sermons de son père. « On peut apprivoiser n'importe quoi, fils, avec la langue humaine. »

X

Jody était agréablement malade, la fièvre tombée. Sa mère appelait cela “ la fièvre ”, et il ne discutait pas. Il se disait à part lui qu’un excès de mûres acides avait peut-être sa part dans son mal. Le remède à ce genre de choses était toujours beaucoup plus énergique que celui employé pour la fièvre. Sa mère avait remarqué ses frissons, avait posé sa grande main sur son front et dit : “ Va te coucher. Tu as des frissons et la fièvre. ” Il n’avait pas répondu.

Elle entra dans la chambre, portant une tasse de liquide fumant. Il la regarda avec anxiété. Elle ne lui avait donné de deux jours que de la tisane de feuilles de citronnier. C’était agréable et ça sentait bon. Quand il s’était plaint de l’acidité du breuvage, elle y avait ajouté une cuillerée de confiture. Il se demandait maintenant si, par l’effet de la mystérieuse sagesse qui la visitait parfois, elle avait découvert la vérité. Si elle devinait que sa maladie s’appelait la colique, le médicament qu’elle tenait était soit une purge faite avec des racines, soit un dépuratif de pharmacie, deux choses dont il avait horreur.

— Si Papa me plantait seulement une racine d’herbe contre la fièvre, dit-elle, je vous guérirais tous deux en un rien de temps quand vous l’auriez. On se demande pourquoi il n’y a pas d’herbe contre la fièvre dans la cour.

— Qu'est-ce qu'il y a dans la tasse, M'man?

— Ça ne te regarde pas. Ouvre la bouche.

— J'ai le droit de savoir. Imagine que j'en meure, je ne saurais jamais le médicament qui m'aurait tué.

— C'est de la tisane de bouillon-blanc, si tu tiens à le savoir. Je me suis dit tout d'un coup que c'était peut-être la rougeole.

— Ça n'est pas la rougeole, M'man.

— Qu'est-ce que tu en sais? Tu ne l'as jamais eue. Ouvre la bouche. Si ce n'est pas la rougeole, ça ne te fera pas de mal. Si c'est la rougeole, ça fera sortir l'éruption.

L'idée de faire sortir une éruption était tentante. Il ouvrit la bouche. Elle le prit par les cheveux et lui fit avaler la moitié de la tasse. Il toussa et se débattit.

— Je n'en veux plus. Ce n'est pas la rougeole.

— Bon, mais si c'est la rougeole et qu'on ne fasse pas sortir l'éruption, tu en mourras.

Il ouvrit de nouveau la bouche et finit la tisane. Elle était amère, mais Ma Baxter lui en avait déjà administré de pires. Celle qu'elle faisait avec des écorces de grenades, par exemple, était encore plus amère. Il se recoucha sur son oreiller bourré de mousse.

— Et si c'est la rougeole, M'man, quand est-ce que l'éruption sortira?

— Dès que la tisane commencera à te faire transpirer. Couvre-toi.

Elle quitta la chambre et il se résigna à attendre la transpiration. La maladie avait ses avantages. Il n'aurait pas volontiers recommencé la première nuit où les crampes le tordaient. Mais la convalescence, la sollicitude de ses parents, étaient certainement plaisantes. Il éprouvait un vague sentiment de culpabilité pour n'avoir pas parlé des mûres. On lui aurait donné une purge et tout aurait été terminé le lendemain matin. Penny faisait seul tout le travail de la clairière depuis deux jours. Il avait attelé le vieux César à la charrue et avait labouré près des cannes à sucre, il avait travaillé dans le champ de blé et le petit champ de tabac. Il avait remonté l'eau de la mare, coupé du bois, donné à boire et à manger au bétail.

Mais, se dit Jody, peut-être avait-il tout de même la fièvre. Peut-être couvait-il la rougeole. Il tâta son visage et son estomac. Il n'y avait pas encore d'éruption, pas de sueur. Il se retourna à plusieurs reprises dans son lit pour hâter la transpiration. Il se sentait aussi bien que jamais, mieux même qu'avant la période où l'abondance de viande l'avait porté à trop manger. Il se rappelait les quantités de saucisson frais et de venaison qu'il avait englouties sans que sa mère l'arrêtât. Peut-être, après tout, que les mûres n'y étaient pour rien. Il transpirait enfin.

Il appela : « Ça y est, Maman! Viens voir! Je transpire! »

Elle vint l'examiner.

— Tu n'es pas plus malade que moi, dit-elle. Sors de ce lit.

Il rejeta les couvertures et posa les pieds sur la peau de cerf. Pendant une seconde, il fut étourdi.

— Tu te sens bien? demanda-t-elle.

— Oui, assez. Un peu faiblard.

— Bien sûr, tu n'as rien mangé. Mets ta chemise et ta culotte et viens déjeuner.

Il s'habilla vivement et la suivit dans la cuisine. Les mets étaient encore chauds. Elle sortit des biscuits pour lui et un plat de hachis, et elle lui versa une tasse de lait caillé. Elle le regardait manger.

— J'espérais que tu serais un peu calmé, dit-elle.

— Est-ce que je peux reprendre du hachis, M'man?

— J'aime mieux pas. Avec ce que tu en as mangé, on nourrirait un crocodile.

— Où est Pa?

— Avec les bêtes, je pense.

Il s'en alla à sa recherche en flânant. Penny, pour une fois, se reposait, assis sur le mur.

— Eh bien, petit, dit-il, tu as très bonne mine.

— Je me sens bien.

— Tu n'as pas la rougeole, ni la fièvre puerpérale, ni la petite vérole? Ses yeux bleus scintillaient.

Jody secoua la tête.

— Pa...

— Oui, petit.

— Je pense que ce n'était pas une vraie maladie, mais seulement que j'avais mangé des mûres vertes.

— C'est bien ce que je pensais aussi. Je ne l'ai pas dit à Maman, parce qu'elle n'aime pas les petits ventres pleins de mûres vertes.

Jody eut un soupir de soulagement.

Penny dit : “ Je m'étais assis ici pour réfléchir. La lune sera levée dans une heure ou deux. Qu'est-ce que tu dirais si nous allions pêcher tous les deux? ”

— Dans la crique?

— Je meurs d'envie de pêcher dans une de ces mares du côté où nous avons trouvé Pied-Bot.

— Je suis sûr qu'on y trouvera quelque chose.

— On peut toujours s'amuser à essayer.

Ils allèrent ensemble au hangar rassembler leur attirail. Penny rejeta un vieil hameçon et en recourba deux tout neufs. Il coupa quelques poils courts à la queue du cerf et fabriqua des appâts avec des mouches qu'il noua invisiblement aux hameçons.

— Si j'étais poisson, je m'y tromperais moi-même, dit-il.

Il alla à la maison prévenir sa femme :

— Nous allons pêcher des perches, nous deux Jody.

— Je croyais que tu étais exténué et que Jody était malade.

— C'est pour ça qu'on va pêcher, dit-il.

Elle le suivit sur le seuil et les regarda s'éloigner.

— Si vous n'apportez pas de perches, cria-t-elle, rapportez-moi une petite brème à frire, on mange les arêtes et tout.

— On ne reviendra pas sans rien, promit-il.

L'après-midi était chaud mais la route parut courte. Jody se disait que, d'un certain côté, la pêche valait mieux que la chasse. C'était moins excitant mais aussi on n'avait pas peur. Le cœur battait à un rythme normal. On avait le loisir de regarder autour de soi et d'observer les progrès du feuillage aux branches des chênes-lièges et des magnolias. Ils s'arrêtèrent près d'une mare familière. Une trop longue sécheresse l'avait fait baisser. Penny attrapa une sauterelle et la jeta dans l'eau. Il n'y eut pas de mêlée sous-marine, pas d'avide tourbillon.

— J'ai peur que les poissons soient morts ici, dit-il. Ces petites mares au milieu de rien m'ont toujours étonné. Je ne comprends pas comment les poissons arrivent à y vivre.

Il attrapa une seconde sauterelle et la jeta dans l'eau sans plus de résultat.

— Pauvres poissons, dit-il. Ils sont sans ressource, ici. Au lieu de les pêcher, j'aurais dû leur apporter à manger.

Il prit sa canne de bambou sur son épaule.

— Peut-être que le Seigneur se dit la même chose de moi, fit-il en riant. Peut-être qu'il regarde en bas et dit : “ Voilà Penny Baxter qui essaye de s'en tirer dans cette clairière. ” Il ajouta : “ Mais c'est une bonne clairière. Peut-être que les poissons sont aussi contents que moi. ”

Penny dit : “ Les perches doivent être énormes dans cette mare là-bas, et voilà la lune levée. ”

Il fixa une ligne à chaque canne de bambou.

— Maintenant, essaye ta ligne à un bout de la mare et moi à l'autre. Ne fais pas de bruit en marchant.

Jody s'arrêta un instant pour regarder son père jeter adroitement sa ligne dans l'eau. Il s'émerveillait de l'experte agilité de ses mains noueuses. Le bouchon flottait au pied d'un bouquet de roseaux. Rien ne tirait, et Penny releva sa ligne pour la lancer de nouveau. Il parlait aux invisibles poissons nageant au fond de l'eau.

— Allons, mon vieux, je te vois, assis sur ta queue. — Il donna une petite secousse au bouchon. — Tu ferais mieux de poser ta pipe et de venir prendre ton dîner.

Jody s'arracha à la contemplation des jeux de son père et s'en alla au bord de la mare. Il commença par lancer sa ligne trop loin, au-delà de la mare, et l'hameçon se prit dans les herbes. Puis, après quelques mouvements mal réglés, il atteignit une certaine harmonie. L'élan de son bras eut enfin l'angle qu'il fallait. Son poignet se tourna au bon moment. Le bouchon tomba exactement au point où il le voulait.

Penny lui cria : " C'est joliment bien, petit, laisse-le tranquille une minute. "

Il ne savait pas que son père le regardait. Il était tendu. Il donna de prudentes secousses à son bambou et le bouchon glissa sur l'eau. Puis, il y eut un tourbillon, une forme argentée sortit à demi de l'eau, une gueule ouverte aussi grande qu'un bol enveloppa le bouchon. Un poids qui lui parut celui d'une meule tira le bout de sa ligne, se débattant comme un chat sauvage, et lui faisant presque perdre l'équilibre. Il s'arcbouta pour résister à la masse frénétique qu'il ne voulait lâcher pour rien au monde.

Penny cria : " Doucement. Ne le laisse pas aller sous les buissons. Relève le bout de ta ligne. Pas de saccades. "

Il en avait mal au bras. Il avait peur, en tirant trop fort, de briser la ligne. Il n'osait pas non plus céder d'un centimètre, de crainte d'apprendre par une soudaine mollesse la perte du géant. Il attendait de son père des paroles magiques lui enseignant le miracle grâce auquel il pourrait tirer son poisson à terre et en finir avec ce supplice. Il avait envie de poser la canne, de saisir la ligne elle-même et d'entrer directement en lutte avec son adversaire. Il s'éloigna de quelques pas. Il souleva sa canne et posa la perche tordue dans l'herbe. Il laissa tomber la canne et courut tirer sa prise plus avant pour s'en assurer définitivement. La perche pesait au moins dix livres. Penny s'approcha.

— Petit, je suis content de toi. On ne pouvait pas s'y prendre mieux.

Jody était essoufflé. Penny lui tapota le dos, aussi excité que lui. Il regardait, émerveillé, l'énorme masse et la grande mâchoire.

— Je suis aussi content que si c'était Pied-Bot, dit-il, et ils rirent en se regardant et en se frappant mutuellement le dos.

— Maintenant, il faut que je t'enfonce, dit Penny.

Ils s'installèrent chacun au bord d'une mare. Penny cria bientôt qu'il était battu et renonçait. Il se mit à pêcher avec une ligne à main et des vers afin d'attraper la brème demandée par Ma Baxter. Jody lança et relança sa ligne, mais il n'y eut plus jamais cette agitation des eaux, ce grand bond, ce poids vivant et qui se débattait. Il attrapa une petite perche et la leva en l'air pour la montrer à son père.

— Rejette-la, cria Penny. Nous n'en avons pas besoin pour dîner. Laisse-la devenir aussi grande que l'autre. Alors je reviendrai l'attraper.

Jody rejeta à regret le petit poisson et le regarda s'éloigner en nageant. Son père était sévère sur ce sujet : il ne voulait pas que l'on prît plus de quoi que ce fût — poisson ou gibier — qu'on n'en pouvait manger ou élever. L'espoir d'une autre prise magnifique déclinait à mesure que le soleil atteignait la fin de sa courbe quotidienne au ciel de printemps. Il pêchait nonchalamment, trouvant à présent son plaisir dans l'adresse croissante de son bras et de son poignet. La lune n'était plus au point favorable. L'heure de la nourriture pour les poissons était passée. Soudain, il entendit son père siffler à la manière d'une caille. C'est le signal dont ils se servaient dans leurs chasses à l'écureuil. Jody reposa sa canne à pêche et regarda derrière lui pour être sûr de reconnaître la touffe d'herbe où il avait caché sa perche à l'abri du soleil. Il s'approcha avec précaution de l'endroit où son père l'appelait.

Penny chuchota : " Suis-moi. Nous nous approcherons le plus possible. "

Il tendit le doigt : " Les hérons sont en train de danser leur danse nuptiale. "

Jody aperçut au loin les grands oiseaux blancs. Son père avait des yeux d'aigle, se dit-il. Ils se mirent à quatre pattes et avancèrent lentement en rampant. De temps à autre, Penny se couchait à plat ventre et Jody se couchait derrière lui. Ils atteignirent un bouquet de hautes herbes et Penny lui fit signe de se cacher derrière. Les oiseaux étaient si près qu'il semblait à Jody qu'il aurait pu les toucher avec son long bambou. Penny s'assit sur ses talons et Jody l'imita. Il ouvrait de grands yeux. Il compta les hérons en fête. Ils étaient seize.

Les hérons dansaient une espèce de cotillon aussi bien réglé que ceux qu'on dansait à Volusia. Deux d'entre eux se tenaient à l'écart, droits et blancs, faisant une étrange musique, moitié cri et moitié chant. Le rythme en était irrégulier comme celui de la danse. Les autres oiseaux formaient un cercle. Au centre du cercle quelques-uns remuaient en sens contraire. Les musiciens faisaient leur musique. Les danseurs levaient leurs ailes et soulevaient les pattes l'une après l'autre. Ils baissaient la tête, la plongeant dans leur poitrine de neige, la relevaient, et la baissaient de nouveau. Ils remuaient sans faire de bruit, avec un mélange de gaucherie et de grâce. La danse était solennelle. Les ailes frémissaient, montant et descendant comme des bras étendus. Le cercle extérieur tournait, tournait. Le groupe central semblait animé d'une lente ivresse.

Soudain, tout mouvement s'arrêta. Jody crut la danse finie ou leur intrusion découverte. Mais les deux musiciens rejoignirent la ronde. Deux autres prirent leur place. Il y eut une pause. La danse recommença. Les oiseaux se reflétaient dans l'eau claire du marécage. Seize ombres blanches doublaient tous les mouvements. La brise du soir soufflait dans les herbes. Elles se recourbaient et s'agitaient. Les eaux se ridaient. Le soleil couchant rosissait les plumes blanches. Des oiseaux magiques dansaient dans un mystérieux décor. Les eaux ondulaient avec eux, et la terre frémissait de toutes ses herbes. La terre dansait avec les hérons, et le soleil bas, et le vent, et le ciel.

Jody se surprit à lever les bras quand les ailes des hérons se soulevaient. Le soleil s'enfonçait au bout de la prairie. Le marais était doré. Les hérons en fête étaient touchés d'or. Les champs au loin étaient noirs. L'ombre couvrait les buissons, et l'eau s'obscurcissait. Les hérons étaient plus blancs que des nuages ou que la floraison blanche des oléandres et des lis. Soudain, ils prirent leur vol. L'heure de la danse était-elle simplement terminée, ou bien la longue gueule d'un crocodile avait-elle surgi de l'eau pour les effrayer, Jody n'aurait su le dire, mais ils étaient partis. Ils formaient un grand cercle contre le couchant, poussant l'étrange cri rauque qu'ils ne faisaient entendre qu'au cours de leur vol. Puis ils se déployèrent en une longue ligne vers l'ouest et disparurent.

Penny et Jody se relevèrent. Ils étaient courbatus par leur longue station accroupie. L'ombre s'étendait sur la prairie, et les étangs étaient à peine visibles. Le monde était fait d'ombres entremêlées. Ils retournèrent au lieu de leur pêche. Jody retrouva la perche. Ils prirent le chemin du retour. Le sentier était confus dans la nuit croissante. Il aboutissait au chemin de la brousse où ils s'engagèrent avec plus de certitude. Les broussailles étaient noires et le chemin formait entre elles un long tapis gris sombre sablonneux et silencieux. De petites bêtes surgissaient devant eux et se précipitaient vers les buissons. Au loin, une panthère hurla. Des chauves-souris volaient bas au-dessus de leur tête. Ils avançaient sans parler.

A la maison, le pain frais sorti du four attendait, et il y avait de la graisse chaude dans la poêle. Penny alluma une torche de résine et s'en alla soigner le bétail. Pour écailler et vider son poisson, Jody s'installa sur le perron de derrière où le feu de l'âtre jetait un rai de lumière. Ma Baxter jeta les morceaux de brème dans la farine où ils se couvrirent d'un or crissant. La famille mangea en silence.

Elle dit : " Qu'est-ce que vous avez tous les deux? "

Ils ne répondirent pas. Ils n'avaient pas de pensée pour la nourriture ni pour la femme. Ils avaient à peine conscience qu'elle leur parlait. Ils avaient vu une chose surnaturelle. Ils étaient ensorcelés par le charme puissant de sa beauté.

XI

LES faons naissaient. Jody voyait à travers la brousse la trace délicate de leurs menus sabots pointus. Où qu'il allât, chercher de l'eau à l'étang, du bois derrière l'étable, aux collets, il les reconnaissait. Les marques des sabots plus larges de la biche les précédaient généralement. Mais, souvent, celles-ci apparaissaient à un endroit où la mère s'était avancée en quête de nourriture, tandis que les traces mal assurées du faon restaient à quelque distance, dans un lieu plus sûr et mieux caché. Parfois, c'étaient des faons jumeaux. Quand Jody découvrit la double trace, il ne put contenir son émerveillement.

A partir de ce moment, il se mit à penser : “ Je pourrais en laisser un à sa maman et prendre l'autre pour moi. ”

Un soir, il aborda le sujet avec sa mère :

— Ma, nous avons du lait en quantité. Je ne pourrais pas attraper un petit faon pour moi? Un faon tacheté, Maman. Je ne pourrais pas?

— Je dis que non. Qu'est-ce que ça signifie : du lait en quantité? Il n'en reste pas une goutte du jour au lendemain.

— Je pourrais lui donner mon lait.

— C'est ça, engraisser ce maudit faon pendant que tu maigriras! Et avec tout ce que nous avons à faire, qu'est-ce que tu as encore besoin d'un de ces animaux pour bêler chez nous jour et nuit?

— J'en ai envie. Je voudrais un ragondin, mais je sais que les ragondins deviennent méchants. J'aimerais beaucoup un ourson, mais je sais qu'ils peuvent être malfaisants. J'ai envie de quelque chose. " Il plissa son visage et ses taches de rousseur se rapprochèrent. " J'ai envie de quelque chose à moi. Une chose à moi, qui me suive. " Il cherchait des mots : " Je voudrais quelque chose qui dépende de moi. "

Sa mère grommela.

— Eh bien, tu ne trouveras ça nulle part, ni dans le monde animal, ni dans le monde des hommes. Assez, Jody, je ne veux pas que tu continues à m'embêter avec cette histoire. Si tu dis encore une fois " faon " ou " ragondin ", ou " ourson ", tu vas voir...

Penny écoutait dans son coin en silence.

Le lendemain il dit :

— Nous allons chasser le cerf aujourd'hui, Jody. Peut-être que nous rencontrerons un faon. C'est presque aussi amusant de les voir sauvages que de les posséder apprivoisés.

— On prend les chiens?

— Seulement la vieille Julia. Elle n'est pas sortie depuis qu'elle a été blessée. Une petite chasse lui fera du bien.

Ma Baxter dit :

— Le dernier gibier n'a pas duré longtemps. Mais il nous a bien servi, quand on y pense. Quelques gigots dans la réserve, ça ne fait pas mal.

Sa bonne humeur montait et baissait avec les provisions.

Penny dit :

— J'ai l'impression, Jody, que tu vas hériter du vieux tromblon. Mais ne tire pas trop fort pour qu'il ne te fasse pas comme à moi.

Jody n'imaginait pas qu'il pourrait le brusquer dans son impatience. C'était déjà magnifique d'en disposer. Sa mère lui avait fait un sac dans la peau du ragondin blanc. Il y mit des cartouches et remplit la corne de poudre.

Penny dit :

— Maman, j'étais en train de me dire que je ferais aussi bien d'aller à Volusia m'acheter des cartouches. Lem ne m'en a donné que quelques-unes avec le fusil. Et j'ai assez envie de café convenable.

— Moi aussi, approuva-t-elle. Et puis, j'ai besoin de fil et d'aiguilles.

— Les cerfs m'ont l'air de se nourrir près de la rivière, dit-il. J'ai vu une foule de traces dans cette direction. Je me dis qu'on pourrait aller chasser par là, Jody et moi, et si nous attrapons un cerf ou deux, nous irons vendre la peau et les cornes à Volusia en échange de ce qu'il nous faut. Alors, en même temps, on ira dire bonjour à grand-mère Hutto.

Elle se rembrunit.

— Vous allez faire visite à cette vieille chipie et vous me resterez partis au moins deux jours. Tu ferais aussi bien de me laisser Jody.

Jody frémit et regarda son père.

Penny dit :

— Nous rentrerons demain. Comment veux-tu que Jody apprenne à chasser et à devenir un homme si son père ne l'emmène pas avec lui pour lui montrer?

— C'est une bonne excuse, dit-elle. Des raisons d'hommes pour s'en aller baguenauder ensemble.

— Alors viens à la chasse avec moi, chérie, et laissons Jody.

Jody éclata de rire. L'idée de sa corpulente mère se glissant dans les buissons était pour lui d'un comique irrésistible.

— Bon, bon, dit-elle en riant aussi. Finissons-en. Partez.

— Tu sais très bien que tu es ravie d'être débarrassée de nous de temps en temps.

— C'est mon seul repos, reconnut-elle. Laisse-moi le fusil de grand-père tout chargé.

La vieille arme serait plus dangereuse pour elle que pour un agresseur, pensait Jody. Elle était une tireuse malhabile et le fusil était aussi peu sûr que le tromblon de Penny, mais il comprenait le réconfort qu'elle trouvait à l'avoir là. Il alla le chercher dans le hangar, heureux qu'elle n'eût pas demandé l'arme que lui-même venait d'acquérir.

Penny siffla la vieille Julia, et l'homme, l'enfant et la chienne firent route vers l'est dans le matin. La journée de mai était chaude et lourde. Le soleil brillait à travers les buissons. Les petites feuilles dures des chênes retenaient la chaleur. Le sable brûlait les pieds de Jody à travers ses bottines de cuir de vache. Penny marchait vite malgré la chaleur. Jody avait peine à le suivre. Julia gambadait en avant. Il n'y avait pas encore de piste. Penny s'arrêta un instant et regarda l'horizon.

Jody demanda :

— Qu'est-ce que tu vois, Papa?

— Rien et pas grand-chose.

A un kilomètre de la clairière, il changea de direction. Des traces de daims apparaissaient soudain en quantité. Penny les examina pour en déduire la taille, le sexe des animaux et si leur passage était récent.

— Voilà deux grands cerfs qui voyagent ensemble, dit-il enfin. Ils ont passé ici avant le jour.

— A quoi vois-tu ça?

— J'ai l'habitude, petit.

Jody ne percevait guère de variantes entre les différentes marques de sabots. Penny se pencha et les lui désigna du doigt.

— Tu sais comment on reconnaît une biche d'un cerf. La trace de la biche est fine et pointue. Et tout le monde peut dire si une piste est recouverte de sable par le vent. Et tu remarqueras aussi que les orteils du daim s'écartent quand il court. Ils sont serrés l'un contre l'autre quand il marche. " Il désigna la trace fraîche à la chienne. " Là, Julia, attrape-le! "

Julia pencha son long museau sur la trace. Elle conduisait, par les broussailles, dans la direction du sud-est, vers un espace découvert. Il y avait aussi la trace d'un ours.

Jody demanda :

— Est-ce qu'il faudra tirer, si je vois un ours?

— Ours ou cerf, ça ira. Mais assure-toi que tu es bien placé. Ne tire pas pour rien.

Le terrain n'était pas difficile, mais le soleil flamboyait. Un bois de pins fut le bienvenu. L'ombre était rafraîchissante. Penny tendit le doigt vers un tronc entaillé par des griffes d'ours à la hauteur d'une épaule d'homme. La résine s'en écoulait.

— J'ai vu souvent un ours faire ça, dit Penny. Il se dresse et il griffe. Il tourne la tête et il mord aussi. Puis il frotte son dos contre la résine. Il y a des gens qui disent que c'est pour empêcher les abeilles de le piquer quand il va voler du miel, mais j'ai toujours pensé que c'était une manière de fanfaronnade. Un cerf fait la même chose. Il se frotte la tête et les cornes contre un arbuste pour s'étonner lui-même.

Julia leva le nez, et Penny et Jody s'arrêtèrent court. Quelque chose bougeait devant eux. Penny fit signe à Julia d'avancer et ils se glissèrent derrière elle. Une clairière s'ouvrait, ils s'arrêtèrent. Deux oursons jumeaux étaient perchés dans un jeune pin et s'y balançaient. Le pin était haut et mince et les oursons le faisaient osciller. Jody s'était déjà bercé de la même façon. Pendant un instant, les oursons cessèrent d'être des oursons pour devenir des petits garçons comme lui. Il aurait aimé grimper à l'arbre et se balancer avec eux.

Jody ne put résister à l'envie de les appeler. Les oursons

interrompirent leur jeu, étonnés, et regardèrent les hommes. Ils n'avaient pas peur. C'était leur première vue sur l'humanité et leur seul sentiment semblait être celui de Jody : de la curiosité. Ils penchaient leurs têtes noires et velues d'un côté, puis de l'autre. L'un d'eux grimpa sur une plus haute branche, non par précaution, mais pour mieux voir. Il enlaça l'arbre de son bras et s'inclina pour regarder au-dessous de lui. Ses yeux, noirs comme des perles de verre, brillaient.

— Oh Papa! supplia Jody. Prenons-en un.

Penny lui-même était tenté.

— Ils sont un peu grands pour qu'on les apprivoise... " Il revint à la raison. " Allons, qu'est-ce qui nous prend? Tu crois qu'il faudrait longtemps à ta mère pour les flanquer dehors et toi et moi avec?

— Pa, regarde ses yeux malins.

— Ça, ce doit être le mauvais. Sur deux oursons jumeaux, il y en a toujours un gentil et un méchant.

— Prenons le gentil. Je t'en prie, Pa!

Les oursons tendaient le cou. Penny secoua la tête.

— Allons, petit. Continuons notre chasse et laissons-les jouer.

Jody suivit, en traînant, son père qui reprenait la piste des cerfs. Il pensa un moment que les oursons allaient descendre de l'arbre pour venir à lui, mais ils se contentèrent de sauter de branche en branche en tournant la tête pour le regarder. Il mourait d'envie de les toucher. Il les imaginait, assis sur leur derrière et mendiant, comme les ours apprivoisés dont Olivier Hutto lui avait parlé; blottis sur ses genoux, chauds, moelleux, intimes, dormant au pied de son lit, et même, par les nuits froides, avec lui sous sa couverture. Son père était presque hors de vue sous les pins. Il courut après lui. Il regarda en arrière par-dessus son épaule et fit un signe de la main aux oursons. Ils levèrent leur nez noir comme si l'odorat allait leur apprendre ce que leur vue ne leur avait pas dit : la nature de leurs observateurs. A leur première alarme, il les vit descendre de leur arbre et s'enfoncer vers l'ouest au-delà des buissons. Il rattrapa son père.

— Demande un jour à Maman de te permettre d'en avoir un comme ça, dit Penny. Mais il faut l'attraper assez petit pour le dresser facilement.

L'idée était encourageante. Les oursons qu'ils avaient vus semblaient déjà un peu grands, c'était vrai.

— Moi non plus, tu sais, je n'ai jamais eu grand-chose à cajoler ou avec quoi jouer, dit Penny. Nous étions si nombreux! Ni une ferme, ni la Bible n'enrichissent leur homme, et mon père était comme ta maman, il ne voulait pas avoir de bêtes à nourrir. Il avait assez de mal à nous remplir le ventre. Et puis il est tombé malade et il est mort, et comme j'étais le plus vieux de la bande, c'est moi qui ai dû m'occuper des autres, jusqu'à ce que j'aie été assez grand pour m'en aller de mon côté.

— Mais un ourson pourrait se débrouiller presque tout seul pour trouver sa nourriture, n'est-ce pas?

— Oui, en mangeant les poulets de Maman.

Jody soupira et appliqua son attention à suivre les traces de cerfs avec son père. Les deux animaux marchaient tout près l'un de l'autre. C'était curieux, se disait Jody, que les cerfs pussent être si amis pendant le printemps et l'été. Puis, quand ils se mettaient à poursuivre les biches, à l'automne, ils commençaient à se battre avec acharnement. Un des cerfs qu'il suivait était plus grand que l'autre.

— Maintenant, mon garçon, dit Penny, toi qui voulais voir des faons... Nous deux, Julia, nous allons faire un grand tour. Toi grimpe sur le chêne-liège, cache-toi dans les branches et je crois que tu verras quelque chose. Cache ton fusil là, dans les buissons. Tu n'en auras pas besoin.

Jody s'installa à mi-hauteur du chêne-liège. Penny et Julia s'éloignèrent. L'ombre de l'arbre était fraîche. Une légère brise agitait ses feuilles. Les cheveux emmêlés de Jody étaient humides. Il les écarta de ses yeux et s'essuya la figure sur sa manche bleue, puis il s'assit commodément. Le silence régnait sur la brousse. Au loin, un épervier poussa un cri aigu et s'envola. Aucun oiseau ne remuait dans les branches. Aucun animal ne bougeait. Aucune abeille, aucun insecte ne bourdonnait. Il était midi. Toutes les créatures vivantes se reposaient dans la chaleur du jour. Toutes, sauf Penny et la vieille Julia qui s'avançaient à présent quelque part entre les chênes et les myrtes. Des buissons craquèrent au-dessous de lui. Il pensa que son père revenait. Il faillit se trahir par un geste. Un bêlement s'éleva. Un faon sortait de son abri sous un petit bouquet de palmiers nains. Il devait avoir été là depuis le commencement. Penny le savait. Jody retint son souffle.

Une biche bondit par-dessus les palmes. Le faon couru à elle, tremblant sur ses pattes mal assurées. Elle se pencha pour poser sa tête sur la sienne et fit entendre un son grave en l'accueillant. Elle lécha son petit visage apeuré. Il était tout en yeux et en oreilles. Il était tacheté. Jody n'en avait jamais vu de si jeune. La biche releva la tête et flaira l'air, les narines dilatées. Une odeur ennemie, une odeur d'homme le souillait. Elle frappa du sabot et fit une reconnaissance autour du chêne-liège. Elle découvrit la trace des pas du chien et de l'homme. Elle la suivit en avançant et en reculant, dressant la tête tous les quelques pas. Elle s'arrêta pour écouter, les oreilles ouvertès au-dessus de ses grands yeux lumineux.

Le faon bêla. La biche se calma. Elle semblait avoir conclu que le danger était passé. Le faon avança la tête vers ses mamelles pleines et se mit à téter. Il appuyait son front contre le ventre de sa mère et tortillait sa queue dans une béatitude gloutonne. La biche n'était pas contente. Elle s'écarta du petit et vint au pied du chêne-liège. Les rameaux au-dessous de Jody gênaient son regard, mais il pouvait voir qu'elle avait perçu son odeur dans l'arbre et qu'elle levait la tête pour la reconnaître. Son museau suivait la trace des mains du garçon, du cuir de ses chaussures, de la sueur de ses vêtements, avec autant de sûreté que les yeux de l'homme suivent une piste dans le sable. Le faon ne la quittait pas, avide de lait chaud. Soudain, la biche se retourna et, d'un coup de pied, l'envoya tituber dans les buissons. Elle les écarta en bondissant et s'enfuit au galop.

Jody descendit de son perchoir et courut à l'endroit où il avait vu chanceler le faon. Il n'y était plus. Il examina attentivement le sol. Les petites marques de sabot se croisaient et s'entre-croisaient et il n'arrivait pas à suivre une piste. Découragé, il s'assit pour attendre son père. Penny revint, le visage rouge et trempé de sueur.

— Eh bien, petit, lui cria-t-il, qu'est-ce que tu as vu?

— Une biche et un faon. Le faon est resté là tout le temps. Il a tété sa mère et puis elle m'a senti et s'est sauvée. Et je ne retrouve pas le faon. Tu crois que Julia pourrait le pister?

Penny se pencha sur le sol.

— Julia peut pister n'importe quel animal, à condition qu'il laisse une piste. Mais ne tourmentons pas ce petit bestiau. Il est bien caché pour l'instant et, sans doute, malade de peur.

— Sa maman n'aurait pas dû le laisser.

— C'est justement là où elle a été maligne. La plupart de ses ennemis se seraient mis à la poursuivre, elle. Et elle a appris au faon à rester tellement immobile qu'on ne le remarque pas.

— Il était tacheté, c'était joli, Papa.

— Comment étaient les taches, toutes sur une ligne ou bien n'importe comment?

— Toutes sur une ligne.

— Alors c'est un petit mâle. Ç'a dû te faire plaisir de le voir de si près.

— Ça m'a fait plaisir, mais j'aurais préféré l'attraper et le garder.

Jenny rit, ouvrit son havresac et en sortit les provisions. Jody protesta. Pour une fois, il était moins anxieux de se nourrir que de chasser.

Penny dit :

— Il faut bien s'arrêter quelque part pour déjeuner, et il y a des chances pour qu'un daim débouche justement par ici. Si l'on s'arrête, autant le faire là où passe le gibier.

Jody alla prendre son fusil dans la cachette où il l'avait laissé et s'assit pour déjeuner. Il était distrait, et seule, la saveur de la nouvelle confiture de mûres le ramena au niveau de sa nourriture. La confiture était liquide et un peu acide, le sucre était rare. La vieille Julia, encore un peu faible, était étendue sur le côté. Ses cicatrices se dessinaient, blanches, sur son flanc noir, Penny se coucha sur le dos.

Il dit nonchalamment : " Il y a bien des chances pour que ces deux cerfs reviennent par ici, si le vent ne change pas. Tu n'as pas envie de grimper sur un de ces grands pins à quelque cent mètres vers l'est? Ça ferait un joliment bon observatoire.

Jody ramassa son fusil et s'éloigna. Il aurait donné n'importe quoi pour abattre un cerf tout seul.

Penny lui cria :

— N'essaye pas de viser de trop loin. Prends ton temps. Et prends bien garde que la décharge ne te fasse pas dégringoler au bas de l'arbre.

De hauts pins écartés se dressaient au-dessus d'une étendue

désolée de broussailles. Jody en choisit un d'où le regard s'étendait au loin. Rien de ce qui se passerait dans les diverses directions ne lui serait dissimulé. C'était difficile de grimper le long du tronc tout droit, avec un fusil en main. Ses genoux, ses coudes étaient écorchés lorsqu'il atteignit les basses branches. Il s'y reposa un instant, puis monta aussi haut qu'il l'osa vers la cime. Le pin penchait sous une imperceptible brise. Il paraissait vivant, animé de son propre souffle.

Jody se rappela les oursons qui se berçaient dans le petit arbre. Il commença à se balancer en haut du pin, mais celui-ci était surchargé par le poids de l'enfant et de son fusil. Il craquait de façon inquiétante et Jody s'arrêta. Il regarda autour de lui. Il savait maintenant ce que c'est qu'être un épervier contemplant le monde d'un sommet. Un aigle abaissait comme lui un regard hautain et sage, rapace et avide. Il tourna lentement la tête. Pour la première fois, il se rendait compte que la terre était ronde. En tournant vivement la tête, il apercevait presque tout le tour de l'horizon à la fois.

Il tressaillit en découvrant quelque chose qui bougeait. Il n'avait rien vu de loin. Mais un grand cerf s'approchait en mangeant. Des airelles précoces lui offraient un repas. Le cerf était encore hors de la portée de son tir. Il balança, il allait descendre du pin pour se rapprocher de lui. Mais il savait que l'animal, plus alerte, serait parti avant qu'il eût seulement levé son fusil. Il ne pouvait rien faire d'autre qu'attendre et espérer que le cerf passât à une distance raisonnable. Il avançait avec une lenteur exaspérante.

Un moment, Jody crut qu'il allait s'éloigner vers le sud. Puis il marcha droit sur lui. Jody leva son fusil derrière le couvert des branches. Son cœur battait. Il aurait été incapable de dire si le cerf était près ou loin. Il lui paraissait énorme mais il avait conscience que certains détails, comme les yeux et les oreilles, restaient indistincts. Il attendit un temps qui lui sembla interminable. Le cerf leva la tête. Jody lança une décharge de plomb vers la large nuque.

Au même instant, il comprit qu'il n'avait pas suffisamment tenu compte de la hauteur où il se trouvait. Il avait tiré au-dessus de l'animal. Pourtant, il lui semblait qu'il devait l'avoir touché, car il bondit en l'air avec plus que de la peur. Il quitta le buisson d'un saut et courut à longues détentes. Il passa juste au pied du pin. Si Jody avait eu la carabine neuve à deux coups, il aurait tiré une seconde fois. Quelques instants plus tard, il entendit le fusil de Penny. Il frémissait. Il descendit de l'arbre et retourna vers la brousse en écartant les buissons. Le cerf était étendu dans l'ombre du chêne-liège. Penny avait déjà commencé à l'écorcher.

Jody cria :

— Je l'ai touché?

— Tu l'as touché. Tu as joliment bien travaillé. Il serait tombé, de toute façon, mais j'ai tiré quand il a passé, pour être plus sûr. Tu étais un brin trop haut.

— Je sais. Au moment même où je tirais, je me suis rendu compte que j'étais haut.

— C'est comme ça qu'on apprend. La procnaine fois, tu sauras mieux. Tiens, regarde ton coup ici, et le mien. Jody s'agenouilla pour examiner le bel animal. Un malaise qu'il connaissait bien le remplit à la vue des yeux vitreux et de la gorge sanglante.

Il dit :

— Je voudrais qu'on puisse avoir de la viande sans tuer.

— C'est dommage, tu as raison. Mais il faut manger. Penny travaillait avec dextérité. Son couteau de chasse à manche de corne n'était pas trop bien aiguisé, mais il avait déjà dépecé la venaison et tranché la lourde tête. Il croisa les pattes et les lia, glissa son bras sous les jointures et se releva, le cerf bien balancé sur son dos.

— Boyles aura peut-être envie de la peau quand on l'écorchera à Volusia, dit-il, mais si tu aimes mieux en faire cadeau à grand-mère Hutto, on dira non à Boyles et voilà tout.

— Je crois que ça lui ferait plaisir de l'avoir comme tapis. Je voudrais l'avoir tué tout seul, pour la lui offrir.

— C'est très bien. La peau est à toi. Moi je lui en donnerai un quartier pour ma part. Elle n'a que nous pour chasser, maintenant qu'Olivier est en mer. Ce crétin de Yankee qui lui court après n'est bon à rien dans ce genre-là.

Penny aiouta ingénument :

— Mais peut-être que tu préférerais rapporter cette peau à ta petite amie.

Jody riposta.

— Tu sais très bien que je n'ai pas de petite amie.

— Et Eulalie? Vous vous teniez par la main la dernière fois que je vous ai vus ensemble à la fête.

— On ne se tenait pas par la main. On jouait à un jeu. Si tu dis encore ça, Papa, j'aime mieux mourir.

Penny taquinait rarement son fils, mais l'occasion était parfois irrésistible.

— C'est grand-mère, ma petite amie, dit Jody.

— Très bien. Je voulais seulement savoir.

Le chemin de sable était long et chaud. Penny était en sueur, mais il avançait lestement sous son fardeau.

Jody demanda : " Est-ce que je peux le porter un peu? " mais Penny secoua la tête.

— Ces bêtes-là, ça demande un dos d'homme.

Ils traversèrent la crique de Juniper, puis, au bout de deux kilomètres d'un étroit sentier, ils prirent la grand-route qui menait à la rivière et à Volusia. Penny s'arrêta pour se reposer. Vers la fin de l'après-midi, ils passèrent devant la maison du capitaine Mac Donald, et Jody sut qu'ils approchaient de Fort-Butler. L'aride végétation de pins et de brousse disparut après une courbe de la route. Une nouvelle luxuriance apparaissait. Il y avait des glycéries et, comme des poteaux indicateurs désignant la rivière, des cyprès. Des azalées sauvages fleurissaient tardivement dans les creux, et la fleur de la passion ouvrait ses corolles bleutées le long de la route.

Ils atteignirent la rivière Saint-John. Elle était sombre et indifférente. Elle glissait vers l'océan, méprisant ses rives et les hommes qui la traversaient ou l'utilisaient. Jody la regarda. C'était un chemin vers le monde. Penny cria vers l'autre berge pour appeler le bac de Volusia. Un homme vint à eux sur un radeau de planches. Ils traversèrent la rivière en regardant la lente traînée du courant. Penny paya le passage; ils remontèrent la route incurvée et entrèrent dans le magasin de Volusia.

Penny héla le propriétaire :

— Bonjour, M. Boyles. Comment trouvez-vous cette bête-là?

— Trop bonne pour le bateau. Mais elle va faire envie au capitaine.

— Combien fait le gibier?

— Toujours la même chose. Un dollar et demi la selle. Ces gars des villes qui remontent et descendent la rivière, et qui pleurent pour avoir de la venaison! Ça ne vaut pourtant pas de la bonne viande de porc, c'est pas votre avis?

Penny hissa le cerf sur le grand comptoir et se mit à le dépouiller.

— Oui, approuva-t-il. Mais il faut dire que pour un type un peu bedonnant et qui ne peut pas chasser lui-même, un morceau de gibier ça doit être assez plaisant au goût.

Ils rirent ensemble. On aimait bien Penny à la boutique, tant pour son esprit et ses histoires que pour son commerce. Quant à Boyles, c'était le juge, l'arbitre et l'encyclopédie de la petite communauté. Il était debout à présent dans l'ombre intime et aromatique de son magasin, comme un capitaine sur son bâtiment. Ses marchandises comprenaient le nécessaire et le modeste superflu pour tout le voisinage, depuis les charrues, les charrettes, les brouettes et les outils, jusqu'aux denrées alimentaires, au whisky, à la quincaillerie et à la pharmacie.

— Voilà, ce quartier-là, je reviendrai le chercher demain pour le rapporter à ma femme. L'autre c'est pour grand-mère Hutto, dit Penny.

— Ah! celle-là! dit Boyles. Si on avait une femme qui ait le cœur aussi jeune que grand-mère Hutto. Par Dieu! Mais la vie serait une fête.

Jody errait le long des vitrines du comptoir. Il y avait des sucres d'orge et un assortiment de bonbons. Il y avait des couteaux et des canifs. Il y avait des lacets de chaussures, des boutons, du fil et des aiguilles. Les marchandises plus volumineuses garnissaient les étagères accrochées aux murs. Baquets et pichets, lampes à huile et cuvettes, et les nouvelles lampes à pétrole, cafetières et fours de fonte, perchés ensemble comme d'étranges oiseaux confondus dans un même nid. Au-dessous de ces ustensiles, des pièces d'étoffe étaient rangées; calicots et toiles, cretonnes et lainages. Quelques rouleaux d'alpaga, de batiste et de drap fin se couvraient d'une épaisse poussière. On ne vendait guère si luxueuses marchandises. Au fond de la boutique, il y avait l'épicerie, des jambons, des fromages et du lard. Il y avait des tonneaux de mélasse, de farine, de blé et d'avoine, et de café vert; des sacs de pommes de terre, des seaux de miel, des fûts de whisky. Rien de tout cela n'était tentant et Jody revint aux caisses vitrées. Un harmonica rouillé était posé sur une pile de lacets. Il eut envie un moment de vendre sa peau de cerf et d'acheter l'harmonica pour en jouer à grand-mère Hutto ou accompagner les Forrester. Mais grand-mère préférerait sans doute la peau de cerf. Boyles l'appela.

— Jeune homme, ce n'est pas si souvent qu'on fait une affaire avec ton père, je t'offre quelque chose. Choisis ce qui te ferait plaisir. Je t'en offre pour dix sous.

Jody regardait avidement l'étalage.

— L'harmonica, ça coûte sûrement plus de dix sous.

— Oui, en effet, mais il y a déjà un bon moment qu'il est là. Prends-le, mon vieux.

Jody jeta un dernier regard aux sucres d'orge. Mais grand-mère Hutto lui donnerait sûrement des bonbons.

Il dit :

— Merci, monsieur.

Boyles dit :

— Il est bien honnête, votre garçon, monsieur Baxter.

— C'est une bonne compagnie pour moi, répondit Penny. Nous avons perdu tant de petits, je me dis quelquefois que je fais trop grand cas de lui.

Jody était illuminé par le sentiment de ses qualités. Il aspirait à la bonté, à la noblesse. Il tourna le dos au comptoir pour prendre la récompense de sa vertu. Il leva les yeux en percevant un mouvement près de la porte. Eulalie, la nièce de Boyles, le regardait, les yeux écarquillés. Il fut soudain rempli de haine. Il la haïssait à cause de ses petites nattes en queue de rat. Il haïssait ses taches de rousseur plus abondantes encore que les siennes. Il haïssait ses dents d'écureuil, ses mains, ses pieds et chacun des os de ce corps efflanqué. Il se pencha vivement, prit une pomme de terre dans un sac et la brandit. Elle le regarda d'un air venimeux et, lentement, lui tira la langue comme un serpent. Elle se pinça le nez avec deux doigts dans un geste de dégoût comme devant une mauvaise odeur. Il lança la pomme de terre. Atteinte à l'épaule, elle battit en retraite en poussant des cris de terreur.

Penny dit :

— Voyons, Jody.

Boyles s'avança en fronçant les sourcils.

Penny dit sévèrement :

— Sors d'ici tout de suite! M. Boyles, il n'aura pas l'harmonica.

Il sortit au soleil. Il était humilié. Pourtant, si ç'avait été à recommencer, il lui aurait de nouveau jeté une pomme de terre, une plus grosse cette fois. Quand il eut terminé ses affaires, Penny le rejoignit.

Il dit :

— Tu m'as fait de la peine et tu m'as fait honte. Peut-être que maman a raison. Peut-être que tu ne devrais pas fréquenter les Forrester.

Jody traînait ses pieds dans le sable.

— Ça m'est bien égal. Je la déteste.

— Je ne sais pas quoi te dire. Comment as-tu pu faire une chose pareille?

— Je la déteste. Elle m'a fait une grimace. Elle est laide.

— Mais, petit, tu ne peux tout de même pas aller dans la vie en jetant des choses à la tête de toutes les femmes laides que tu rencontreras?

Jody impénitent cracha dans le sable.

— Eh bien, continua Penny, je ne sais pas ce que grand-mère Hutto va dire.

— Oh! Pa, ne lui raconte pas. Je t'en prie, ne lui raconte pas.

Penny gardait un silence menaçant.

— Je serai sage, Pa.

— Je ne sais pas si elle acceptera ta peau de cerf, après tout ça.

— Oh! si, Papa. Je ne jetterai plus jamais rien à la tête de personne, si tu ne le racontes pas à grand-mère.

— Bon. Pour cette fois. Mais que je ne t'y reprenne pas. Tiens, prends ta peau de cerf.

Son humeur s'éclaira. Le menaçant nuage s'éloigna. Ils tournèrent au nord et prirent un sentier parallèle au fleuve. Des magnolias en fleur le bordaient. Derrière, s'ouvrait une allée d'oléandres. Eux aussi étaient en fleur. Des rouges-gorges y volaient. Les oléandres conduisaient à une porte ménagée dans une barrière blanche. Le jardin de grand-mère Hutto était un éclatant tapis de fleurs jeté derrière les barreaux. Sa petite maison semblait attachée à la terre par des traînes de vigne, de chèvrefeuille et de jasmins. Tout ici était charmant et familier. Jody descendit l'allée en courant, traversa le jardin, en sautant à travers les fleurs duvetées, bleu rosé de l'indigo.

Il cria :

— Hé! grand-mère!

Des pas légers retentirent dans la maison et elle parut sur le seuil.

— Jody! Espèce de voyou!

Il courut à elle.

Penny cria : “ Ne la fais pas tomber, petit. ”

Il la serrait à l'étouffer.

— Petit ourson, dit-elle.

Elle se mit à rire et il rejeta sa tête en arrière pour rire avec elle et la regarder. Son visage était rose et ridé. Elle avait des yeux noirs comme des baies; ils s'ouvraient et se fermaient quand elle riait, et les rides déferlaient sur ses tempes. Elle avait le fou rire et sa petite poitrine ronde frémissait comme une caille. Jody la renifla à la manière des chiens.

Il dit : “ Oh! grand-mère Hutto, tu sens bon. ”

Penny dit : “ Vous n'en direz pas autant de nous, grand-mère. Nous sommes une paire d'individus assez sales. ”

— C'est l'odeur de la chasse, dit Jody. La peau de cerf, et les feuilles, et ces choses-là. Et la sueur.

— C'est une odeur précieuse, dit-elle. Je m'ennuyais justement après l'odeur de garçon et l'odeur d'homme.

Penny dit : " En tout cas, voilà notre excuse : du gibier tout frais. "

— Et la peau, dit Jody. Pour te faire une couverture. C'est à moi. Je l'ai blessé.

Elle leva les mains. Leurs cadeaux prenaient soudain beaucoup de valeur. Il semblait à Jody qu'il serait capable de rapporter une panthère à lui tout seul rien que pour son remerciement. Elle toucha la viande et la peau.

Penny dit :

— Allons, ne salissez pas vos petites mains.

Elle attirait la galanterie des hommes comme le soleil l'eau. Sa vivacité les enchantait. Les jeunes gens la quittaient ragaillardis. Les vieux étaient ensorcelés par ses boucles argentées. Il y avait en elle quelque chose d'invinciblement féminin et qui rendait viril tous les hommes. Ses dons exaspéraient les autres femmes. Après quatre ans passés dans sa maison, Ma Baxter était rentrée à la clairière avec un sentiment d'hostilité. La vieille femme le lui rendait bien.

Penny dit :

— Laissez que je porte la viande à la cuisine. Et je ferai bien aussi d'étendre la peau au mur du hangar pour vous la nettoyer.

Jody appela :

— Ici, Fluff!

Le chien blanc vint en courant. Il bondit sur Jody comme une balle et s'élança vers son visage pour le lécher.

Grand-mère dit :

— Il est aussi content de te voir que si tu étais de sa famille.

Fluff aperçut la vieille Julia tranquillement assise sur son derrière. Il se redressa et s'avança vers elle. Julia ne bougeait pas, ses longues oreilles pendantes.

Grand-mère dit :

— J'aime cette chienne. Elle ressemble tout à fait à ma tante Lucy.

Penny s'en fut derrière la maison avec la venaison et la peau. Ils étaient tous bienvenus ici, le père, le fils et la chienne de bataille. Jody se sentait plus chez lui que lorsqu'il rentrait auprès de sa propre mère.

Il dit :

— Peut-être que tu ne serais pas si contente de me voir, si tu m'avais tout le temps sur le dos.

Grand-mère éclata de rire.

— Tu répètes ce que dit ta mère. Est-ce qu'elle était fâchée que vous veniez?

— Pas autant que d'autres fois.

— Ton père a épousé une femme que l'enfer entier n'arriverait pas à amuser, dit-elle narquoise.

Elle leva un doigt en l'air.

— Je parie que tu as envie de te baigner.

— Dans la rivière?

— Bien sûr, dans la rivière. Quand tu en sortiras, je te donnerai des vêtements propres. Des vêtements à Olivier.

Elle ne le mit pas en garde contre les alligators, les mocassins ou le courant. C'était agréable de se sentir considéré comme un être raisonnable. Il descendit en hâte le sentier du débarcadère. Le fleuve était profond et sombre. Il faisait un bruit ruisselant contre les quais, mais son grand cœur liquide coulait en silence. Seul le vif mouvement des feuilles tombées trahissait le courant. Jody hésita un moment sur le débarcadère de planches, puis plongea. Il ressortit, haletant de froid, et se mit à remonter le fleuve. Il nageait près de la rive où le courant est moins fort.

Il n'avançait presque pas. La sombre végétation se dressait de chaque côté du fleuve. Il était cloué entre deux bras de chênes-lièges et de cyprès. Il feignait de se croire poursuivi par un crocodile et s'élança de toutes ses forces. Il dépassa un arbre puis un autre, laborieusement, en nageant comme un chien. Il se demandait s'il arriverait jusqu'au prochain débarcadère, celui d'où partait le bac et où les vapeurs s'arrêtaient. Il poussait tant qu'il pouvait. Un tronc de cyprès renversé s'offrait comme un appui, il s'y cramponna pour reprendre son souffle. Il repartit. Le débarcadère semblait très loin. Sa chemise et sa culotte gênaient ses mouvements. Il regrettait de n'avoir pas plongé nu. Grand-mère n'aurait pas trouvé ça mal. Il se demandait ce que sa mère aurait dit s'il lui avait raconté que les Forrester jouaient et chantaient tout nus.

Il regarda par-dessus son épaule. Le débarcadère Hutto avait disparu derrière la courbe de la rive. Il cessa soudain de se plaire dans ces eaux sombres. Il retourna. Le courant le prit et l'entraîna. Il essayait de lui résister pour s'approcher de la rive. De liquides tentacules le tenaient. Il se dit, en panique, qu'il pouvait être balayé jusqu'au barrage de Volusia, même jusqu'au grand lac Georges, qui sait, jusqu'à la mer. Il luttait désespérément pour prendre pied. Il reprit pied enfin un peu en amont du débarcadère. Soulagé, il se laissa descendre jusque-là avec précaution et grimpa sur les planches. Il poussa un profond soupir. Sa terreur l'avait quitté, et il était joyeusement excité par l'eau froide et le danger. Penny était sur le débarcadère.

Il dit :

— Belle manœuvre. Je crois bien que je vais tout juste faire trempette pour me laver.

Il se laissa glisser avec précaution.

Il dit :

— Je n'ai pas envie de perdre pied. Fini pour moi de faire le poisson.

Il sortit bientôt de l'eau. Ils retournèrent à la maisonnette.

Grand-mère Hutto les attendait avec des vêtements propres. Pour Penny, il y avait les habits de M. Hutto, qui sentaient le passé et le renfermé. Pour Jody, il y avait une chemise et une culotte devenues depuis bien des années trop courtes pour Olivier.

Grand-mère dit :

— On dit que, pour conserver les choses, il faut s'en servir de nouveau tous les sept ans. Combien font deux fois sept, Jody?

— Quatorze.

Penny dit :

— Ne lui en demandez pas plus. Le maître d'école que les Forrester et moi avions fait venir l'hiver dernier ne savait lui-même à peu près rien.

— Bah, il y a bien des choses plus importantes que ce qui s'apprend dans les livres.

— C'est vrai. Mais il faut tout de même savoir lire, écrire et compter. Pourtant, je dois dire que Jody se débrouille assez bien avec ce que j'arrive à lui apprendre.

Ils s'habillèrent dans le hangar. Ils se lissèrent les cheveux avec leurs mains; ils se sentaient propres et nets dans leurs habits d'emprunt. Le visage taché de son de Jody brillait. Ses cheveux blonds étaient humides et lisses. Ils mirent leurs chaussures et en essuyèrent la poussière avec leurs chemises sales. Grand-mère Hutto les appela et ils entrèrent dans la maisonnette.

Jody respira son odeur familière. Il n'était jamais parvenu à en distinguer les éléments. La lavande dont grand-mère Hutto parfumait son linge était facile à reconnaître. Il y avait aussi les herbes qui séchaient dans une jarre devant la cheminée. Il y avait l'odeur bien reconnaissable du miel qu'elle gardait dans un buffet. Il y avait celle des pâtisseries : tartes et pâtés et cakes aux fruits. Il y avait la senteur du savon dont elle nettoyait le poil de Fluff. Il y avait le parfum fugitif des fleurs du jardin sous les fenêtres. Et par-dessus tout, il s'en avisa en dernier, venait jusqu'à lui l'odeur de la rivière. La rivière elle-même semblait couler dans la maison et tout autour, y laissant un tourbillon d'humidité odorante et de végétaux fanés. Il regarda par la porte ouverte. Un sentier descendait vers le fleuve entre les soucis. Les eaux scintillaient sous le soleil déclinant, jaune d'or comme les fleurs éclatantes. Le courant entraînait la pensée de Jody vers l'océan où Olivier, sur son bateau, affrontait les tempêtes et courait le monde.

Grand-mère apporta du vin et des pains d'épice. On permit à Jody de boire un verre de vin. Il était aussi clair que la source Juniper. Penny claqua sa langue après avoir bu, mais Jody aurait préféré quelque chose de plus sucré, du sirop de mûres par exemple. Il mangeait des pains d'épice sans y faire attention et s'arrêta, tout confus, en voyant qu'il avait vidé l'assiette. Ceci, à la maison, eût déclenché un drame. Grand-mère alla au buffet et remplit l'assiette à nouveau.

Elle dit :

— Garde de l'appétit pour dîner.

— Quand je m'aperçois que je n'en ai plus, il est trop tard.

Elle alla dans la cuisine et il la suivit. Elle commença par couper la venaison pour la faire griller. Il la regardait avec inquiétude. Ce plat n'était pas un festin pour les Baxter. Elle ouvrit la porte du four et il s'aperçut que d'autres mets étaient en préparation. Elle avait un fourneau de fer. La nourriture qui en sortait prenait plus de mystère que dans l'âtre ouvert de la maison. La porte de fer cachait toutes sortes de choses dans son foyer. Les gâteaux avaient un peu diminué son appétit, mais les bonnes odeurs de cette cuisine le ranimèrent.

Il faisait la navette entre grand-mère et son père. Penny

était paisiblement installé dans un fauteuil à patins de la grande pièce. L'ombre s'étendait sur lui. Il n'y avait pas ici la joyeuse frénésie d'une visite aux Forrester. Mais on y goûtait un confort aimable qui vous enveloppait comme un chaud édredon en hiver. C'était une détente pour Penny, harassé chez lui par tous les travaux. Jody proposa d'aider à la cuisine, mais grand-mère le renvoya. Il alla dans la cour et se mit à jouer avec Fluff. La vieille Julia les regardait sans comprendre. Flâner lui était aussi étranger qu'à son maître. La gravité de sa tête noire et rousse disait le chien de travail.

Enfin le dîner fut prêt. Grand-mère Hutto était la seule personne que Jody connût chez qui l'on mangeait dans une pièce spéciale. Tous les autres gens mangeaient dans leur cuisine à une table de sapin nue et bien lavée. Même quand elle apporta le plat, il ne put détacher ses yeux de la nappe blanche et des assiettes bleues.

Penny dit :

— Nous sommes deux vagabonds et nous ne méritons pas toutes ces jolies choses.

Mais il plaisantait et bavardait avec une aisance qu'il n'avait pas à sa propre table.

Il dit à grand-mère Hutto :

— Je m'étonne que votre amoureux ne se soit pas encore montré.

Ses yeux brillèrent.

— Si un autre que vous disait ça, Penny Baxter, il se ferait flanquer dans la rivière.

— C'est ce que vous avez fait à ce pauvre Easy justement, n'est-ce pas?

— Et grand dommage qu'il ne se soit pas noyé. Un homme qui ne s'aperçoit même pas qu'on se moque de lui.

— Vous allez être obligée de l'épouser maintenant pour avoir légalement le droit de le jeter dehors.

Jody rit bruyamment. Il ne pouvait pas, en même temps, les écouter et manger. Il se trouva en retard et se mit à mâcher consciencieusement. Il y avait une carpe fraîche, attrapée dans les nasses d'Easy, et grillée tout entière avec une savoureuse farce. Les pommes de terre irlandaises étaient une gourmandise après les patates des Baxter dont on mangeait trois fois par jour. Jody soupirait de regret de ne pouvoir absorber une plus grande quantité de tout. Il choisit de finir sur du pain et de la confiture de myrtilles.

Penny dit :

— Il va être si gâté que sa maman sera obligée de le dresser de nouveau comme un petit chien.

Après le dîner, ils descendirent ensemble le jardin jusqu'à la rive. Des bateaux passaient. Les passagers faisaient des signes à grand-mère et elle leur répondait. Au crépuscule, Easy Ozell apparut au bord du sentier; il venait à la maisonnette soigner les bêtes. Grand-mère regardait approcher son admirateur.

— Est-ce qu'il n'a pas l'air de la malchance en personne?

Jody trouvait qu'Easy ressemblait à un héron gris et malade avec des plumes collées par la pluie. Ses cheveux pendaient en mèches grises sur son cou. Il avait une moustache grise, longue et mince, qui descendait sur sa bouche. Ses bras tombaient comme des ailes, sans force à ses côtés.

— Regardez-le, dit-elle, cette espèce de Yankee soucieux. Ses pieds traînent comme la queue d'un crocodile.

— C'est vrai qu'il n'est pas joli, joli, reconnut Penny, mais il est humble comme un chien.

— Je déteste avoir pitié d'un homme, dit-elle. Et je déteste les jambes en arceaux. Ses jambes sont tellement en arceaux que ses pantalons traînent par terre.

Easy se dirigeait vers la maison. Jody l'entendit à l'étable avec la vache et plus tard au bûcher. La besogne du soir achevée, il vint timidement sur le perron. Penny lui donna la main et grand-mère lui fit un signe de tête. Il se racla la gorge. Puis, comme si sa pomme d'Adam qui montait et descendait bloquait ses paroles, il renonça à parler et s'assit sur la plus basse marche. La conversation se déroulait autour de lui et son visage gris brillait de plaisir. A la nuit tombante, grand-mère entra dans la maison. Easy se leva gauchement pour s'en aller.

Il dit à Penny :

— Mon Dieu! Si je pouvais parler comme vous. Peut-être qu'elle se ferait mieux à moi. Vous croyez que c'est ça, ou bien qu'elle ne me pardonnera jamais d'être nordiste? Si c'était ça, je vous le dis, Penny, je cracherais sur le drapeau.

Il s'éloigna en traînant les pieds.

— Penser qu'un type si plat aspire à grand-mère, dit Penny.

Dans la maisonnette, Penny taquina grand-mère au sujet d'Easy comme il avait taquiné Jody à propos d'Eulalie. Mais elle ripostait aussi bien qu'elle encaissait, et l'assaut était plein de gaieté. Ce sujet rappela à Jody un fait qui lui restait dans l'esprit.

Il dit :

— Grand-mère, Lem Forrester a dit que Twinck Weatherby était sa bonne amie. Je lui ai dit que c'était celle d'Olivier et ça n'a pas du tout plu à Lem.

— Olivier se débrouillera avec Lem quand il rentrera, dit-elle; si un Forrester est capable de lutter loyalement.

Elle les fit coucher dans une chambre aussi blanche que la neige dont parlait Olivier. Jody s'étendit à côté de son père entre des draps immaculés.

Il dit :

— Tu ne trouves pas que tout est joli chez grand-mère?

Penny dit :

— Il y a des femmes qui ont la manière pour ça. » Il ajouta loyalement : « Mais ne pense pas de mal de Maman parce qu'elle ne fait pas comme grand-mère Hutto. Maman a toujours dû s'accommoder de peu, et c'est moi qui suis à blâmer, pas elle. Ça n'est pas de sa faute si notre vie est rude. »

Jody dit :

— Je voudrais que grand-mère soit ma grand-mère pour de vrai. Je voudrais qu'Olivier soit de notre famille.

— Bah! du moment que les gens se conduisent comme des parents, cela revient au même. Tu aimerais habiter ici avec grand-mère?

Jody se représenta la cabane dans la clairière. Il devait y avoir des oiseaux de nuit criant alentour, peut-être des loups hurlant, ou une panthère qui rugissait. Les cerfs buvaient au réservoir, les mâles de leur côté, les biches avec leurs faons. Les oursons dormaient, pelotonnés l'un contre l'autre. Il y avait dans l'île Baxter quelque chose qui valait mieux que les nappes blanches et les courtepointes.

— Non, je ne voudrais pas. Je préférerais emmener grand-mère chez nous. Mais il faudrait arriver à ce que maman l'aime bien.

Penny éclata de rire :

— Pauvre petit, dit-il. Tu pourras grandir avant de connaître les femmes.

XII

Jody entendit le bateau de marchandises et de passagers devant le débarcadère Hutto vers le lever du jour. Les lumières du vapeur pâlissaient sous le ciel de l'aube. Les hélices tournaient lourdement dans l'eau. Le bateau siffla. Jody crut l'entendre s'arrêter puis reprendre son voyage. Il avait l'impression que son passage le regardait. Il ne pouvait plus se rendormir. Dehors, dans la cour, la vieille Julia grogna. Penny se réveilla. Il y avait toujours une partie de lui-même qui veillait en sentinelle. Un bruit léger comme la brise suffisait à le réveiller.

Il dit :

— Le bateau s'est arrêté, il y a quelqu'un.

La vieille Julia fit entendre un aboiement grave, puis elle gémit, puis se tut.

— C'est quelqu'un qu'elle connaît!

Jody cria :

— C'est Olivier! Et il bondit hors du lit.

Il traversa la maison tout en courant. Fluff se réveilla et sauta de sa couche devant la porte de grand-mère en aboyant de façon suraiguë.

Une voix cria :

— Amenez-vous donc, espèce de paresseux!

Grand-mère sortit en hâte de sa chambre. Elle portait

une longue chemise de nuit blanche et un bonnet blanc. Elle agrafait un châle autour de ses épaules tout en courant. Olivier monta le perron d'un seul bond comme un chevreuil, et sa mère et Jody se jetèrent contre lui comme un tourbillon. Olivier souleva sa mère par la taille et la balança. Elle le frappait de ses petits poings. Julia et Fluff aboyaient pour attirer l'attention. Penny les rejoignit tranquillement, tout habillé. Olivier et lui se serrèrent les mains. Dans la lumière confuse de l'aube, les dents d'Olivier éclataient de blancheur. Tout le monde riait. Au milieu du tapage, Penny dit :

— Dieu me pardonne, Jody, tu es tout nu!

Jody se figea sur place. Puis il s'apprêta à courir dans sa chambre. Olivier le saisit. Grand-mère ôta son châle et le lui attacha autour de la taille.

Elle dit :

— Moi aussi, je serais bien venue toute nue s'il l'avait fallu. Olivier ne rentre à la maison que deux fois par an, n'est-ce pas, garçon?

L'excitation se calmait. Olivier ramassa son sac de matelot et le porta dans la maison. Jody ne le lâchait pas.

— Où as-tu été, cette fois, Olivier? Est-ce que tu as vu des baleines?

Penny dit :

— Laisse-le respirer, Jody. Il ne peut pas se mettre à raconter des histoires pour les petits, comme un robinet qu'on tourne débite de l'eau.

Mais Olivier étouffait d'histoires.

— Et c'est bien pour ça qu'un marin rentre chez lui, dit-il. Pour voir sa maman et sa bonne amie et dire des mensonges.

Son bateau avait croisé aux Tropiques. Jody s'arracha à lui le temps d'enfiler sa culotte et sa chemise d'emprunt.

Il posait des questions et grand-mère aussi. Le fils prodigue avait réponse à tout. Grand-mère enfila une camisole à fleurs et coiffa ses boucles argentées avec un soin particulier. Elle alla à la cuisine préparer le petit déjeuner. Olivier ouvrit son sac et en répandit le contenu par terre au milieu de la pièce.

Grand-mère dit :

— Je ne peux pas regarder et faire la cuisine en même temps.

Olivier dit :

— Alors, pour l'amour de Dieu, maman, fais la cuisine.

— Tu es maigre.

— Je n'ai plus que la peau sur les os. J'attendais d'être à la maison pour manger.

— Jody, viens, fais-moi ronfler ce feu. Coupe ce jambon. Coupe ce lard, coupe ce gibier.

Elle sortait des bols du placard, battait des œufs. Jody l'aidait, puis courait à Olivier. Le soleil se leva et inonda la maisonnette. Olivier, Penny et Jody étaient accroupis autour du sac.

Olivier dit : “ J'ai quelque chose pour chacun, sauf Jody. C'est curieux, je l'ai oublié. ”

— Ce n'est pas vrai. Tu ne m'as encore jamais oublié.

— Regarde si tu trouves ton cadeau.

Jody rejeta une pièce de soie. Cela évidemment était pour grand-mère. Il repoussa les effets d'Olivier épicés de bizarres odeurs exotiques. Il y avait un petit paquet enveloppé dans de la flanelle. Olivier le lui prit des mains.

— Ça, c'est pour une amie.

Il y avait un sac plein d'agates et de pierres transparentes. Jody passa. Il approcha un paquet de son nez.

— Du tabac!

— Pour ton père. Du tabac turc.

— Oh! Olivier! dit Penny émerveillé tandis que le somptueux arôme montait dans la pièce. Olivier! Je ne me rappelle pas avoir reçu de cadeau.

Jody saisit un long paquet étroit. Il était métallique et lourd.

— C'est ça!

— Tu l'as deviné avant de l'avoir vu.

Jody défit frénétiquement le paquet. Un couteau de chasse tomba sur le sol. La lame était acérée et luisante.

Jody se précipita pour le ramasser. Il fit tournoyer la longue lame à la lumière.

— Il n'y a personne dans la brousse, dit-il, qui en ait un comme ça. Pas même les Forrester.

— C'est ce que je me suis dit. Il ne faut pas laisser ces barbus nous enfoncer.

Jody regardait le petit paquet emmailloté de flanelle qu'Olivier tenait à la main. Il était déchiré entre Olivier et les Forrester.

Il éclata : " Olivier... Lem Forrester dit que Twinck Weatherby est sa bonne amie. "

Olivier se mit à rire en jouant à la balle, d'une main dans l'autre, avec le petit paquet.

Il dit : " Les Forrester mentent toujours. Personne ne me prendra mon amie. "

Une onde bienfaisante se répandit en Jody, le laissant soulagé. Il l'avait dit à grand-mère et à Olivier, il se sentait la conscience tranquille, et Olivier n'était pas troublé. Puis le souvenir lui vint du sombre visage de Lem, morne et boudeur, tandis qu'il pinçait les cordes de son violon. Il repoussa cette image. Il s'absorba dans les trésors que son ami avait rapportés des pays lointains au-delà des mers.

Grand-mère, il le remarqua, ne toucha pas son assiette au petit déjeuner. Elle remplissait celle d'Olivier. Ses yeux brillants revenaient sans cesse à son fils comme d'avides hirondelles. Olivier se tenait droit à table. Sa peau était bronzée à l'endroit où sa chemise s'ouvrait sur sa gorge maigre. Ses cheveux brûlés par le soleil avaient un reflet roux. Ses yeux étaient de la couleur que Jody imaginait la mer, gris bleu avec un éclat vert. Jody passa sa main sur son propre visage, son nez en l'air, ses taches de rousseur. Il tâta à la dérobée le dos de son crâne où les " queues de dragon " couleur de paille rebiquaient. Il était extrêmement mécontent de lui-même.

Il demanda : " Grand-mère, est-ce qu'Olivier a toujours été beau? "

Penny dit : " Je peux répondre à ça. Je me rappelle un temps où il était plus vilain que toi et moi réunis. "

Olivier dit complaisamment : " Tu deviendras aussi bien que moi en grandissant, si c'est ça qui te tourmente, Jody. "

— A moitié aussi bien, ça me suffirait, dit-il.

Olivier dit : " Je t'amènerai chez ma bonne amie, aujourd'hui, pour que tu lui dises ça. "

Grand-mère fronça le nez.

— A peine débarqués, les marins s'en vont conter fleurette!

— D'après ce que j'ai entendu dire, intervint Penny, les marins content fleurette chaque fois qu'ils peuvent.

— Et toi, Jody? demanda Olivier. Tu as déjà une petite amie?

Penny dit : " Comment, Olivier, tu ne sais pas? Jody est amoureux d'Eulalie Boyles. "

Jody sentit monter en lui une furie meurtrière. Il avait envie de rugir comme les Forrester et d'effrayer tout le monde de sa rage. Il bégaya :

— Je... Je déteste les filles. Je déteste Eulalie encore plus que les autres.

Olivier dit innocemment : “ Pourquoi, qu’est-ce qu’elle a ? ”

— J’ai horreur de son nez écrasé. Elle a l’air d’un lapin.

Olivier et Penny éclatèrent de rire et se donnèrent des tapes.

Grand-mère dit : “ Allons, ne taquinez pas tous les deux ce garçon ! Vous ne vous rappelez pas comment vous étiez à son âge ? ”

Le venin de Jody fondit dans sa reconnaissance. Grand-mère était la seule qui prît jamais sa défense. Non, se dit-il, ce n’est pas vrai. Penny lui-même venait souvent à son secours. Quand sa mère s’emportait, Penny disait toujours : “ Laisse-le, Ory. Je me rappelle, moi, quand j’étais petit... ” Il comprit que son père ne le taquinait qu’entre amis. Quand il avait besoin d’aide, Penny ne le lâchait jamais. Il sourit.

Il dit à son père : “ Essaye de dire à Maman que j’ai une bonne amie. Je parie qu’elle criera plus que si j’avais des bêtes. ”

Grand-mère dit : “ Ta mère crie après toi, hein ? ”

— Après moi et après Papa. Plus fort après Papa.

— Elle ne l’apprécie pas, dit-elle. Elle ne sait pas, c’est pour ça. — Elle soupira. — Il faut qu’une femme soit amoureuse d’un mauvais garçon une fois ou deux dans sa vie, pour reconnaître ce que c’est qu’un bon.

Penny baissa modestement les yeux. Jody aurait bien voulu savoir si M. Hutto avait été dans les bons ou dans les mauvais. Il n’osait pas demander. D’ailleurs M. Hutto était mort depuis si longtemps qu’il se dit que cela n’avait sans doute plus d’importance. Olivier se leva sur ses longues jambes.

Grand-mère dit : “ Tu me quittes, à peine arrivé ? ”

— Juste un petit moment. J’ai envie de faire un tour pour revoir les voisins.

— Cette petite Twinck aux cheveux jaunes, hein ?

— Bien sûr ! ” Il se pencha sur elle et ébouriffa ses boucles. “ Penny, tu ne repars pas aujourd’hui ? ”

— Il faut que nous finissions nos affaires et que nous rentrions chez nous, Olivier. Je regrette. Je regrette de manquer la fête de samedi. Nous sommes venus le vendredi pour donner notre gibier à Boyles à temps pour le bateau d'aujourd'hui. Et il ne faut pas laisser Ory toute seule trop longtemps.

— Non, dit grand-mère. Une panthère pourrait l'emporter.

Penny la regarda vivement, mais elle arrangeait avec beaucoup d'attention les plis de son tablier.

Olivier dit : « Eh bien, je vous accompagnerai de l'autre côté de la rivière. »

Il était déjà parti en posant son bonnet de marin en arrière de son crâne. On entendit son sifflotement s'éloigner. Jody était désolé. Quelque chose allait l'empêcher de profiter des histoires d'Olivier. Il le sentait. Il aurait voulu passer toute la matinée assis sur la rive à écouter Olivier. Il n'en avait jamais assez. Olivier racontait une ou deux histoires, et puis quelqu'un arrivait, ou bien Olivier avait quelque chose à faire, et ne finissait jamais ses récits.

— Je n'ai jamais eu mon compte d'histoires, dit-il. Grand-mère dit : « Moi non plus, je ne l'ai jamais assez longtemps. » Penny hésitait à partir.

— Je suis désolé, dit-il. Maintenant surtout qu'Olivier est là.

— Olivier me manque plus, dit-elle, quand il est là et hors de la maison, que quand il est en mer.

Jody dit : « C'est à cause de Twinck. C'est à cause de son amie. Moi, je n'aurai jamais d'amie. »

Il en voulait à Olivier de les avoir quittés. Ils avaient une intimité à eux quatre, et Olivier l'avait détruite. Penny savourait la tranquillité de la maisonnette. Il remplit plusieurs fois sa pipe de tabac étranger.

Il dit : “ Ça m’ennuie, mais il faut que nous partions. Nous avons nos affaires à terminer, et c’est une trotte de rentrer chez nous à pied. ”

Jody alla se promener le long du fleuve en jetant des pierres à Fluff. Il vit Easy Ozell courir vers la maisonnette.

Easy appela : “ Va vite chercher ton père. Que Mme Hutto n’entende pas. ”

Jody se précipita dans le jardin et appela son père. Penny sortit.

Easy haletait : “ Olivier est en train de se battre avec Lem Forrester. Il s’est disputé avec Lem devant la boutique et tous ces batailleurs de Forrester se sont jetés sur lui. Ils le tueront. ”

Penny courut vers la boutique, Jody ne pouvait aller aussi vite. Easy les suivait.

Penny cria par-dessus son épaule : “ Pourvu que nous puissions arranger ça avant que grand-mère ne s’en mêle avec un fusil. ”

Jody cria : “ Pa, nous nous battrons pour Olivier? ”.

— Nous nous battrons pour celui qui reçoit la rossée, et c’est Olivier.

Le cerveau de Jody était en ébullition.

Il dit : “ Mais Pa, tu as dit qu’il n’y avait pas moyen de vivre dans l’île Baxter si on n’était pas bien avec les Forrester. ”

— Je l’ai dit. Mais je ne veux pas qu’on fasse de mal à Olivier.

Jody était tout étourdi. Il lui semblait qu’Olivier méritait une punition. Il était sorti, il les avait laissés pour aller voir une femme. Jody était presque content que les Forrester se fussent jetés sur lui. Peut-être qu’après la bataille, Olivier rentrerait chez lui, guéri de sa folie. Twinck Weatherby... Jody cracha dans le sable. Il pensa à Aile-de-Paille. Il ne pourrait pas supporter de ne plus être son ami.

Il cria dans le dos de son père : « Je ne me battrai pas pour Olivier. »

Penny ne répondit pas. Ses petites jambes couraient. Le combat avait lieu sur la route sablonneuse devant la boutique de Boyles. Un nuage de poussière s'élevait là comme un tourbillon au cœur de l'été. Jody entendit les cris des spectateurs avant de distinguer les silhouettes des combattants. Tout Volusia était là.

Penny haletait : « Ces sales bêtes se moquent pas mal de celui qui est tué, pourvu qu'elles voient une bataille. »

Jody aperçut Twinck Weatherby à l'extérieur du cercle. Hommes et femmes, tous la disaient jolie, mais il avait envie de tirer ses douces boucles blondes l'une après l'autre. Son petit visage pointu était blanc. Ses grands yeux bleus étaient fixés sur les combattants. Elle tordait un mouchoir entre ses doigts. Penny écarta la foule. Jody le suivit. Il se cramponnait à la chemise de son père.

C'était vrai. Les Forrester étaient en train de tuer Olivier. Olivier se défendait contre trois à la fois, Lem, La Meule, et Buck. Il ressemblait à un cerf que Jody avait vu une fois, blessé et saignant, tandis que les chiens lui déchiraient la gorge et les épaules. Le sang et le sable couvraient son visage. Il se battait courageusement, essayant de frapper les Forrester l'un après l'autre. Lem et Buck se jetèrent ensemble sur lui. Jody entendit un poing lourd faire craquer un os. Olivier tomba dans le sable. La foule cria.

L'esprit de Jody était en tourbillon. Olivier méritait cela, lui qui avait quitté la maisonnette pour aller voir une femme. Mais trois contre un, ce n'était pas bien. Même quand il s'agissait des chiens et d'un ours, ou d'une panthère, la chose lui paraissait injuste. Sa mère disait que les Forrester avait le cœur noir. Il ne l'avait jamais crue. Ils chantaient, buvaient, s'amusaient et riaient aux éclats. Ils lui faisaient manger beaucoup de bonnes choses, lui frappaient sur l'épaule et le faisaient jouer avec Aile-de-Paille. Est-ce que c'était avoir le cœur noir de se battre à trois contre un? Mais La Meule et Buck se battaient pour Lem, pour lui garder son amie. Est-ce que ce n'était pas bien? Est-ce que ce n'était pas loyal? Olivier se releva sur les genoux, puis se mit debout en chancelant. Il souriait à travers le sang et la poussière. L'estomac de Jody se serra. On tuait Olivier.

Jody sauta sur le dos de Lem. Il lui mordit la nuque et lui martela la tête à coups de poing. Lem l'attrapa et l'envoya rouler par terre. Son visage était meurtri par l'étreinte de la grande main. Il s'était fait mal à la hanche en tombant.

Lem aboya : “ Tu vas nous laisser tranquille, petite panthère! ”

Penny cria très haut : “ Qui est-ce qui arbitre le combat? ”

Lem dit : “ C'est nous. ”

Penny se dressa devant lui. Sa voix domina le tapage.

— S'il faut trois hommes pour en battre un, alors je dis que c'est cet un le plus fort.

Lem s'avança sur lui.

Il dit : “ Je n'ai aucune envie de vous tuer, Penny Baxter. Mais je vous écraserai, plat comme une punaise, si vous venez m'embêter. ”

Penny dit : “ Ce qui est juste est juste. Si vous voulez tuer Olivier, tirez sur lui et faites vous pendre honnêtement pour assassinat. Mais soyez des hommes. ”

Buck frotta ses pieds dans le sable.

Il dit : “ On ne s'y serait pas mis tous, mais... ”

Penny l'interrompit :

— Qu'est-ce que c'est que ce combat? Qui a fait quelque chose et contre qui?

Lem dit : “ Il est revenu pour voler. Voilà ce qu'il a fait. ”

Olivier s'essuya son visage avec sa manche :

— C'est Lem qui a essayé de voler.

— Voler quoi? — Penny frappa sa paume de son poing. — Des chiens, des cochons, des fusils, ou des chevaux?

A l'extérieur du cercle, Twinck Weatherby se mit à pleurer.

Olivier dit à voix basse : " Ce n'est pas l'endroit de parler de ça. "

— Mais c'est l'endroit de se battre pour ça, peut-être? Comme une bande de chiens? Vous réglerez cette question tous les deux un autre jour, et entre quatre-z-yeux.

Olivier riposta : " Avec un homme qui dit ce que Lem a dit, je me battrais n'importe où. "

— Et moi, ce que j'ai dit, je le redirai, dit Lem.

Ils s'élancèrent l'un sur l'autre. Penny se jeta entre eux. Il faisait à Jody l'effet d'un petit sapin robuste ployé par la rafale. La foule gronda. Lem brandit le poing et frappa Olivier par-dessus la tête de Penny. Le coup résonna comme l'éclatement d'une balle. Olivier s'effondra sur le sable et ne bougea pas plus qu'une poupée de chiffon. Penny avança son poing sous la mâchoire de Lem; Buck et La Meule l'attaquèrent des deux côtés. Jody bondit, saisi d'une fureur qui le portait avec la violence d'un ouragan. Il enfonçait ses dents dans le poignet de Lem. Il donnait des coups de pied dans ses larges mollets. Lem se retourna comme un ours agacé par un petit chien. Il s'ébroua pour s'en débarrasser. Jody avait l'impression d'être jeté en l'air. Il vit Olivier se relever en chancelant. Il vit Penny agiter les bras comme des fléaux. Il entendit un grondement. C'était tout près de lui, puis cela s'éteignit. Il plongea dans l'obscurité.

XIII

JODY pensa : “ J’ai rêvé la bagarre. ”

Il regardait le plafond, dans la chambre d’amis de grand-mère Hutto. Un bateau de marchandises remontait la rivière. Il entendit les hélices boire le courant rapide. Elles avalaient de grandes gorgées liquides, puis les rejetaient. Le bateau siffla pour demander la passerelle au débarcadère de Volusia. Il venait seulement de se réveiller, et c’était le matin sans doute. Il avait fait un cauchemar où Olivier Hutto, à peine rentré, se battait avec les Forrester. Il tourna la tête vers la fenêtre pour regarder passer le bateau. Une douleur aiguë étreignit sa nuque et son épaule. Il ne pouvait tourner la tête qu’à demi. La mémoire lui revint, soudaine comme la douleur.

Il pensa : “ La bagarre était vraie. ”

C’était l’après-midi. Le soleil brillait à l’ouest sur l’autre rive. Un rayon s’étendait sur la courtepointe. La douleur se calma, mais il se sentait étourdi et défaillant. On bougea dans la chambre. Un fauteuil craqua.

Grand-mère Hutto dit : “ Il a les yeux ouverts. ”

Il essaya de tourner la tête dans la direction de sa voix, mais il ne pouvait le faire sans souffrance. Elle se pencha vers lui.

Il dit : “ Hé! grand-mère. ”

Elle ne s'adressa pas à lui, mais à son père :

— Il est aussi solide que vous, il va très bien.

Penny apparut de l'autre côté du lit. Il avait un poignet bandé et un œil poché. Il sourit à Jody, et dit :

— Nous avons fait du bon travail tous les deux.

Un linge humide et froid glissa du front de Jody. Grand-mère le retira et posa sa main à la place. Elle glissa les doigts derrière sa tête et la tâta doucement à la recherche de la source douloureuse. Elle était dans sa mâchoire à gauche, où Lem l'avait frappé, et dans l'occiput qui avait cogné contre le sol. La douleur s'engourdit sous le doux massage.

Elle demanda : " Dis quelque chose pour me faire voir que tu n'as pas la cervelle en bouillie. "

— Je ne sais pas quoi dire ", fit-il et il ajouta : " Ce n'est pas encore l'heure de déjeuner? "

Penny dit : " Oh! lui, du moment que son ventre est indemne! "

— Ce n'est pas que j'aie faim, protesta Jody, mais j'ai vu le soleil, je me suis demandé quelle heure il pouvait bien être.

Elle dit : " Ça va très bien, Minou. "

Il demanda : " Où est Olivier? "

— Au lit.

— Il est très amoché?

— Pas assez pour le rendre sage.

— Ça, je ne sais pas, dit Penny. Il s'en est fallu d'un rien qu'il ne lui reste même pas de quoi faire un sage.

— En tout cas, sa belle figure est assez abîmée pour que les filles à cheveux jaunes ne le regardent plus de quelque temps.

— Vous autres, femmes, dit Penny, vous êtes dures les unes pour les autres. Il me semble que c'est plutôt Olivier et Lem qui la regardaient, la fille.

Grand-mère roula le linge humide et sortit de la chambre.

Penny dit :

— Ça n'est pas régulier d'assommer un petit comme toi. Mais je suis fier que tu aies été assez brave pour t'en mêler en voyant un ami dans l'embarras.

Jody se tourna pour regarder le soleil.

Il songeait : " Les Forrester aussi sont mes amis. "

Penny reprit, comme s'il lisait dans sa pensée :

— Voilà qui va mettre fin à notre bon voisinage, aux Forrester et à nous.

Un élancement douloureux passa de la tête de Jody au creux de son estomac. Il ne pouvait renoncer à Aile-de-Paille. Il décida qu'il échapperait parfois pour aller l'appeler à travers les buissons. Il imagina la rencontre clandestine. Peut-être seraient-ils découverts, et Lem les fouetterait-il à mort? Alors Olivier aurait des remords de s'être battu pour Twinck Weatherby. Jody en voulait plus à Olivier qu'aux Forrester. Quelque chose d'Olivier qui leur appartenait à lui et à grand-mère leur avait été retiré et avait été donné à la fille aux cheveux jaunes qui se tordait les mains en regardant le combat.

Toutefois, si c'était à recommencer, il irait de nouveau au secours d'Olivier. Il se rappelait un chat sauvage déchiré par les chiens. Les chats sauvages méritent leur sort. Pourtant, à un certain moment, lorsque la gueule grimaçante s'était ouverte toute grande d'angoisse, et que les yeux méchants s'étaient obscurcis, agonisants, il avait été frappé de pitié. Il s'était mis à pleurer. Il aurait voulu venir en aide à la bête torturée. Tant de souffrance était injuste. C'est pourquoi il lui avait fallu combattre avec Olivier, dût-il à cause de cela perdre Aile-de-Paille. Il ferma les yeux, rasséréné. Tout allait bien, du moment qu'il comprenait.

Grand-mère entra dans la chambre avec un plateau.

— Allons, Minou, est-ce que tu peux t'asseoir?

Penny glissa sa main derrière l'oreiller et Jody se souleva

peu à peu. Il était raide et courbatu, mais ce n'était pas pire que le jour où il était tombé de l'arbre à chapelets.

Penny dit :

— Je voudrais que le pauvre Olivier soit aussi vite remis.

— Il a encore de la chance qu'on ne lui ait pas cassé son joli petit nez, fit grand-mère.

Jody mangea assez péniblement une assiette de pains d'épice. Il avait si mal qu'il dut en laisser un morceau. Il le regardait.

Grand-mère le rassura :

— Je te le mets de côté.

Penny dit :

— Ça, c'est la grande gâterie, qu'une femme devine vos pensées et les approuve.

— C'est vrai.

Jody s'étendit de nouveau. La violence avait surgi tout à coup, avait bouleversé le monde, puis, soudain, tout s'était apaisé.

Penny dit :

— Il faut que je me dépêche. Ory va être furieuse.

Il s'arrêta sur le seuil. Il était un peu voûté. Il paraissait esseulé.

Jody lui cria :

— Je veux partir avec toi.

Le visage de Penny s'éclaira.

— Vraiment, petit? — Il avait un air intensément interrogatif. — Tu es sûr que tu es d'attaque? Je vais te dire ce qu'on va faire. La vieille jument de Berry Boyles, elle qui revient seule à l'écurie, nous allons la prendre pour rentrer, puis nous la renverrons.

Grand-mère dit :

— Ory sera plus tranquille si elle le voit avec vous. Je sais bien que ce qui arrive à Olivier quand il est dans les parages, n'est jamais tout à fait aussi grave que ce qui lui arrive quand je le perds de vue.

Jody se glissa hors du lit. Il était étourdi. Sa tête lui paraissait lourde et enflée. Il avait envie de se laisser retomber dans la douceur des draps.

Penny dit :

— Jody est un homme, c'est moi qui vous le dis.

Jody se redressa et s'approcha de la porte.

— Est-ce qu'il faut que je dise au revoir à Olivier?

— Bien sûr, mais ne lui laisse pas voir comme il est abîmé. Il est fier.

Il alla dans la chambre d'Olivier. Les yeux de celui-ci étaient fermés, gonflés, comme s'il était tombé dans un nid de guêpes. Il avait une joue écarlate. Un bandeau blanc ceignait sa tête. Ses lèvres étaient tuméfiées. Le beau marin était à plat, et tout cela à cause de Twinck Weatherby.

Jody dit :

— Au revoir, Olivier.

Olivier ne répondit pas. Jody s'attendrit.

— Je regrette que Pa et moi, on ne soit pas arrivés plus tôt.

Olivier dit :

— Viens là.

Jody s'approcha du lit.

— Tu veux faire quelque chose pour moi? Va dire à Twinck que j'irai la retrouver au vieux fossé, mardi, à la tombée du soir.

Jody était refroidi.

Il éclata :

— Non, je n'irai pas. Je la déteste. Cette espèce de je ne sais quoi, avec sa tête jaune!

— Bon. J'enverrai Easy.

Jody frottait son pied sur la descente de lit.

Olivier dit :

— Je te croyais mon ami.

Les amis, songea Jody, étaient un embarras. Puis il se rappela le couteau de chasse et se sentit plein de gratitude et de honte.

— Bon, ça va. J'irai tout de même.

Olivier rit dans son lit. Jody songea qu'il rirait encore s'il était mourant.

— Au revoir, Olivier.

— Au revoir, Jody.

Il quitta la chambre. Grand-mère l'attendait.

Il dit :

— C'est un peu malheureux, tout ça, hein, grand-mère? La bagarre d'Olivier et le reste?

— Allons, petit, sois poli, fit Penny.

— La vérité n'a pas besoin de politesse, répondit grand-mère.

Penny dit :

— Vous savez où me faire chercher.

Ils descendirent l'allée du jardin. Jody regarda derrière lui. Grand-mère était debout et leur faisait signe.

Penny s'arrêta à la boutique de Boyles pour y prendre ce qu'il avait acheté et son quartier de venaison. Boyles consentit à prêter la jument, à condition que Penny, en la renvoyant, attachât sur sa selle une longueur de peau de cerf pour en faire des lacets de bottine. Les emplettes, farine, café, poudre, plomb, cartouches, furent empilées dans un sac. Boyles alla à l'écurie et en ramena la jument sellée.

— Ne la renvoyez pas avant le matin, dit-il. Elle peut échapper à un loup, mais je ne voudrais pas qu'une panthère se jette sur elle.

Penny alla charger ses sacs. Jody se rapprocha doucement du boutiquier. Cela lui déplaisait de confier à son père le secret d'Olivier.

Il chuchota :

— Il faut que j'aille voir Twinck Weatherby. Où habite-t-elle?

— Qu'est-ce que tu lui veux?

— J'ai quelque chose à lui dire.

Boyles dit :

— Nous sommes beaucoup qui avons quelque chose à lui dire. Eh bien, il faudra repasser. La demoiselle a noué un mouchoir sur ses boucles blondes et a filé à Sandford par le bateau de marchandises.

Jody se sentit aussi soulagé que si c'était lui qui l'avait fait filer. Il emprunta un bout de papier et un gros crayon et écrivit un mot à Olivier. C'était un travail laborieux, car l'enseignement de son père n'avait été complété que le temps d'un bref hiver, par un maître d'école ambulant. Il écrivit :

" Chair Olivier, ton espaisse de Twinck ait remonté la riviaire. Je suis contan. Ton ami Jody. "

Il relut la lettre. Il trouva qu'elle n'était pas assez gentille. Il barra " Je suis contan " et écrivit à la place " Je regrette ". Il se sentait satisfait. Un peu de sa vieille admiration pour Olivier lui revint. Peut-être qu'il pourrait recommencer un jour à écouter ses histoires?

Pendant la traversée en bac, il regardait la rivière rapide. Ses pensées étaient aussi agitées que le courant. Olivier ne lui avait jamais failli jusqu'ici. C'était vrai que les Forrester étaient aussi rudes que le disait sa mère. Il se sentit abandonné. Mais il était sûr qu'Aile-de-Paille ne changerait pas. La gentille âme dans le corps difforme resterait aussi étrangère que la sienne à cette querelle. Quant à son père, naturellement, il demeurait stable comme la terre.

XIV

Les cailles faisaient leur nid. Leurs appels flûtés s'étaient tus depuis quelque temps. Les couples se formaient. Les mâles chantaient le chant d'amour, clair, doux et insistant.

Un jour de la mi-juin, Jody vit un mâle et une femelle voler autour de la treille avec la hâte d'une paternité inquiète. Il fut assez sage pour ne pas les suivre, mais se mit à ramper sous la treille jusqu'à ce qu'il trouvât le nid. Il contenait vingt œufs couleur crème. Jody prit bien garde de ne pas y toucher, de peur que les cailles abandonnassent le nid, comme font les pintades. La semaine suivante, il revint à la treille pour observer les progrès du raisin. On eût dit des amas de petits plombs, mais verts et acides. Il souleva une branche en imaginant les grappes d'or poudreuses de la fin de l'été.

Il y eut un bruissement à ses pieds, comme un claquement d'herbes. Les œufs étaient éclos. Les petites cailles, pas plus grandes chacune que le bout de son pouce, s'agitaient ainsi que des petites feuilles au vent. La mère caille les appela, et fit des sorties alternativement d'avertissements à sa couvée et d'attaque contre Jody. Il resta immobile comme son père le lui avait recommandé. La mère rassembla ses petits et les emmena à travers les herbes. Jody courut chercher son père. Penny travaillait le champ.

— Pa, la caille a pondu sous la treille. Et les raisins sont en train de mûrir.

Penny s'appuya sur les poignées de la charrue. Il était en sueur. Il regarda à travers le champ. Un faucon volait bas.

Il dit : “ Si les faucons ne mangent pas la caille, et si les ragondins ne mangent pas le raisin, nous ferons un fameux repas aux premiers froids. ”

Jody dit : “ Je serais furieux que les faucons mangent les cailles, mais ça me serait égal que les ragondins mangent le raisin. ”

— C'est que tu aimes la caille plus que le raisin.

— Non, ce n'est pas ça. C'est que je déteste les faucons et que j'aime les ragondins.

— C'est Aile-de-Paille qui t'a appris ça avec tous ses petits ragondins apprivoisés, dit Penny.

— Peut-être bien.

— Les cochons ne sont pas encore rentrés?

— Pas encore.

Penny se rembrunit.

— Ça m'est très désagréable de penser que les Forrester les ont attrapés. Mais ils ne sont jamais restés si longtemps partis. Si c'étaient les ours, ils n'auraient pas disparu tous ensemble.

— J'ai été jusqu'à la vieille clairière, Pa, et les pas continuaient vers l'ouest.

— Dès que j'aurai fini ce champ, il faudra emmener Rip et Julia les chercher.

— Qu'est-ce qu'on fera si ce sont les Forrester qui les ont?

— On fera ce qu'il faudra.

— Ça ne te fait pas peur de revoir les Forrester?

— Non, puisque je suis dans mon droit.

— Si tu n'étais pas dans ton droit, tu aurais peur?

— Si je n'étais pas dans mon droit, je n'irais pas les trouver.

— Qu'est-ce qu'il faudra faire, si on est de nouveau battus?

— Encaisser et continuer.

— J'aimerais mieux laisser les cochons aux Forrester.

— Et te passer de viande? On guérit plus vite d'un œil poché que d'un estomac vide. Tu as envie de te dégonfler.

Il hésita.

— Je ne crois pas.

Penny reprit son travail.

— Alors, va dire à Maman : s'il te plaît, Maman, fais-nous dîner de bonne heure.

Jody alla à la maison. Sa mère cousait dans un fauteuil à bascule sous le porche ombreux. Un petit lézard à ventre bleu se sauva sous son siège. Jody sourit en pensant à la rapidité avec laquelle sa volumineuse personne aurait bondi si elle l'avait su.

— S'il te plaît, Maman, Papa demande de dîner tout de suite : on va chercher les cochons.

— Il est temps.

Elle finit tranquillement sa couture. Il s'assit sur le seuil à ses pieds.

— Sans doute qu'il faudra aller trouver les Forrester, Maman, si c'est eux qui les ont attrapés.

— Eh bien, allez les trouver. Voleurs au cœur noir, tous tant qu'ils sont.

Il la regarda. Elle s'était mise en colère contre son père et lui parce qu'ils avaient combattu les Forrester à Volusia. Il dit : « On sera de nouveau battus et sanglants, M'man ».

Elle replia impatiemment son ouvrage.

— Eh bien, tant pis pour vous, mais nous avons besoin de notre viande. Qui la rattrapera si ce n'est vous?

Elle rentra dans la maison. Il l'entendit soulever le couvercle du four. Il était surpris. Sa mère parlait beaucoup de « devoir »... Il avait toujours eu horreur de ce mot. Pourquoi était-ce son devoir de se laisser de nouveau rosser par les Forrester pour reprendre les cochons, si ce n'avait pas été son devoir de se laisser assommer au secours de son ami Olivier? Il lui paraissait plus honorable à lui de donner son sang pour un ami que pour une tranche de lard. Il restait assis sans rien faire, écoutant les sifflements agités des merles dans l'arbre à chapelets. Les geais chassaient les rouges-gorges des mûriers. Même dans l'espace réservé de la clairière, la lutte pour la vie sévissait. Pourtant, il lui semblait que, là du moins, il y en avait toujours assez pour tout le monde. Il y avait vivres et toit pour le père, la mère et le fils; pour le vieux César, pour Trixie et son veau tacheté; pour Rip et Julia; pour les poulets caquetant, voletant et grattant le sol; pour les cochons grognant; pour les oiseaux dans les arbres, et les cailles nichées sous la treille; tous ceux-ci trouvaient leur pitance dans la clairière.

Dehors, dans la brousse, la guerre frappait sans cesse. Les ours, les loups, les panthères, les chats sauvages fonçaient sur les chevreuils. Même les ours mangeaient les oursons des autres ours, toute chair convenant à leur mâchoire. Les écureuils et les rats des bois, les opossums et les ragondins, tous devaient attaquer pour vivre. Les oiseaux et les petites bêtes à fourrure se blottissaient sous l'ombre du faucon et du hibou. Mais la clairière était protégée. Penny y veillait avec ses bonnes barrières, avec Rip et Julia dont la vigilance paraissait inlassable à Jody. Parfois il entendait un bruissement dans la nuit et la porte s'ouvrir et se fermer, et c'était Penny qui revenait à son lit après une ronde silencieuse à la poursuite d'un maraudeur.

Il y avait des agressions dans les deux sens, c'était vrai. Les Baxter sortaient dans la brousse en quête de viande de cerf et de peau de panthère. Et les animaux féroces, et les rongeurs affamés, entraient dans la clairière chaque fois qu'ils pouvaient. La clairière était assiégée par la faim. C'était une forteresse dans la brousse. L'île Baxter était une île d'abondance dans une mer de disette.

Il entendit un bruit de chaînes. Penny revenait vers l'étable en longeant la barrière. Jody courut lui ouvrir les portes. Il l'aida à dételer le cheval. Il grimpa à l'échelle du grenier et lança une brassée de foin dans la mangeoire de César. Il n'y avait plus d'avoine et il n'y en aurait pas avant la moisson d'été. Il trouva une botte qui portait encore des graines et la jeta à Trixie. Il y aurait ainsi plus de lait au matin, tant pour les Baxter que pour le veau tacheté. Le veau avait tendance à maigrir, car Penny l'éloignait de la vache pour le sevrer. Le grenier était lourd de fourrage amoncelé sous les poutres épaisses du toit. Le foin craquait avec une odeur sèche et douce qui agaçait les narines de Jody. Il s'étendit un instant, et s'abandonna à sa langueur. Il était un peu étourdi lorsqu'il entendit l'appel de sa mère. Il descendit du grenier. Penny avait fini de traire la vache. Ils rentrèrent ensemble à la maison. Le dîner était servi. Il n'y avait que du pain et des choux, mais en quantité suffisante.

Ma Baxter dit : “ Essayez donc de rapporter un peu de gibier pendant que vous y serez. ”

Penny acquiesça.

— Je prends mon fusil exprès pour ça.

Ils se mirent en route vers l'ouest. Le soleil était encore au-dessus des arbres. Il n'avait pas plu depuis plusieurs jours, mais de gros nuages bas s'amoncelaient à présent au nord et à l'ouest. De l'est et du sud, un gris d'acier s'avançait vers l'éclat du couchant.

Il n'y avait pas de brise. L'air pesait au-dessus de la route comme un épais édredon. Il semblait à Jody qu'on aurait pu l'écarter d'un geste, en passant. Le sable brûlait la plante de ses pieds nus. Rip et Julia avançaient distraitement, la tête basse, traînant la queue, la langue pendante sur leur mâchoire ouverte. Il n'était pas facile de suivre la trace des cochons sur un sol sablonneux et depuis longtemps si sec.

L'œil de Penny était plus perçant ici que le nez de Julia. Les cochons avaient mangé les feuilles aux buissons, traversé la clairière abandonnée, puis s'étaient dirigés vers la prairie. Ils ne s'éloignaient jamais autant quand ils trouvaient de quoi se nourrir près de la maison. Mais cette saison était parcimonieuse. Il n'y avait pas encore de glands de chêne, ou d'hickory; il leur fallait les déterrer loin sous les feuilles de l'autre année. Les dattes des palmiers nains étaient encore trop vertes, même pour les goûts peu raffinés d'un cochon. A trois kilomètres de l'île Baxter, Penny s'accroupit pour examiner la piste. Il ramassa une graine d'avoine et la tourna entre ses doigts. Il désigna la marque des fers d'un cheval.

— Ils ont attiré les cochons, dit-il.

Il se redressa. Son visage était grave. Jody l'examinait anxieusement.

— Eh bien, petit, il n'y a plus qu'à continuer.

— Jusque chez les Forrester?

— Jusqu'à l'endroit où sont les cochons. Possible que nous les trouvions enfermés quelque part.

La piste zigzaguait, marquée par le piétinement des cochons autour du grain répandu.

Penny dit :

— J'admets que les Forrester aient rossé Olivier, et j'admets encore qu'ils se soient jetés sur nous deux. Mais du diable si je peux comprendre cette vacherie à froid.

A quelque cent mètres de là, ils trouvèrent un piège à cochons. Le ressort rudimentaire avait joué, mais la cage était vide à présent.

— Ces chenapans guettaient sûrement tout à côté, dit Penny. Un cochon n'aurait pas mis longtemps à démolir cette cage, si on l'avait laissé.

Une charrette avait tourné sur le sable, à droite de la cage. La trace des roues descendait à travers la brousse dans la direction de l'île Forrester.

Penny dit :

— Ça va, petit. Voilà notre chemin.

Le soleil était près de l'horizon. Les gros nuages ressemblaient à des ballots blancs teintés de rouge et de jaune par le couchant. Le sud s'emplissait d'ombre; on eût dit de la fumée de poudre. Un air frais agitait la brousse, comme le souffle d'un géant, puis s'éloigna. Jody frissonna et retrouva avec plaisir la torpeur chaude qui suivit. Une vigne sauvage traînait en travers de la route. Penny se pencha pour l'écarter.

Il dit :

— Quand quelque chose de mauvais vous attend, autant faire attention.

Le serpent se dressa soudain entre les feuilles. Jody le vit, obscur comme une ombre, plus rapide qu'un oiseau, plus sûr que la patte griffue d'un ours. Il vit son père reculer en chancelant sous le choc. Il l'entendit pousser un cri. Il avait envie de reculer aussi. Il avait envie de crier de toutes ses forces. Mais il restait cloué au sol et il ne pouvait proférer un son. C'était un éclair qui avait lui et non un serpent. C'était une branche qui se brisait, c'était un oiseau qui s'envolait, c'était un lapin qui se sauvait...

Penny hurla :

— Va-t'en! Retiens les chiens!

Cette voix le délivra. Il recula et retint les chiens par la peau du cou. Il voyait l'ombre tachetée lever sa tête plate à la hauteur d'un genou. La tête se balançait, suivant les mouvements ralentis de Penny. Il entendit le serpent siffler. Les chiens l'entendirent aussi. Ils bronchèrent. Leur poil se dressait. La vieille Julia gémit et lui échappa en tournant sur elle-même. Elle s'élança dans le sentier, la queue collée à son arrière-train. Rip s'assit sur son derrière en aboyant.

Comme un homme en rêve, Penny recula. Le serpent sifflait. Il n'y avait pas de serpent... Non, non, c'était une couleuvre qui sifflait. C'était une grenouille qui chantait... Penny mit son fusil en joue et tira. Jody frémit. Le serpent retomba, tordu par un spasme. La tête était enfouie dans le sable. Ses sursauts descendaient le long de son corps. Les anneaux s'affaissèrent comme des vagues à marée basse. Penny se retourna et regarda son fils.

Il dit :

— Il m'a eu.

Il leva son bras droit et le regarda. Ses lèvres étaient sèches sur ses dents. On voyait sa gorge contractée. Il fixait d'un regard morne deux piqûres dans sa chair. Une goutte de sang perlait à chacune d'elles.

Il dit :

— C'était un gros.

Jody lâcha Rip. Le chien courut au serpent mort et aboya férocement. Il s'avançait par instants, et finalement poussa les anneaux avec sa patte. Il se tut et se mit à flairer le sable. Penny releva la tête. Son visage était de la couleur des cendres d'hickory.

Il dit :

— La Vieille Mort va me prendre maintenant.

Il suça ses lèvres. Il se retourna tout d'un coup et partit à travers la brousse dans la direction de la clairière. La route aurait été plus courte qu'à l'aller, car elle était frayée à présent, mais il s'élançait aveuglément droit vers sa maison. Il se penchait sous les basses branches. Jody haletait à le suivre. Son cœur battait si fort qu'il ne voyait pas où il allait. Il suivait le bruit des pas de son père faisant craquer le sous-bois. Soudain, les fourrés cessèrent, un bouquet de chênes marquant une ouverture. Cela semblait bizarre de marcher en silence.

Penny s'arrêta net. Quelque chose bougeait devant lui. Une biche se leva d'un bond. Penny soupira profondément comme si sa respiration était soudain plus libre. Il leva son fusil, l'épaula. L'idée que son père était devenu fou traversa l'esprit de Jody. Ce n'était pas le moment de s'arrêter à chasser. Penny fit feu. La biche sauta en l'air, tomba sur le sol, se débattit un instant et ne bougea plus. Penny courut à la bête et sortit son couteau de sa gaine. Maintenant Jody était sûr que son père était fou. Penny n'égorgea pas la biche, mais plongea le couteau dans son ventre. Il l'ouvrit largement. Le cœur battait encore. Penny arracha le foie. A genoux, il prit son couteau dans sa main gauche. Il tourna son bras droit et regarda de nouveau les deux piqûres. Elles étaient refermées à présent. L'avant-bras était enflé et noircissait. La sueur coulait sur son front. Il taillada vivement à travers la blessure. Un sang sombre jaillit et il pressa le foie chaud dans l'incision.

Il dit à voix basse :

— Je sens que ça tire...

Il pressa plus fort. Il retira le morceau de viande et le regarda. Il était d'un vert venimeux. Il le retourna et appliqua la face intacte sur son bras.

Il dit :

— Coupe-moi un bout de cœur.

Jody sortit de sa torpeur. Il tâtonna avec le couteau. Il tailla un morceau de viscère.

Penny dit :

— Un autre.

Il renouvelait de moment en moment cette espèce de compresse.

Il dit :

— Passe-moi le couteau.

Il coupa plus profondément dans son bras, à l'endroit où la sombre enflure était la plus forte. Jody poussa un cri.

— Pa! Tu vas te saigner à mort.

— J'aimerais mieux saigner à mort que d'enfler. J'ai vu un homme mourir...

La sueur ruisselait sur ses joues.

— Ça te fait très mal, Papa?

— Comme un fer rouge enfoncé jusqu'à l'épaule.

La viande qu'il posait sur sa blessure ne verdissait plus. La chaude vitalité de la chair de la biche se pétrifiait dans la mort. Penny se releva.

Il dit tranquillement :

— Ça ne peut plus rien faire. Je vais rentrer à la maison. Toi, va chez les Forrester et demande-leur d'aller à la Bifur chercher le docteur Wilson.

— Tu crois qu'ils voudront?

— C'est un risque à courir. Crie bien vite pourquoi tu viens avant qu'ils te lancent quelque chose à la tête ou qu'ils te tuent.

Il se retourna pour reprendre la piste frayée. Jody le suivit. Derrière lui, il entendit un léger bruissement. Il regarda par-dessus son épaule. Un faon tacheté, debout sur des pattes mal assurées, le regardait du bord de la clairière. Ses yeux sombres étaient grands ouverts et tout étonnés.

Il appela :

— Papa! La biche avait un faon.

— Tant pis, petit. Ce n'est pasma faute. Viens.

Une pitié angoissée pour le faon envahit Jody. Il hésita. L'animal levait sa petite tête surprise. Il trottina jusqu'au cadavre de la biche et se pencha pour la flairer. Il bêla.

Penny appela :

— Plus vite, mon gars.

Jody courut pour le rattraper. Penny s'arrêta un moment en arrivant à la route mal tracée.

— Demande à quelqu'un de venir jusque chez nous par cette route, pour me ramasser au cas où je n'arriverais pas au bout. Dépêche-toi.

L'affreuse image du corps de son père tout enflé, gisant sur la route, s'empara de lui. Il se mit à courir. Son père s'obstinait, avec un lent désespoir, dans la direction de l'île Baxter.

Jody suivit en courant la marque de la charrette jusqu'au buisson de myrtes où elle débouchait dans le chemin de l'île Forrester. Ce chemin, où on passait souvent, n'avait pas de tapis d'herbe, et le sable épais et sec retenait les pieds de Jody, semblait nouer des tentacules autour des muscles de ses jambes. Celles-ci remuaient, mais il avait l'impression de repasser continuellement devant les mêmes arbres, les mêmes buissons. Son pas était si lent, si vain, qu'il fut tout étonné d'arriver à un tournant. La courbe lui était familière. Il n'était pas loin de la route qui menait directement à la clairière des Forrester.

Il atteignit les hauts arbres de l'île. Il tressaillit en se voyant si près. Il reprit ses esprits et commença à avoir peur. Il avait peur des Forrester. Et s'ils lui refusaient leur aide, en admettant qu'il sortît sain et sauf de chez eux, où irait-il? Il s'arrêta un instant à l'ombre des chênes-lièges, pour réfléchir. Le ciel s'obscurcissait. Pourtant, il était sûr que ce n'était pas l'heure du crépuscule. Les nuages n'étaient plus qu'une sombre nuée remplissant tout le ciel. La seule lumière qui la traversât était une bande verte à l'ouest, de la couleur de la viande envenimée de la biche. Il lui vint à l'idée de s'adresser à son ami Aile-de-Paille. Son ami viendrait à son appel et il pourrait peut-être l'approcher assez pour s'acquitter de sa mission. Cela le soulagea de penser à cela, de penser aux yeux de son ami adoucis par la peine qu'il éprouverait pour lui. Il reprit son souffle et descendit le sentier en courant de toutes ses forces. Il cria :

— Aile-de-Paille! Aile-de-Paille! C'est Jody!

Son ami allait sortir de la maison pour venir à sa rencontre, descendant à quatre pattes le perron aux marches raides, comme toujours lorsqu'il était pressé. Ou bien il allait sortir des fourrés, son ragondin sur ses talons.

— Aile-de-Paille! C'est moi!

Il n'y eut pas de réponse. Il s'élança dans la cour sablée.

— Aile-de-Paille!

Une lumière précoce brillait dans la maison. Une fumée se recourbait au-dessus de la cheminée. Les fenêtres et les volets étaient fermés pour écarter les moustiques et la nuit. La porte s'ouvrit toute grande. Dans le rectangle de lumière, il vit les hommes Forrester se dresser l'un après l'autre, et il avait l'impression que les grands arbres de la forêt se soulevaient sur leurs racines et s'avançaient vers lui. Il s'arrêta court. Lem Forrester descendit le perron. Il pencha la tête et la tourna un peu pour reconnaître l'intrus.

— C'est toi, petite vermine. Qu'est-ce que tu viens faire ici?

Jody se sentit défaillir :

— Aile-de-Paille?

— Il est malade. Tu ne peux pas le voir.

C'en était trop. Il éclata en pleurs.

Il sanglotait :

— Papa... Il a été mordu par un serpent.

Les Forrester descendirent le perron et l'entourèrent. Il sanglotait bruyamment, de pitié pour son père et pour lui, et parce qu'il était arrivé enfin, et que quelque chose était terminé qu'il avait à faire. Il y eut un mouvement parmi les hommes comme celui de la pâte qui lève.

— Où est-il? Quel genre de serpent?

— Un serpent à sonnettes. Un grand. Papa est reparti vers chez nous, mais il ne sait pas s'il pourra arriver jusque-là.

— Il enfle? Où est-ce qu'il a été pris?

— Au bras. Il a déjà salement enflé. Je vous en prie, allez chercher le docteur Wilson. Je vous en prie, partez tout de suite, et je n'aiderai plus jamais Olivier contre vous. Je vous en prie.

Lem Forrester se mit à rire.

— Une souris qui promet de ne pas mordre, dit-il.

Buck dit :

— Ça ne servira sans doute à rien. Une piqûre au bras, on en meurt tout de suite. Il sera mort avant que le docteur arrive chez lui.

— Il a tué une biche et s'est servi du foie pour tirer le poison. Je vous en prie, allez chercher le docteur.

La Meule dit :

— J'y vais.

Une impression de soulagement l'illumina comme un rayon de soleil.

— Je vous remercie bien.

— Tu peux garder tes remerciements. J'irais au secours d'un chien s'il était piqué par un serpent.

Buck dit :

— Moi, je pars ramasser Penny sur mon cheval. C'est mauvais de marcher pour un type mordu par un serpent. Bon Dieu, les gars, et nous n'avons plus une goutte de whisky pour lui.

Gabby dit :

— Le docteur en a. S'il est à peu près sobre, il lui en restera. S'il a tout bu, il n'aura qu'à lui souffler dans la bouche et ça fera un tonique.

Buck et La Meule s'en allèrent à l'étable seller leurs chevaux avec une nonchalance qui était un supplice. Cette lenteur affolait Jody plus que n'aurait fait la hâte. S'il restait un espoir de sauver son père, ils se dépêcheraient... Ils étaient aussi tranquilles que s'il s'agissait d'enterrer Penny et non de courir à son secours. Jody restait là debout, désolé. Il aurait aimé voir Aile-de-Paille avant de s'en aller. Les autres Forrester remontèrent le perron sans plus s'occuper de lui.

Lem, du seuil, cria :

— Va-t'en, vermine!

Arch dit :

— Laisse le petit tranquille. Ne le brusque pas pendant que son père est en train de mourir.

Lem dit :

— Eh bien, qu'il crève et bon débarras!

Ils entrèrent dans la maison et fermèrent la porte. Jody fut pris de panique à l'idée qu'aucun d'eux ne pensait vraiment à l'aider; que Buck et La Meule avaient été au corral pour le mystifier et qu'ils étaient là-bas en train de rire de lui. Il était abandonné et son père était abandonné. Puis les deux hommes apparurent à cheval et Buck en le voyant leva la main sans méchanceté.

— Ne te désole pas, petit, ça ne sert à rien. On fera ce qu'on pourra. On n'en veut pas à un type dans le malheur.

Ils touchèrent les flancs de leurs chevaux et disparurent. Jody se sentit allégé d'un poids de plomb. Il n'y avait donc que Lem qui fût son ennemi. Il dirigea vers lui ses pensées de haine avec satisfaction. Il écouta jusqu'à ce que le bruit de sabot des chevaux se fût évanoui, puis il prit le chemin de la maison.

Maintenant, il avait le loisir de réfléchir aux événements. Un serpent avait piqué son père qui pouvait en mourir. Mais le secours était en route et il avait fait ce qu'on lui avait dit. Sa peur avait un nom et ne semblait plus aussi atroce. Il décida de ne pas essayer de courir, mais de marcher posément. Il aurait voulu demander qu'on lui prêtât un cheval, mais il n'osa pas.

Des gouttes de pluie tapotèrent le feuillage au-dessus de lui. Un silence suivit. L'orage pouvait gagner toute la brousse, cela arrivait souvent. Il y avait autour de lui une luminosité diffuse. Il s'aperçut qu'il portait toujours le fusil de son père. Il le jeta sur son épaule et pressa le pas, la route était plus ferme. Il se demandait combien de temps il faudrait à La Meule pour atteindre la Bifur. Il ne se demandait pas si le vieux docteur serait ivre, car on le savait bien, mais seulement quel serait le degré de son ivresse. Quand le docteur pouvait s'asseoir dans son lit, on le considérait en état de sortir.

Il avait été une fois chez le docteur, quand il était tout petit. Il se rappelait la maison basse avec ses grandes vérandas, croulante comme le vieux docteur lui-même, couverte d'une vigne touffue. Il se rappelait les cancrelats et les lézards, aussi à leur aise à l'intérieur de la maison que dans l'épaisse végétation qui l'entourait. Il se rappelait le vieux docteur étendu sous une moustiquaire, regardant le plafond. Quand on l'appelait, il se levait en traînant et s'en allait faire sa besogne sur des jambes mal assurées, mais avec un cœur pitoyable, qu'il fût ivre ou non. Si on le ramenait à temps, songeait Jody, la vie de son père était sauvée.

Il quitta le sentier des Forrester pour le chemin qui passait à l'est de la clairière paternelle. Il avait six kilomètres à parcourir. Sur un terrain ferme, il n'en aurait guère eu pour plus d'une heure. Mais le sable était mou, et l'obscurité même semblait le retenir et rendre son pas inégal. Il aurait du mal à arriver chez lui en une heure et demie, et il lui en faudrait peut-être deux. De temps à autre, il courait un peu.

Il entendit tonner à l'est, et un éclair remplit le ciel. Il crut qu'on marchait dans les broussailles, mais c'étaient les gouttes de pluie qui frappaient les feuilles. Il n'avait jamais eu peur de la nuit, ni de l'obscurité, mais toujours Penny marchait devant lui. A présent, il était seul. Il se demandait, le cœur serré, si son père était étendu en ce moment un peu plus loin sur la route, gonflé de poison, ou bien en travers de la selle de Buck, en admettant que Buck l'eût trouvé. Un nouvel éclair resplendit. Il avait passé plus d'un orage assis avec son père sous les chênes-lièges. La pluie alors était amicale et les serrait l'un contre l'autre.

Un grognement retentit dans les fourrés. Quelque chose d'incroyablement vif traversa la route devant lui et disparut sans bruit. Une odeur de musc flottait dans l'air. Il n'avait pas peur des lynx ou des chats sauvages, mais on disait qu'une panthère avait attaqué un cheval. Son cœur battait. Il tâta le canon du fusil de son père. Il ne pouvait lui servir à rien car Penny avait tiré les deux coups, l'un sur le serpent, l'autre sur la biche. Il avait le couteau de son père dans sa ceinture et regretta de ne pas avoir apporté la longue lame qu'Olivier lui avait donnée. Il ne possédait pas de fourreau et elle était dangereusement aiguë à transporter à nu, avait dit Penny. En sûreté, à la maison, étendu sous la treille, ou près du réservoir, il s'était plu à se représenter enfonçant son couteau d'une main sûre dans le cœur d'un ours, d'un loup ou d'une panthère. Cette image était dépourvue à présent de tout orgueilleux éclat. Les griffes d'une panthère étaient plus rapides que lui. Quel que fût l'animal, il avait continué son chemin. Jody pressa le pas, trébuchant dans sa hâte. Il crut entendre un loup hurler, mais si loin que ce n'était peut-être que le vent. Le vent se levait. Il l'entendait, très lointain. On eût dit qu'il soufflait dans un autre monde, au-delà d'un sombre abîme. Soudain il s'enfla. Jody l'entendit se rapprocher comme une mouvante muraille. Les arbres devant lui étiraient leurs branches. Les buissons bruissaient et se courbaient. Il y eut un sourd grondement et la tempête le frappa comme un poing.

Il baissa la tête et fonça contre elle. En un instant, il fut trempé jusqu'aux os. La pluie ruisselait sur sa nuque et pénétrait dans sa culotte. Ses vêtements pendaient, alourdis et le retenaient. Il s'arrêta, se tourna contre le vent et posa son fusil sur le bord de la route. Il ôta chemise et culotte et en fit un rouleau. Il ramassa son fusil et reprit son chemin, tout nu à travers l'orage. La pluie sur sa peau lui donnait une sensation de propreté et de liberté. Un éclair resplendit et il fut frappé par sa propre blancheur. Il se sentit soudain sans défense. Il était seul et nu dans un monde hostile; perdu, oublié dans l'orage et l'obscurité. Quelque chose courait derrière lui et devant lui. Cela arpentait la brousse comme une panthère. C'était vaste et informe et c'était son ennemie. La Vieille Mort était lâchée dans la brousse.

Il se dit que son père était déjà mort ou mourant. Le poids de cette pensée était intolérable. Il courut plus vite pour la secouer. Penny ne pouvait pas mourir. Les chiens pouvaient mourir, et les ours et les daims et les autres gens. Cela était acceptable parce que c'était éloigné. Son père ne pouvait pas mourir. La terre se serait ouverte sous lui, il aurait pu l'accepter. Mais, sans Penny, il n'y avait pas de terre. Sans lui, il n'y avait rien. Il éprouvait une terreur qu'il n'avait jamais connue auparavant. Il se mit à sangloter. Ses larmes coulaient, salées, dans sa bouche. Il supplia la nuit, comme il avait supplié les Forrester : “ Je vous en prie... ”

Sa gorge brûlait et ses aines étaient chargées de plomb. Les éclairs illuminaient devant lui un espace découvert. Il arriva à la clairière abandonnée. Il s'y précipita et s'accroupit au pied de la vieille barrière pour s'y abriter un moment. Le vent l'enveloppa d'une étreinte plus froide que la pluie. Il frissonna, se leva et reprit son chemin. La halte l'avait glacé. Il voulut courir pour se réchauffer, mais il avait tout juste assez de force pour avancer doucement. La pluie avait foulé le sable, de sorte que la marche y était plus facile. Le vent faiblit. Les torrents de pluie firent place à une averse régulière. Il continuait son chemin en détresse. Il lui semblait qu'il marcherait toujours, puis soudain il passa devant le réservoir et atteignit la clairière.

La cabane des Baxter était illuminée aux bougies. Des chevaux hennissaient et frappaient du sabot dans le sable. Il y en avait trois attachés à la barrière. Il passa la grille et entra dans la maison. Maintenant, le sort, quel qu'il fût, était fixé. Personne ne remua à son entrée. Buck et La Meule étaient assis devant l'âtre éteint, allongés dans leurs fauteuils. Ils parlaient nonchalamment. Ils le regardèrent, dirent : " Salut, petit " et continuèrent leur conversation :

— Tu n'étais pas ici, Buck, quand le vieux Twistle est mort d'une piqûre de serpent. Penny doit avoir raison quand il dit que le whisky ne sert à rien. Twistle était saoul comme un imbécile quand il est tombé sur le serpent.

— Eh bien, si jamais je suis mordu par un serpent, donne-m'en tout de même, pour le plaisir. J'aime mieux mourir saoul que pas, quoi!

La Meule cracha dans la cheminée.

— T'en fais pas, ça t'arrivera.

Jody se sentait défaillir. Il n'osait pas les interroger. Il passa devant eux, pour entrer dans la chambre de son père. Sa mère était assise sur le bord du lit, le docteur Wilson de l'autre côté. Le vieux médecin ne tourna pas la tête. Ma Baxter vit Jody et se leva sans parler. Elle alla à un bahut, en sortit une chemise propre et une culotte qu'elle lui tendit. Il laissa tomber son balluchon mouillé et posa le fusil contre le mur. Il s'avança lentement vers le lit.

Il pensa :

— S'il n'est pas mort maintenant, il ne mourra pas.

Dans le lit, Penny remua. Le cœur de Jody bondit comme

un lièvre. Penny grogna et eut un hoquet. Le docteur se pencha vivement, pour lui tendre une cuvette et lui soutenir la tête. Le visage de Penny était sombre et enflé. Il vomit avec l'effort d'un être qui n'a rien à rejeter mais qui doit vomir quand même. Il retomba haletant sur l'oreiller. Le docteur glissa la main sous les couvertures et en sortit une brique enveloppée de flanelle. Il la tendit à Ma Baxter. Elle posa les vêtements de Jody au pied du lit et alla dans la cuisine pour réchauffer la brique.

Jody chuchota :

— Est-ce qu'il va très mal?

— Assez. A des moments, on dirait qu'il va s'en sortir, à d'autres, pas.

Penny ouvrit ses paupières gonflées. Les pupilles étaient si dilatées que les yeux paraissaient noirs. Il remua le bras. Il était enflé et aussi gros qu'une cuisse de taureau.

Il murmura d'une voix pâteuse :

— Tu vas prendre froid.

Jody tendit la main vers ses habits sans regarder et les endossa. Le docteur acquiesça.

— C'est un bon signe qu'il vous ait reconnu. C'est le premier mot qu'il dit.

Une tendresse envahit Jody, moitié peine, moitié douceur. Dans son agonie, son père se souciait de lui. Penny ne pouvait pas mourir. Il ne pouvait pas.

Jody dit :

— Il faudra bien qu'il s'en sorte, Docteur. Il ajouta, ce qu'il avait entendu dire à son père : Nous autres Baxter, on est bâti à feu et à sable.

Le docteur hocha la tête.

Il cria vers la cuisine :

— Essayons le lait chaud, maintenant.

L'espoir revenant, Ma Baxter se mit à pleurnicher.

Jody la rejoignit près du fourneau.

Elle geignait :

— Ah! nous n'aurons pas mérité ça, si ça arrive.

Il dit :

— Ça n'arrivera pas, Maman, mais il avait de nouveau froid jusqu'aux moelles.

Il sortit chercher du bois pour activer le feu. L'orage se dirigeait vers l'ouest. Les nuages roulaient comme un bataillon d'Espagnols en marche. A l'est, de grands espaces libres apparaissaient remplis d'étoiles. Le vent soufflait une haleine nouvelle et fraîche. Il rentra avec une brassée de bois résineux.

Il dit :

— Ce sera une belle journée demain, M'man.

— Ce sera une belle journée s'il est encore en vie quand elle se lèvera.

Elle éclata en pleurs. Ses larmes tombèrent sur le fourneau en sifflant. Elle leva son tablier et s'essuya les yeux.

— Apporte le lait, dit-elle. Je vais faire du thé pour le docteur et moi. Je n'avais rien mangé, je vous attendais, quand Buck l'a ramené.

Il se rappela qu'il avait fait un léger repas. Il ne pouvait rien imaginer d'appétissant. L'idée d'aliments sur sa langue était une idée sèche, sans saveur. Il souleva la tasse de lait à deux mains et la porta précautionneusement dans la chambre. Le docteur la prit et s'assit sur le lit tout près de Penny.

— Maintenant, mon gars, tiens-lui la tête droite pendant que je lui donne à boire à la cuillère.

La tête de Penny était lourde sur l'oreiller. Les bras de Jody se raidissaient douloureusement dans leur effort pour le soutenir. Le souffle de son père était oppressé comme celui des Forrester quand ils étaient ivres. Son visage avait changé de couleur. Il était pâle et verdâtre comme un ventre de grenouille. Ses dents commencèrent par s'opposer à l'entrée de la cuillère.

Le docteur dit :

— Ouvrez la bouche ou j'appelle les Forrester pour m'aider.

Les lèvres enflées s'écartèrent. Penny avala. Une fraction de la cuillerée pénétra en lui. Il détourna la tête.

Le docteur dit :

— Comme vous voudrez. Mais si vous me le faites renverser, j'en apporterai d'autre...

Penny était en nage.

Le docteur reprit :

— Ça c'est bien. C'est excellent de transpirer quand on est empoisonné. Bon Dieu de bois, c'est moi qui vous ferais transpirer si nous n'étions pas à court de whisky.

Ma Baxter entra dans la chambre, avec deux assiettes, portant chacune une tasse de thé et des biscuits. Le docteur prit son assiette et l'équilibra sur son genou. Il but avec un mélange d'appréciation et de dégoût.

Il dit :

— C'est très bon, mais ça ne vaut pas le whisky.

Jody ne l'avait jamais vu aussi sobre.

— Un brave homme mordu par un serpent, dit-il d'un air désolé, et tout le pays à court de whisky.

Ma Baxter demanda d'un air morne :

— Jody, tu veux quelque chose?

Son estomac était aussi serré que celui de son père. Il lui semblait sentir le poison dans ses propres veines, attaquant son cœur, remontant dans son œsophage.

Le docteur dit :

— Espérons qu'il va garder ce lait.

Penny dormait profondément.

Ma Baxter se balançait dans son fauteuil, buvant son thé, mâchonnant son biscuit.

Elle dit :

— Le Seigneur empêche les hirondelles de tomber. Peut-être qu'il fera quelque chose pour les Baxter.

Jody alla dans l'autre pièce, Buck et La Meule s'étaient étendus par terre sur les peaux de cerfs.

Jody leur dit :

— Ma et le docteur mangent. Vous n'avez pas faim?

Buck dit :

— On venait juste de finir quand tu es arrivé. Ne t'occupe pas de nous. On va dormir ici pour attendre de voir comment ça tourne.

Jody s'accroupit sur ses talons. Il aurait aimé bavarder avec eux. Cela lui aurait fait du bien de parler de chiens et de fusils et de chasse, de toutes ces choses que font les hommes vivants. Buck ronflait. Jody rentra sur la pointe des pieds dans la chambre. Le docteur somnolait dans son fauteuil. Sa mère ôta la bougie installée près du lit et s'assit dans son rocking-chair. Les ressorts chantèrent un moment puis se turent. Elle aussi dormait.

Jody avait l'impression d'être seul avec son père. Il était le veilleur. S'il restait éveillé et aidait de son souffle le dormeur torturé, respirant avec lui et pour lui, il le maintiendrait en vie. Il respira aussi profondément que son père. Cela l'étourdit. Il avait la tête et l'estomac vides. Il savait qu'il se sentirait mieux s'il mangeait, mais il n'aurait rien pu avaler. Il s'assit par terre, adossé au côté du lit. Il se mit à récapituler les évévements de la journée, en un voyage à reculons. Il se sentait tout de même plus rassuré ici près de son père que dans la nuit d'orage. Il se rendait compte que bien des choses seraient effrayantes, affrontées par lui seul, qui n'étaient rien avec Penny. Mais, le serpent à sonnettes conservait toute son horreur.

Il se rappelait sa tête triangulaire, l'éclair de son attaque, le retrait des souples anneaux. Il avait la chair de poule. Il lui semblait qu'il ne serait plus jamais tranquille dans les bois. Il se rappelait le sang-froid avec lequel son père avait tiré, et la terreur des chiens. Il se rappelait la biche et l'horreur de sa chair chaude contre la blessure. Il se rappelait le faon. Il se redressa. Le faon était seul dans la nuit comme lui tout à l'heure. La catastrophe qui pouvait emporter son père l'avait rendu orphelin. Il était resté, affamé, ahuri, au milieu du tonnerre, de la pluie et des éclairs, près du corps déchiré de sa mère, attendant que le cadavre raidi se levât et le réchauffât. Jody pressa son visage dans la couverture qui pendait du lit et pleura amèrement. Il était gonflé de haine envers toute mort et de pitié pour toute solitude.

XV

Jody erra dans un rêve tortueux. Son père auprès de lui, il luttait contre un nid de serpents. Ils rampaient vers ses pieds en traînant leurs anneaux. Le nid se transforma en un seul serpent gigantesque qui s'avançait vers lui, la tête au niveau de son visage. Le serpent le mordit et il essaya de crier, mais ne put. Il chercha son père. Celui-ci était étendu sous le serpent, les yeux ouverts sur un ciel sombre. Son corps enflé était aussi volumineux que celui d'un ours. Il était mort. Jody recula devant le serpent, à pas comptés, rempli d'angoisse. Ses pieds étaient collés au sol. Soudain, le serpent disparut et il se trouva seul en un lieu vaste et éventé, portant le faon dans ses bras. Penny était parti. Un sentiment de chagrin l'envahit avec une telle force qu'il crut que son cœur allait se briser. Il se réveilla en sanglotant.

Il était assis sur le sol dur. Dans la clairière, le jour se levait. Une pâle lumière étendait ses rayons derrière les pins. La chambre était remplie d'une ombre grise. Un instant, il garda la sensation du faon contre lui. Puis il se rappela. Il se leva et regarda son père.

Penny respirait plus facilement. Il était encore enflé et fiévreux, mais il ne paraissait pas plus mal que lorsqu'il avait été attaqué par les guêpes. Ma Baxter dormait dans son rocking-chair, la tête renversée. Le vieux docteur était étendu au pied du lit.

Jody chuchota.

— Docteur?

Le docteur grogna et leva la tête.

— Qu'y a-t-il?... Qu'est-ce que c'est?

— Docteur! Regardez Pa!

Le docteur se souleva sur un coude. Il cligna des yeux, se frotta les paupières. Il s'assit; il se pencha vers Penny.

— Bon Dieu de bois! Ça y est!

Ma Baxter dit :

— Quoi?

Elle sursauta.

— Il est mort?

— Oh! non, loin de là.

Elle éclata en sanglots.

— On dirait que ça vous fait de la peine.

Elle dit :

— Vous ne savez pas ce que ça serait s'il nous quittait!

Jody ne l'avait jamais entendue parler si tendrement.

Le docteur dit :

— Voyons, vous avez un autre homme dans la maison. Regardez-moi Jody. Il est assez grand maintenant pour labourer, moissonner, aller à la chasse.

Elle dit :

— Jody est très bien, mais c'est un enfant. Il ne pense qu'à vagabonder et à jouer.

Il baissa la tête. C'était vrai.

Elle dit :

— Son père l'encourage.

Le docteur dit :

— Eh bien, petit, sois content d'avoir des encouragements. La plupart d'entre nous s'en passent toute leur vie. Maintenant, madame, préparons du lait pour ce gars quand il se réveillera.

Jody dit avec ardeur :

— Je vais traire, Ma...

Elle dit d'un air satisfait :

— Il serait temps.

Il traversa l'autre pièce. Buck, assis par terre, se frottait la tête, mal éveillé. La Meule dormait encore.

Jody lança :

— Le docteur dit que papa s'en est tiré.

— J'en suis bleu. Je me suis réveillé en me disant que j'allais aider à l'enterrer.

Jody sortit de la maison en décrochant le seau à lait au passage. Il se sentait aussi léger que ce seau. Il lui semblait dans son soulagement qu'il n'avait qu'à étendre les bras pour voler par-dessus la grille comme une plume. L'aube était encore nébuleuse. Un merle lança son sifflement métallique dans l'arbre à chapelets. C'était l'heure à laquelle Penny se levait chaque jour, laissant Jody dormir encore un peu. Le matin était calme avec un léger frémissement de brise à la cime des pins. Le soleil levant étendait de longs doigts dans la clairière. Quand Jody ouvrit la barrière de l'étable, des pigeons s'envolèrent du pin dans un bruissement d'ailes.

Il les appela joyeusement :

— Hé, les pigeons!

Trixie avança la tête en l'entendant. Il grimpa au grenier lui chercher du foin. Elle était bien gentille, pensait-il, de donner son lait en échange d'une si pauvre pitance. Elle mâcha avidement le foin. Un instant, elle leva une patte menaçante parce qu'il la trayait maladroitement. Il vida deux pis, puis il amena son veau pour qu'il tétât les deux autres. Il ne rapportait pas autant de lait que son père. Il décida qu'il s'en passerait afin de laisser le tout à Penny jusqu'à ce qu'il fût guéri.

Le veau tétait bruyamment. Il était déjà trop grand pour

cette nourriture. Jody pensa de nouveau au faon; et cette pensée pesa sur lui comme du plomb. Le faon devait être ce matin désespéré, affamé. Jody se demanda s'il essayerait de téter les mamelles refroidies de la biche. La chair ouverte de la bête morte attirerait les loups. Peut-être avaient-ils déjà trouvé le faon et avaient-ils lacéré, déchiqueté son corps tendre? Sa joie du matin en voyant son père vivant était assombrie, polluée. Son esprit suivait le faon et ne voulait pas se consoler.

Sa mère prit le seau, sans commentaire sur la quantité de lait. Elle l'écréma et en remplit une tasse qu'elle emporta dans la chambre du malade. Il la suivit. Penny était réveillé. Il sourit faiblement.

Il dit tout bas, d'une voix pâteuse.

— Il va falloir que cette Vieille Mort m'attende encore un petit moment.

Le docteur dit :

— Vous devez être de la famille des serpents à sonnettes, mon vieux. Comment vous vous en êtes tiré sans whisky, je n'en sais rien.

Penny chuchota :

— Voilà, Docteur, je suis roi des serpents. Vous savez qu'un serpent à sonnettes ne peut pas tuer son roi.

Buck et La Meule entrèrent dans la chambre. Ils sourirent.

Buck dit :

— Vous n'êtes pas joli, joli, Penny, mais bon Dieu vous voilà tout de même vivant!

Le docteur porta la tasse aux lèvres de Penny qui se mit à boire longuement.

Le docteur dit :

— Je ne suis pas pour grand-chose dans votre guérison. Votre heure n'était pas venue, voilà tout.

Penny ferma les yeux.

Il dit :

— Je pourrais dormir une semaine.

Le docteur répondit :

— C'est tout ce que je vous demande.

Il se leva et s'étira.

Ma Baxter dit :

— Qui fera le travail, pendant qu'il dormira?

Buck dit :

— Qu'est-ce qu'il y a à faire comme boulot?

— Il y a le blé surtout. Et puis, il faut sarcler, mais ça, Jody peut le faire s'il s'applique.

— Je m'appliquerai, M'man.

Buck dit :

— Je m'en vais rester et je m'occuperai du blé et du reste.

Elle était émue.

Elle dit sèchement :

— Je ne voudrais pas être votre obligée.

— Bon Dieu, madame, on n'est pas si nombreux par ici. Je serais un bien pauvre type si je ne restais pas.

Elle dit doucement :

— Je vous remercie bien. Pour sûr que si le blé ne rentre pas, on aurait aussi bien fait tous les trois de mourir d'une piqûre de serpent.

Le docteur dit :

— C'est bien la première fois depuis la mort de ma femme que je me réveille aussi sobre. Je casserais bien la croûte avant de m'en retourner.

Elle se précipita dans la cuisine. Jody la suivit pour allumer le feu.

Elle dit :

— Je n'aurais jamais pensé que je serais l'obligée d'un Forrester.

— Buck n'est pas vraiment un Forrester, Maman, Buck est un ami.

— On le dirait presque.

Elle remplit la cafetière d'eau et y ajouta du café frais. Elle dit :

— Va à la réserve chercher le dernier quartier de lard. Je ne veux pas être en reste.

Il le rapporta fièrement. Elle lui permit de le couper en tranches.

Il dit :

— Maman, Pa a tué une biche et il a pris le foie pour tirer le poison. Il s'est coupé lui-même pour saigner et il a mis le foie dessus.

— Tu aurais dû rapporter un quartier de viande.

— On n'avait pas le temps d'y penser.

— Ça, c'est vrai.

— M'man, la biche avait un faon.

— Eh alors? Il y a beaucoup de biches qui ont des faons.

— Celui-là était tout jeune. A peine nouveau-né.

— Eh alors? Va mettre la table. Sors la confiture. Le beurre est très fort, mais c'est tout de même du beurre, sors-le aussi.

Elle remuait une bouillie d'avoine. Le lard crissait dans la poêle. Elle aplatit les tranches pour les faire dorer également. Jody se demandait s'ils arriveraient jamais à rassasier Buck et La Meule habitués à l'abondance des repas Forrester.

Il dit :

— Fais plein de sauce, M'man.

— Si tu veux te passer de ton lait, je ferai une sauce au lait.

Le sacrifice était négligeable.

Il dit :

— On aurait pu tuer un poulet.

— J'y ai pensé, mais ils sont tous ou trop jeunes ou trop vieux.

Elle tournait l'avoine. Le café se mit à bouillir.

Il dit :

— J'aurais pu tuer des pigeons ou des écureuils ce matin.

— Il est bien temps d'y penser. Va dire aux hommes de se laver et de se mettre à table.

Il les appela. Les trois hommes sortirent dans la buanderie, s'éclaboussèrent le visage et se mouillèrent les mains. Il leur apporta une serviette propre.

Le docteur dit :

— Mais c'est que j'ai joliment faim quand je suis sobre!

La Meule dit :

— Le whisky, ça nourrit. Moi, je pourrais vivre de whisky.

Le docteur dit :

— C'est à peu près ce que je fais depuis vingt ans. Depuis que ma femme est morte.

Jody était fier de la table. Il n'y avait pas autant de plats différents que chez les Forrester, mais il y avait assez de tout. Les hommes mangèrent goulûment.

A la fin, ils poussèrent leurs assiettes et allumèrent leurs pipes.

La Meule dit :

— On croirait que c'est dimanche, hein?

Ma Baxter dit :

— La maladie ressemble toujours un peu au dimanche. Les gens qui viennent vous voir et les hommes qui ne vont pas aux champs.

Jody ne l'avait jamais vue si aimable. Elle avait attendu pour manger que les hommes eussent fini, de crainte qu'ils n'en eussent pas assez. Assise à présent, elle mangeait avec satisfaction. Les hommes bavardaient nonchalamment. Jody laissa ses pensées retourner vers le faon. Il ne pouvait pas le chasser de son esprit. Il y était aussi bien niché que dans ses bras pendant son rêve. Il sortit de table et alla au chevet de son père. Penny était étendu, très calme. Ses yeux étaient ouverts et clairs, mais les pupilles étaient encore sombres et dilatées.

Jody demanda :

— Comment ça va, Pa?

— Très bien, petit. La Vieille Mort a été voler ailleurs. Mais c'était moins cinq.

— Je te crois.

Penny dit :

— Je suis content de toi, petit, de la façon dont tu as su garder ta tête et faire ce qu'il fallait.

— Pa...

— Oui, petit?

— Pa, tu te rappelles la biche et le faon?

— Je ne les oublierai jamais. La pauvre biche m'a sauvé, c'est sûr.

— Pa, le faon est peut-être encore là-bas. Il a faim et il doit avoir terriblement peur.

— Je pense.

— Pa, je suis grand maintenant, je n'ai plus besoin de lait. Si j'allais voir si je peux retrouver le faon?

— Pour l'amener ici?

— Oui, et l'élever.

Penny était étendu, silencieux, regardant le plafond.

— Mon petit gars, tu m'embarrasses.

— Il ne faudra pas grand-chose pour le nourrir, Pa. Il pourra bientôt trouver lui-même les feuilles qu'il lui faut.

— Du diable...

— Nous lui avons pris sa maman, et ce n'était pas sa faute à lui.

— C'est vrai que ce n'est pas bien reconnaissant de le laisser mourir de faim, hein? Petit, je n'ai pas le cœur de te dire non. Je ne pensais pas que je reverrais l'aube de ce matin.

— Est-ce que je peux partir à cheval avec La Meule voir si je le trouve?

— Dis à ta mère que je t'ai permis.

Il revint en hâte à la table et s'assit. Sa mère versait du café à tous.

Il dit :

— Ma, Pa dit que je peux aller chercher le faon.

Elle s'arrêta, la cafetière en l'air.

— Quel faon?

— Le faon de la biche qu'on a tuée pour prendre le foie qui a tiré le poison et sauvé Papa.

Elle haleta.

— Mais, mon Dieu!...

— Pa dit que ce ne serait pas reconnaissant de le laisser mourir de faim.

Le docteur Wilson dit :

— C'est juste, madame. On n'a jamais rien pour rien sur cette terre. Le petit a raison et son père aussi.

La Meule dit :

— Il peut venir à cheval avec moi. Je l'aiderai à le trouver.

Elle reposa la théière, vaincue :

— Enfin, si tu veux laisser ton lait. On n'a rien d'autre pour le nourrir.

— Je le laisserai. Et bientôt, il n'aura plus besoin de rien.

Les hommes se levèrent de table.

Le docteur dit :

— Je ne m'attends plus qu'à des progrès, madame, mais si ça allait plus mal, vous savez où me trouver.

Elle répondit :

— Très bien. Qu'est-ce qu'on vous doit, docteur? On ne

peut pas vous payer tout de suite, mais quand la moisson sera faite...

— Payer quoi? Je n'ai rien fait. Il était sauvé avant que j'arrive seulement ici. J'ai eu le coucher et un bon petit déjeuner. Vous m'enverrez du sirop quand vos cannes à sucre seront mûres.

— Vous êtes bien bon, docteur. On a eu tellement à se débattre, que je ne savais pas que les gens pouvaient être si bons.

— Chut, femme! Vous avez un brave homme. Pourquoi est-ce que les gens ne seraient pas bons pour lui?

Buck demanda :

— Vous croyez que le vieux cheval de Penny pourra tenir devant moi à la charrue? J'ai peur de le renverser.

Le docteur dit :

— Donnez autant de lait à Penny qu'il en pourra prendre. Puis des légumes verts et de la viande fraîche, si vous en avez.

Buck dit :

— On s'en charge, nous deux Jody.

La Meule dit :

— Viens, mon gars, il faut partir.

Ma Baxter demanda d'un air inquiet :

— Tu ne seras pas trop longtemps?

— Avant dîner, pour sûr, répondit Jody.

— C'est bien toujours le dîner qui te fera rentrer.

Le docteur dit :

— C'est dans la nature de l'homme, madame. Il y a trois choses qui ramènent l'homme chez lui : son lit, sa femme et son dîner.

Buck et La Meule éclatèrent de rire. Le regard du docteur tomba sur le sac taillé dans la peau du ragondin blanc.

— Voilà qui est bien joli! J'en aurais besoin d'un comme ça pour transporter mes médicaments.

Jody n'avait jamais rien possédé jusque-là qui fût digne d'être offert. Il décrocha le sac de son clou et le mit entre les mains du docteur.

— C'est à moi, dit-il. Prenez-le.

— Mais, je ne veux pas te dépouiller, mon gars.

— Je ne m'en sers pas, dit-il, mentant. Je m'en ferai un autre.

— Eh bien, je te remercie. A chaque fois que je me déplacerai, je penserai : Merci, Jody Baxter!

Il était fier du plaisir du vieux docteur. Ils sortirent pour donner à boire aux chevaux et les nourrir avec le maigre foin de la grange Baxter.

Buck dit à Jody :

— Vous autres, Baxter, vous joignez tout juste les deux bouts, hein?

Le docteur dit :

— Baxter a tout le travail à faire seul. Quand ce petit-là sera assez grand pour l'aider, ils prospéreront.

Buck dit :

— Les Baxter ne grandissent pas beaucoup.

La Meule monta à cheval et, soulevant Jody, l'installa derrière lui. Le docteur enfourcha sa monture et partit dans la direction opposée. Jody lui fit des signes d'amitié. Il avait le cœur léger.

Il dit à La Meule :

— Vous croyez que le faon y est encore? Vous m'aiderez à le trouver?

— On le trouvera s'il est vivant. Comment sais-tu que c'est un mâle?

— Les taches étaient toutes sur la même ligne. Sur les petites biches, Papa dit que les taches vont dans tous les sens.

— C'est bien les femmes.

— Qu'est-ce que vous voulez dire?

— Qu'on ne peut pas compter sur les femmes.

La Meule frappa le flanc de son cheval qui prit le trot.

— A propos de femmes. Pourquoi ton père et toi êtes-vous venus vous jeter sur nous quand on s'est battu avec Olivier Hutto?

— C'était Olivier le plus faible. Ça ne semblait pas juste de voir tout un paquet de vous écraser Olivier.

— Tu as raison. C'était la poule de Lem et la poule d'Olivier. Ils auraient dû se battre tous les deux.

— Mais une fille ne peut pas être la poule de deux garçons à la fois?

— On voit que tu ne connais pas les filles.

— Je déteste Twinck Weatherby.

— Elle ne me dit pas grand-chose non plus. Moi, j'ai une veuve à Fortgates qui sait ce que c'est qu'être fidèle.

L'histoire était trop compliquée. Jody s'abandonna à la pensée du faon. Ils passèrent devant la clairière abandonnée. Il dit :

— Prenez au nord, La Meule. C'est par là que papa a été mordu par le serpent et qu'il a tué la biche et que j'ai vu le faon.

— Qu'est-ce que vous faisiez sur cette route, ton père et toi?

Jody hésita.

— On cherchait nos cochons.

— Ah... vous cherchiez vos cochons? Eh bien, ne vous en faites pas pour vos cochons. J'ai comme une idée qu'ils seront chez vous avant le coucher du soleil.

— Sûr que Maman et Papa seront contents de les voir rentrer.

— Je ne savais pas que vous étiez si serrés.

— Nous ne sommes pas serrés. Nous sommes très bien.

— Vous autres, Baxter, vous avez du cran, ça il faut dire.

— Vous croyez que Pa ne va pas mourir?

— Pas lui. Il est en fer, ce petit bonhomme.

Jody dit :

— Parlez-moi d'Aile-de-Paille. Il est malade pour de vrai? Ou bien c'est Lem qui ne voulait pas que je le voie?

— Il est vraiment malade. Il n'est pas comme nous autres. Il n'est comme personne. On dirait qu'il boit de l'air au lieu d'eau et qu'il se nourrit des mêmes choses que les petites bêtes sauvages au lieu de lard.

— Il voit des choses qui ne sont pas, n'est-ce pas? Des Espagnols et des choses comme ça?

— Oui, mais du diable s'il n'y a pas des jours où il vous fait croire qu'on les a vues soi-même.

— Vous croyez que Lem me laissera venir le voir?

— A ta place, je ne m'y risquerais pas pour l'instant. Mais je te ferai signe un jour où Lem sera parti, tu saisis?

— J'ai très envie de voir Aile-de-Paille.

— Tu le verras. Et maintenant de quel côté veux-tu aller pour chercher le faon? C'est plein de fourrés par là.

Tout à coup, Jody n'eut plus envie d'avoir La Meule pour compagnon. Si le faon était mort ou introuvable, il ne voulait montrer sa déconvenue à personne. Et si le faon était là, la rencontre serait si délicieuse et secrète qu'il ne pourrait supporter de la partager.

Il dit :

— Ce n'est plus bien loin, maintenant, mais c'est trop plein de fourrés pour un cheval. Je peux y aller à pied.

— Mais, ça m'ennuie de te laisser, petit. Et si tu te perds ou qu'un serpent te morde, toi aussi?

— Je ferai attention. Ça me prendra longtemps, il y a des chances, de retrouver le faon s'il est allé se promener. Laissez-moi là.

— Bon, mais va doucement dans ces buissons. C'est le

paradis des serpents par là. Tu sais où est le nord, et l'est?

— Là et là. Ce grand pin là-bas me sert de repère.

— C'est bien. Maintenant si ça allait plus mal, qu'un de vous, Buck ou toi, vienne me chercher. Adieu.

— Adieu, La Meule. Je vous remercie bien.

Il le regarda s'éloigner en lui faisant des signes. Il attendit que le bruit du trot se fût éteint, puis il tourna à droite. La brousse était immobile. Seul, le craquement des branches sous ses pas résonnait dans le silence. Il était si impatient qu'il en oubliait presque la prudence, pourtant il cueillit une branche et la poussa devant lui dans les endroits où les fourrés étaient particulièrement denses et le sol invisible. Les serpents à sonnettes se sauvent quand ils peuvent. Il ne se rappelait pas que Penny se fût enfoncé si loin dans les buissons. Il se demanda un instant s'il ne s'était pas trompé de direction. Puis un busard s'envola devant lui. Il atteignit la clairière sous les chênes. Les busards entouraient la carcasse de la biche. Ils tournèrent la tête sur leurs longs cous décharnés et sifflèrent. Il leur jeta son bâton et ils s'envolèrent dans l'arbre voisin. Leurs ailes grinçaient comme la poignée rouillée d'une pompe. Jody remarqua sur le sable l'empreinte d'un pas de félin, il n'aurait pu dire s'il s'agissait d'un chat ou d'une panthère. Mais les fauves tuent eux-mêmes; et ils avaient abandonné la biche aux oiseaux charognards. Il se demanda si la chair plus tendre du faon n'avait pas parfumé l'air et ouvert les narines des fauves.

Il s'éloigna de la carcasse et écarta l'herbe à l'endroit où il avait vu le faon. Il ne pouvait pas croire que cela se fût passé la veille. Le faon n'était pas là. Il fit le tour de la clairière. Aucun son, aucun signe. Les busards faisaient claquer leurs ailes, impatients de retourner à leur repas. Il revint au lieu où le faon avait surgi et se mit à quatre pattes pour examiner le sable, en quête des traces laissées par les menus sabots. La pluie nocturne avait effacé toutes les pistes, sauf celles du félin et des busards. Mais celle du félin ne se dirigeait pas par là. Enfin, sous un bouquet de palmiers nains, il parvint à distinguer une trace aiguë et délicate comme la marque d'une patte de pigeon. Il avança en rampant.

Un mouvement soudain devant lui le fit reculer. Le faon leva son museau vers lui; il tourna la tête, d'un geste étonné, et le regard de ses yeux livides bouleversa Jody. Il tremblait. Il ne fit aucun effort pour se lever ou s'enfuir. Jody n'osait bouger.

Il murmura :

— C'est moi.

Le faon leva le nez pour le flairer. Jody tendit une main et la posa sur la douce nuque. Ce contact le ravit. Il s'approcha du faon à quatre pattes. Il l'enlaça de son bras. Un léger spasme parcourut le petit animal, mais il ne résista pas. Jody lui caressa les flancs aussi légèrement que s'il eût été en porcelaine et prêt à se briser. Son pelage était plus doux que le sac en peau de ragondin blanc. Il était lisse et net et sentait bon l'herbe. Jody se releva lentement, portant le faon. Il n'était pas plus lourd que la vieille Julia. Ses pattes pendaient mollement. Elles étaient étonnamment longues et Jody devait le soulever aussi haut qu'il pouvait sous son bras.

Il craignait qu'il ne se débattît en bêlant à la vue et à l'odeur de sa mère; aussi contourna-t-il la clairière pour s'enfoncer dans le fourré. C'était difficile de se frayer un chemin avec ce fardeau. Les pattes du faon se prenaient dans les broussailles et les jambes de l'enfant se mouvaient avec difficulté. Il essayait de protéger le petit museau contre les épines. La tête du faon suivait ses mouvements. Le cœur de Jody battait, émerveillé de sa docilité. Il atteignit le sentier et se mit à marcher aussi vite qu'il pouvait jusqu'à la route.

Là, il s'arrêta pour reprendre haleine et reposa le faon sur ses faibles jambes. Elles tremblaient sous lui; il regarda Jody et bêla.

Jody répondit, enchanté :

— Je te reprendrai dès que je serai reposé.

Il se rappelait avoir entendu son père dire qu'un faon suivait toujours qui l'avait d'abord porté. Il repartit lentement. Le faon le regardait. Il revint, le caressa et s'éloigna de nouveau. Le faon fit quelques pas chancelants à sa suite en pleurant pitoyablement. Il voulait le suivre. Il lui appartenait. Le cœur de Jody était ailé de joie. Il avait envie de le câliner, de courir avec lui, de le faire venir à son appel. Il eut peur de l'inquiéter. Il le prit et le porta devant lui sur ses deux bras. Il marchait sans effort. Il se sentait aussi vigoureux qu'un Forrester.

Ses bras commencèrent à lui faire mal et il fut obligé de s'arrêter de nouveau. Quand il reprit sa marche, le faon le suivit aussitôt. Il lui laissa faire quelques pas, puis recommença à le porter. La maison n'était pas loin. Il aurait pu marcher tout le jour et la nuit, alternativement portant le faon et s'en faisant suivre. Il était en sueur, mais une légère brise éventant le matin de juin le rafraîchit. Le ciel était clair comme l'eau d'une source dans une tasse de faïence bleue. Il atteignit la clairière. Elle était verte et fraîche après la pluie nocturne. Il aperçut Buck Forrester dans le champ suivant le vieux César attelé à la charrue. Il lui sembla qu'il l'entendait jurer et se plaindre de la lenteur du cheval. Jody essaya d'ouvrir la barrière, mais il fut obligé pour cela de poser le faon. Il avait envie d'entrer dans la maison, dans la chambre de Penny, suivi de son protégé. Mais, devant le perron, le faon se buta et refusa de monter. Il le prit dans ses bras, et entra chez son père. Penny était couché, les yeux fermés.

Jody cria :

— Pa! Regarde-le!

Penny tourna la tête. Jody était debout à côté du lit, le faon serré contre lui. Il semblait à Penny que les yeux de l'enfant étaient aussi brillants que ceux du faon. Son visage s'éclaira en les voyant ensemble.

Il dit :

— Je suis content que tu l'aies trouvé.

— Pa, il n'a pas eu peur de moi. Il était couché juste là où sa maman lui avait fait son lit.

— Les biches leur apprennent ça dès leur naissance. Il y a des fois où on marcherait presque dessus tant ils se tiennent tranquilles.

— Pa, je l'ai porté et quand je l'ai remis sur ses jambes, tout de suite, il m'a suivi. Comme un chien, Papa.

— Ça, c'est bien; laisse que je le voie mieux.

Jody souleva le faon. Penny tendit la main et toucha son museau. Le faon bêla et essaya de lui téter le doigt.

Penny lui dit :

— Écoute, petit camarade. Je te demande pardon d'avoir été obligé de t'enlever ta maman.

— Tu crois qu'elle lui manque?

— Non, ce qui lui manque, c'est sa nourriture et il le sait. Il lui manque encore autre chose, mais il ne sait pas bien quoi.

Ma Baxter entra :

— Regarde, Maman. Je l'ai trouvé.

— Je vois.

— N'est-ce pas qu'il est joli, M'man? Regarde ces taches bien alignées. Regarde ces grands yeux? N'est-ce pas qu'il est joli?

— Il est tout jeune. Il lui faudra longtemps du lait. Je ne crois pas que j'aurais donné mon consentement si j'avais su qu'il était aussi jeune.

Penny dit :

— Ory, j'ai quelque chose à dire et je le dis maintenant et il n'en sera plus question. Le petit faon est le bienvenu dans cette maison comme Jody lui-même. Il est à lui. Nous l'élèverons sans récriminer sur le lait et le reste. C'est à moi que tu répondras si je t'entends jamais disputer là-dessus. C'est le faon de Jody, exactement comme Julia est ma chienne.

Jody n'avait jamais entendu son père parler si sévèrement à sa mère. Le ton cependant devait avoir une certaine familiarité pour elle, car elle ouvrit et ferma la bouche et cligna des yeux.

Elle dit :

— J'ai seulement dit qu'il était jeune.

— Très bien. Ainsi soit-il.

Il ferma les yeux.

Il dit :

— Maintenant que tout le monde est content, j'aimerais qu'on me laisse me reposer. Cela me rompt la tête de parler.

Jody dit :

— Je vais lui préparer son lait, M'man. Pas la peine de te déranger.

Elle ne répondit rien. Il alla dans la cuisine. Le faon le suivait en trébuchant. Il y avait un reste de lait du matin dans une cruche. La crème s'était condensée à la surface. Il l'ôta, la mit dans un pot et essuya avec sa manche les quelques gouttes qu'il n'avait pu s'empêcher de répandre. S'il arrivait à ce que le faon n'apportât aucun tracas à sa mère, elle lui en voudrait moins. Il versa le lait dans un petit seau. Il le tendit au faon qui s'avança vivement à l'odeur. Jody intervint à temps pour l'empêcher de tout renverser. Il le conduisit dans la cour et recommença, mais le faon n'arrivait pas à boire dans le seau.

Jody trempa les doigts dans le lait et les enfonça dans le museau humide et doux du faon. Celui-ci les suça avidement.

Quand il les retira, le faon se mit à bêler. Il lui rendit ses doigts, et, quand le faon eut fini de les sucer, il les plongea de nouveau lentement dans le lait. Le faon soufflait, tétait, reniflait. Il frappait impatiemment de ses petits sabots. Tant que Jody maintenait ses doigts au-dessous du niveau du lait, le faon était content. Il fermait rêveusement les yeux. Jody était ravi de sentir cette langue contre sa main. La petite queue remuait. La dernière goutte de lait disparut dans un tourbillon d'écume et de salive. Le faon bêla et s'agita, mais sa fringale était calmée. Jody avait envie d'aller chercher un supplément de lait; toutefois, et bien qu'assuré de l'appui de son père, il n'osait pas pousser trop loin son avantage. Un pis de biche n'était pas plus grand que celui d'une génisse d'un an. Sûrement le faon avait eu autant de lait que sa mère aurait pu lui en donner. Le petit animal s'étendit soudain par terre, exténué et repu.

Jody réfléchit à la question du lit. Ç'aurait été trop demander que l'amener dans la maison. Il s'en fut au hangar et déblaya un coin de sable, puis il alla sous les chênes-lièges cueillir des brassées de mousse, dont il fit une épaisse litière. Il la disposa sous le hangar où une poule, immobile sur son nid, le suivait avec méfiance de ses petits yeux brillants. Elle finit de pondre, puis s'envola par la porte en caquetant. Le nid était nouveau, il contenait six œufs. Jody les rassembla soigneusement et les porta à sa mère.

Il dit :

— Tu vas être contente d'avoir ça, M'man. Des œufs en plus.

— Ça ne fait pas de mal d'avoir quelque chose en plus.

Il ignora le commentaire.

Il dit :

— Ce nouveau nid est tout près de l'endroit où j'ai fait le lit du faon. C'est dans le hangar, ça ne pourra gêner personne.

Elle ne répondit pas et il sortit retrouver le faon étendu sous un mûrier. Il le prit sous son bras et le porta à sa litière, sous le hangar obscur.

— Maintenant, il va falloir faire ce que je te dirai, ordonna-t-il. Comme si j'étais ta maman. Je te dis de rester ici jusqu'à ce que je revienne.

Le faon cligna des paupières. Il grogna d'un air satisfait et pencha la tête. Jody sortit sur la pointe des pieds. Un chien n'eût pas été plus docile, se dit-il. Il alla au bûcher et se mit à couper du petit bois. Il en fit de jolis fagots et les porta dans la caisse à bois de la cuisine.

Il dit :

— Est-ce que j'ai bien fait d'écrémer le lait, M'man?

— Très bien.

Il dit :

— Aile-de-Paille est malade.

— C'est vrai?

— Lem ne veut pas que je le voie. Lem est le seul qui soit fâché contre nous, M'man. A cause de la poule d'Olivier.

— Chut, chut.

— La Meule a dit qu'il me ferait signe et je pourrai y aller un jour pour voir Aile-de-Paille quand Lem n'y sera pas.

Elle rit :

— Tu es bavard comme une vieille commère aujourd'hui.

En passant devant lui pour aller à son fourneau, elle lui toucha doucement la tête.

Elle dit :

— Moi aussi, je me sens toute gaie. Je n'aurais jamais cru que ton père verrait la lumière d'aujourd'hui.

La cuisine était paisible. On entendait un cliquetis de harnais. Buck, venant du champ, passa la barrière et traversa la route pour aller mettre César à l'écurie.

Jody dit :

— Je ferai mieux d'aller l'aider.

Mais c'était le faon qui l'attirait hors de la maison rassurée. En passant, il se glissa dans le hangar pour s'émerveiller de son existence et de sa possession. En revenant de l'écurie avec Buck, il lui parla du faon et lui fit signe de le suivre.

Il dit :

— Ne l'effrayez pas. Il est couché là...

La réaction de Buck fut moins satisfaisante que celle de Penny. Il en avait tant vu venir et s'en aller de pensionnaires d'Aile-de-Paille!

— Il va sans doute devenir sauvage et s'enfuir, dit-il; et il alla dans la buanderie se laver les mains pour le dîner.

Jody frissonna. Buck était pire que sa mère pour vous gâter votre plaisir. Il s'attarda un moment à caresser le faon. Celui-ci remuait sa tête endormie et soufflait sur ses doigts. Buck ne pouvait pas comprendre cette intimité. Elle était plus précieuse d'être secrète. Il quitta le faon et s'en alla se laver aussi. Le contact du faon avait laissé sur ses mains une légère odeur herbacée. Cela le désolait de la laver, mais il pensait qu'elle déplairait peut-être à sa mère.

Ma Baxter s'était recoiffée pour dîner, plus par dignité que par coquetterie. Elle portait un tablier propre sur sa robe de calicot brun.

Elle dit à Buck :

— Avec Penny seul pour faire le travail, nous n'avons pas de tout à profusion comme vous autres. Mais nous mangeons proprement et comme il faut.

Jody regarda vivement Buck pour s'assurer qu'il n'était pas vexé. Buck empilait des flocons d'avoine dans son assiette, ménageant un trou au milieu pour les œufs frits et la sauce.

— Écoutez, madame Ory, il ne faut pas vous tourmenter pour moi. Nous deux Jody, on va sortir tout à l'heure et on vous rapportera des tas d'écureuils et peut-être un dindon. J'ai vu des traces de dindons au bout du champ.

Ma Baxter remplit une assiette pour Penny et y ajouta une tasse de lait.

— Tu vas lui porter ça, Jody.

Il alla chez son père. Penny secoua la tête en voyant l'assiette.

— Ça me fait un effet écœurant, petit. Assieds-toi là et donne-moi une cuillerée d'avoine avec le lait. Ça me fatigue de lever le bras.

L'enflure avait quitté son visage mais son bras avait encore trois fois son volume normal, et son souffle était oppressé. Il avala quelques gorgées de bouillie et but le lait. Il repoussa l'assiette.

— Ça va avec ton bébé?

Jody raconta le lit de mousse.

— Tu as choisi une bonne place. Comment as-tu l'intention de l'appeler?

— Je ne sais pas du tout. Je voudrais un nom vraiment particulier.

Buck et Ma Baxter vinrent faire visite au malade. La journée était chaude, le soleil haut, et rien ne pressait.

Penny dit :

— Jody est en peine d'un nom pour le nouveau Baxter.

Buck dit :

— Écoute-moi, Jody, quand tu verras Aile-de-Paille, il te trouvera un nom. Il a l'oreille pour ça comme d'autres pour le violon. Il te trouvera quelque chose de joli...

Ma Baxter dit :

— Va finir de dîner, Jody. Ce faon tacheté te fait oublier le manger.

L'occasion était excellente. Il s'en fut à la cuisine, remplit une assiette et s'en alla dans le hangar. Le faon était encore assoupi. Il s'assit et dîna à côté de lui. Il plongea les doigts dans l'avoine figée et les lui tendit, mais le faon se contenta de les flairer et détourna la tête.

Il dit :

— Il faudra tout de même que tu t'habitues à prendre autre chose que du lait.

Les insectes bourdonnaient dans les solives. Jody vida son assiette et la posa à côté de lui. Il s'étendit contre le faon. Il lui mit un bras autour du cou. Il lui semblait que plus jamais il ne pourrait se sentir solitaire.

XVI

Le faon prenait beaucoup de temps à Jody. Il le suivait partout. Au bûcher, il gênait les mouvements de sa hache. C'est Jody qui était chargé de traire la vache. Il était obligé de laisser le faon hors de l'étable et celui-ci se dressait derrière la barrière, regardant entre les barreaux et bêlant jusqu'à ce qu'il eût fini. Jody pressait tant le pis de Trixie qu'elle ruait par manière de protestation. Chaque tasse de lait représentait une ration pour le faon. Il croyait le voir grandir. L'animal se tenait ferme sur ses petites jambes, sautillait et dressait la tête et la queue. Jody courait avec lui jusqu'au moment où ils tombaient ensemble, confondus, pour reprendre haleine et se rafraîchir.

Les jours étaient chauds et humides. Penny transpirait dans son lit. Buck rentrait des champs ruisselant. Il ôtait sa chemise et travaillait, le torse nu. Sa poitrine était couverte d'une épaisse toison noire. La transpiration y brillait comme des gouttes de pluie sur une herbe sombre et sèche. Quand elle était sûre qu'il ne la réclamerait pas, Ma Baxter frottait et faisait bouillir sa chemise et l'étendait sous le brûlant soleil.

Elle disait avec satisfaction :

— C'est toujours ça qu'il aura sur lui qui ne sentira pas mauvais.

Buck remplissait la cabane à l'ébranler.

Ma Baxter dit avec défiance :

— Quand je vois cette barbe et cette poitrine le matin, sur le premier moment je sursaute et je crois qu'un ours est entré dans la maison.

Elle était effarée par la quantité de nourriture qu'il engloutissait trois fois par jour. Elle ne pouvait pas se plaindre car il la regagnait, et au-delà, par le travail qu'il abattait et le gibier qu'il lui fournissait. Depuis une semaine qu'il était à la clairière, il avait travaillé le champ, le cerfeuil et les patates. Il avait défriché deux acres du nouveau terrain entre le champ et le réservoir. Il avait abattu une douzaine de chênes et de pins et d'innombrables arbustes, brûlé les troncs et rangé les arbres tombés de façon que Jody et Penny n'eussent plus qu'à les scier pour faire le feu.

Il dit :

— Au printemps, vous planterez du coton sur le nouveau terrain et ça vous fera une récolte.

Ma Baxter dit avec défiance :

— Vous autres, vous ne faites pas de coton.

Il dit tranquillement :

— Nous autres, Forrester, on n'est pas des fermiers. On fait le travail de la clairière, on laboure un champ de temps en temps, mais notre nature c'est de mener une de ces vies que vous appelez grossière et facile.

Elle dit avec aigreur :

— Les manières grossières amènent des ennuis.

Il dit :

— Vous n'avez jamais connu mon grand-père? On l'appelait Forrester-la-bagarre.

Elle n'arrivait pas à lui en vouloir. Il avait aussi bon caractère qu'un chien. Elle se contentait de dire à Penny dans l'intimité de la nuit :

— Il travaille comme un bœuf, mais il est tellement noir. Ezra, il est noir comme un busard.

— C'est sa barbe, disait Penny. Si j'avais une barbe noire comme ce type-là, je ne ressemblerais peut-être pas à un busard mais j'aurais sûrement l'air d'un corbeau.

Les forces de Penny étaient lentes à revenir. L'enflure de l'infection avait disparu. La peau pelait là où le serpent l'avait mordue et où Penny avait fait l'entaille pour laisser le sang empoisonné s'écouler plus librement. Mais, à la moindre fatigue, il avait des nausées, son cœur battait comme les hélices des bateaux sur la rivière, il haletait et il était obligé de s'étendre à plat pour se remettre. Il était tout nerfs à vif, tendus comme des cordes de harpe sur un frêle cadre de bois.

Pour Jody, la présence de Buck était un stimulant tel qu'il en avait la fièvre. Le faon seul le faisait déjà délirer. Les deux ensemble le maintenaient dans un état de transe, et il courait de la chambre de Penny, à l'endroit où travaillait Buck, à l'endroit où pouvait se trouver le faon, puis il recommençait sa tournée.

Sa mère lui disait :

— Tu devrais bien regarder tout ce que fait Buck pour pouvoir faire pareil quand il sera parti.

Il allait sans dire, entre eux trois, qu'il faudrait ménager Penny.

Le matin du huitième jour depuis l'arrivée de Buck à la clairière, celui-ci appela Jody dans le champ. Des vandales l'avaient visité la nuit précédente. Un demi-sillon de blé avait été décapité de ses épis.

Buck demanda :

— Tu sais qui a fait ça?

— Les ragondins?

— Diantre non! Les renards. Les renards adorent le blé.

Deux de ces voleurs à grandes queues sont venus la nuit dernière et ont fait un vrai pique-nique.

Jody se mit à rire.

— Un pique-nique de renards? Je voudrais voir ça!

Buck répondit sévèrement :

— Tu devrais monter la garde la nuit avec ton fusil pour les chasser. Il faut devenir sérieux. En attendant, ce soir, nous irons chercher le miel de l'arbre à abeilles près du réservoir, ça t'apprendra toujours quelque chose.

Jody attendait la fin du jour avec impatience. Une expédition avec Buck avait une autre saveur que celles où il accompagnait son père. Il y avait dans tout ce que faisaient les Forrester une animation qui l'excitait. Il y avait du bruit et de l'agitation... Au milieu de l'après-midi, Buck revint du nouveau terrain. Penny dormait.

Buck dit à Ma Baxter :

— J'aurais besoin d'un seau de saindoux, d'une hache et d'un tas de vieux chiffons à brûler pour faire de la fumée.

Il n'y avait pas beaucoup de chiffons dans le ménage Baxter. On usait ses vêtements, on les rapiéçait, on les ravaudait, jusqu'à ce qu'ils tombassent en loques. Les sacs à farine se transformaient en tabliers, en torchons, en housses à fauteuils que Ma Baxter brodait les soirs d'hiver, en doublures d'édredons faits eux-mêmes de pièces et de morceaux. Buck regarda dédaigneusement le petit paquet qu'elle lui apporta.

Il dit :

— Bon, je pense que de la mousse fera l'affaire.

Il partit avec Jody. Le faon les suivit dans la cour.

— Tu as envie que ton sacré bébé soit piqué à mort? Non? Alors, enferme-le.

A regret, Jody conduisit le faon au hangar et ferma la porte. Cela le désolait de s'en séparer, même pour chercher du miel.

Buck dit :

— Tu sais qui aurait aimé venir avec nous? Aile-de-Paille. Il travaille au milieu des abeilles si doucement qu'on croirait qu'elles lui font cadeau des gâteaux de miel.

Ils atteignirent le réservoir.

Buck dit :

— Je me demande comment vous vous débrouillez à aller chercher votre eau si loin. Si je ne m'en allais pas bientôt, sûr que je vous creuserais un puits à côté de la maison.

— Vous vous en allez?

— Mais oui. Je suis inquiet d'Aile-de-Paille. Et je ne suis jamais resté aussi longtemps sans whisky.

L'arbre à abeilles était un pin mort. A mi-hauteur, les abeilles volaient autour d'une cavité profonde, y entraient, en sortaient. Buck s'arrêta sous les chênes-lièges pour arracher des poignées et des poignées de mousse.

Il commença à donner des coups de hache à la base du pin mort. Haut dans l'air, un bourdonnement s'éleva, lointain et agité. L'écho renvoyait les coups de hache à travers l'étang. Les écureuils des chênes et des palmiers, dérangés dans leur repos, se mirent à piailler. Des geais crièrentd ans les buissons. Le pin tremblait. Le bourdonnement grandit.

Buck cria :

— Fais-moi de la fumée, petit. Attention.

Jody roula ensemble de la mousse et des chiffons et ouvrit la corne de Buck. Il s'agita avec son briquet. Penny était si habile à allumer le feu que Jody n'avait jamais eu à s'en mêler; il s'en avisa, pris de panique. Des étincelles volèrent autour des chiffons déchirés, mais il souffla dessus si vigoureusement qu'elles se dispersèrent aussitôt. Buck jeta sa hache, courut à lui et lui prit ses matériaux des mains. Il frotta le briquet aussi énergiquement que Jody, mais il souffla sur les chiffons touchés par les étincelles avec une retenue étonnante chez un Forrester. Les chiffons se mirent à flamber et communiquèrent le feu à la mousse qui commença à fumer sans flamme.

Buck retourna en hâte au pin et poussa la hache dans le cœur vermoulu de l'arbre. Ses longues fibres cédaient, éclataient, frissonnaient. Le pin gronda dans l'air comme si une voix lui était née pour hurler sa chute. Il s'abattit et les abeilles s'élevèrent de son cœur béant comme un nuage. Buck se pencha avec la vivacité d'une belette, malgré son volume, et ramassa le rouleau fumant de mousse et de chiffons, il l'enfonça d'un coup dans la cavité de l'arbre et s'en éloigna en courant. Il ressemblait à un ours en fuite. Il fit entendre une espèce de rugissement en se frappant la tête et les épaules. Jody ne put s'empêcher de rire en le regardant. Puis une pointe d'aiguille lui brûla soudain le cou.

Buck cria :

— Descends dans le réservoir! Descends dans l'eau!

Ils dégringolèrent le bord escarpé de l'étang. L'eau était basse. Elle ne les recouvrit pas complètement lorsqu'ils s'y étendirent. Buck ramassa des poignées de boues et les appliqua sur le cou de Jody. Pour lui, son épaisse toison le protégeait suffisamment. Quelques abeilles les poursuivaient, reculant, revenant obstinément. Au bout d'un moment, Buck se releva avec précaution.

Il dit :

— Elles doivent être calmées maintenant. Mais quels cochons nous faisons!

Leurs culottes, leurs visages, leurs chemises étaient couverts de boue. Jody conduisit Buck au côté du réservoir qui constituait le lavoir. Ils trempèrent leurs vêtements dans un des bassins et se lavèrent dans l'autre.

Buck dit :

— Qu'est-ce qui te fait rire?

Jody secoua la tête. Il imaginait sa mère disant : “ S’il faut des abeilles pour obliger un Forrester à se laver, je leur en enverrai un essaim. ”

Buck avait une demi-douzaine de piqûres, mais Jody s’en était tiré avec deux. Ils approchèrent prudemment de l’arbre. Le tison avait été judicieusement placé. Les abeilles étaient ivres de fumée. Elles volaient lentement autour de la cavité à la recherche de leur reine.

Buck agrandit l’ouverture et se servit de son couteau pour aplatir les bords. Il ôta les rameaux et les bouts d’écorce, et enfonça sa lame dans le creux. Il se retourna, stupéfait.

— Bonne journée! Il y a un lac de miel là-dedans. L’arbre est plein.

Il sortit un morceau de gâteau doré et ruisselant. La cire était rêche et sombre mais le miel pâle et limpide. Ils remplirent le seau et le portèrent ensemble jusqu’à la maison. Ma Baxter leur donna un baquet de bois de cyprès.

Ils le rapportèrent alourdi, rempli de miel. C’était, dit Buck, la récolte la plus abondante qu’il eût jamais faite.

Il dit :

— Quand je raconterai ça chez nous demain, on ne voudra pas me croire.

Ma Baxter dit lentement :

— Je pense que vous voudrez en rapporter chez vous.

— Pas plus qu’il n’en tiendra dans mon ventre. J’ai l’œil sur deux ou trois arbres dans le marécage. S’ils ne valent rien, je reviendrai peut-être vous en mendier.

Ma Baxter dit :

— Vous avez été bien obligeant. Peut-être qu’un jour nous serons dans l’abondance et que nous pourrons faire aussi quelque chose pour vous.

Jody :

— Je voudrais que vous restiez ici, Buck!

Le gros homme le gifla gentiment.

— Ah, ah, quand je serai parti, tu n'auras pas le temps de cajoler ton faon.

Buck était visiblement agité. Après le dîner, il se mit à faire les cent pas. Il regardait le ciel.

Il dit :

— Ça sera une belle nuit claire pour galoper.

Jody demanda :

— Pourquoi êtes-vous si pressé tout d'un coup?

Buck s'arrêta.

— Je suis comme ça. J'aime venir et j'aime partir. Où que je sois, je suis content un moment et puis, je ne sais comment, vient un jour où je ne suis plus content. Quand Lem, La Meule et moi on s'en va faire la vente des chevaux dans le Kentucky, je te jure que j'étouffe tant que je ne suis pas rentré. — Il se tut et regarda vers le couchant. Il ajouta à voix basse :

— Et puis, je suis très inquiet d'Aile-de-Paille. Je sens ici — il tapota son torse velu — que ça ne va pas.

— Est-ce qu'on ne serait pas venu pour vous prévenir?

— Justement. S'ils ne savaient pas que ton père est malade, ils seraient venus jusqu'ici rien que pour dire bonjour. Ils pensent que ton père a besoin d'aide et ça les ennuierait de me retirer d'ici si les nouvelles étaient mauvaises ou inquiétantes.

Il attendit impatiemment la nuit. Il avait hâte de finir sa besogne et de s'en aller.

Penny l'appela de son lit. Ils parlèrent chasse.

Buck dit :

— Je vous emmènerais bien chasser la panthère si j'avais mes chiens.

— Mais j'ai les miens qui valent bien à eux deux toute votre meute, fit Penny et il ajouta innocemment :

— Comment vous êtes-vous débrouillés avec le lamentable cabot que je vous ai vendu?

Buck s'élança :

— Comment, mais ce chien est le plus rapide, le meilleur et le plus dur chasseur, et le plus courageux de tous les chiens que nous avons jamais eus. Tout ce qu'il lui fallait, c'était des hommes pour le dresser.

Penny s'épanouit de joie.

Il dit :

— Je suis content que vous ayez été assez malins pour en tirer quelque chose. Où est-il?

— Voilà. Il était tellement épatant qu'il faisait honte aux autres chiens. Lem n'a pas pu le supporter, alors il l'a abattu.

Penny eut un large sourire et frappa ses couvertures.

— Allons, Buck, allons, ne racontez pas d'histoires.

Buck s'essuya la barbe.

— Bon, fit-il, mettons que ce soit pour rire. Mais n'espérez pas que Lem vous pardonne ça.

Penny dit :

— Sans rancune. Je n'en ai pas, et j'espère que vous n'en avez pas non plus, Lem ni personne.

— Lem n'est pas comme les autres. Il prend les choses comme des offenses personnelles.

— Ça me fait de la peine. Si je me suis jeté entre vous et Olivier par exemple, c'est parce que vous étiez trop du même côté.

Buck dit :

— Que voulez-vous, le sang c'est plus fort que de l'eau. On se bat entre nous de temps en temps, mais quand c'est entre nous et d'autres types, on se bat toujours tous du même côté. Pourtant vous et moi, on n'avait aucune raison de s'en vouloir.

Les mots commencent les batailles, et les mots les finissent.

Jody demanda :

— Si les gens ne se disaient pas des méchancetés, est-ce qu'ils arriveraient à se battre?

Penny dit :

— Je crains que oui. J'ai vu un jour deux idiots de sourds-muets qui se bagarraient. Mais on dit qu'ils se parlent par signes, alors sans doute qu'ils s'étaient insultés comme ça.

Buck dit :

— C'est la nature des mâles, petit. Attends voir de commencer à courir les filles...

— Mais il n'y avait que Lem et Olivier qui faisaient ça, et tous les Baxter et tous les Forrester étaient dans le coup quand même.

Penny dit :

— On ne sait pas combien il y a de choses pour lesquelles un homme est capable de se battre. J'ai même connu un pasteur qui tombait la veste et se jetait sur quiconque refusait de croire à la damnation des nouveau-nés. Tout ce qu'un type peut faire, c'est de se battre pour ce qu'il croit juste, au diable de s'y retrouver.

Buck dit :

— Écoutez, il me semble que j'entends des renards...

Jody le suivit. Ils emportèrent une torche et le fusil de Penny. La ronde dura assez longtemps. A leur retour, quand ils approchèrent de la cabane, ils entendirent du bruit. Ma Baxter criait.

Buck dit :

— Ta mère ne fait tout de même pas de scène à ton père pendant qu'il est malade?

— Oh, ses scènes, ça n'est jamais que des paroles.

— Eh bien, j'aimerais encore mieux une femme qui me battrait qu'une qui me parlerait mal.

Tout près de la cabane, ils entendirent Penny hurler.

Buck dit :

— Mais, petit, elle est en train de l'assommer.

Jody dit :

— Le faon est en danger!

La cour même était rarement envahie par des ennemis plus dangereux que quelques petits rongeurs. Buck se rua en avant, Jody passa la barrière sur ses talons. La porte était ouverte sur la lumière de la maison. Penny était debout au seuil; Ma Baxter, à côté de lui, agitait son tablier. Jody crut voir une forme sombre s'enfoncer dans la nuit vers la treille suivie par les chiens aboyants.

Penny cria :

— C'est un ours! Attrapez-le! Attrapez-le avant qu'il arrive à la barrière!

Buck courut, Jody le suivit.

Il se sentait effrayé et sans force. A la barrière, l'ours se retourna vers les chiens. Ses yeux et ses dents brillaient à la lueur de la torche. Puis il se retourna de nouveau pour franchir la barrière. Buck tira. L'ours chancela. Les chiens s'élancèrent avec fracas. Penny arriva en courant. La torche éclairait une mêlée. Les chiens prétendaient avoir fait la besogne; ils aboyaient et attaquaient fièrement.

Buck dit :

— Cet animal ne serait jamais venu s'il avait su qu'il y avait un Forrester dans la place.

Penny dit :

— Il a flairé des choses qui l'ont tellement excité qu'il n'a pas dû remarquer l'odeur de votre tribu.

— Qu'est-ce qu'il a flairé?

— Le faon de Jody et le miel frais.

— Il a attaqué le faon, Papa! Oh! Papa, le faon, il n'est pas blessé?

— Il n'y est pas allé. Par bonheur, la porte était fermée. Et puis, il a dû sentir le miel et il s'est amené par ici. J'ai cru que c'était vous qui rentriez et je n'y ai pas fait attention jusqu'au moment où il a renversé le couvercle du miel. J'aurais pu tirer dessus à travers la porte, mais je n'avais pas de fusil. Tout ce qui nous restait à faire, à Ory et moi, c'était de hurler, mais je crois qu'il n'avait jamais dû entendre de pareils hurlements car il s'est sauvé.

Jody défaillait à l'idée de ce qui aurait pu arriver au faon. Il courut au hangar pour le rassurer et le trouva ignorant, assoupi. Il le caressa avec reconnaissance, puis revint aux hommes et à l'ours.

Mais quand tout fut rentré dans la nuit et le sommeil, Jody se glissa sans bruit hors de la maison et s'en fut au hangar en tâtonnant. Le faon se dressa au bruit de son pas. Jody s'approcha et lui jeta les bras autour du cou. Le faon lui souffla sur la joue. Jody le souleva et le porta vers la porte. L'animal avait tellement grandi que l'enfant avait peine à le porter. Sur la pointe des pieds, il passa dans la cour avec lui et le reposa par terre. Le faon le suivit de bonne grâce. Jody se glissa dans la maison, une main sur la douce tête pour le guider. Ses sabots aigus résonnaient sur le plancher. Il souleva de nouveau son protégé, marchant avec précaution en passant devant la chambre de sa mère pour gagner la sienne.

Il se coucha et attira le faon à lui. Il s'étendait souvent ainsi près de lui dans le hangar ou bien sous les chênes-lièges aux heures chaudes. Il reposait sa tête contre le flanc de l'animal dont les côtes se soulevaient avec son souffle. Le petit museau remplissait la main de Jody. Il y avait là quelques poils drus qui le piquaient. Il s'était efforcé d'imaginer un prétexte pour faire dormir le faon avec lui dans la maison; il en tenait un à présent, irréfutable. Il agirait secrètement aussi longtemps que possible pour préserver la paix. Mais au jour inévitable de la découverte, quelle raison sans réplique que cette menace — le constant péril sur lequel il insisterait : les ours!

XVII

Ce n'était pas un champ de patates mais une mer sans fin. Jody regarda les sillons qu'il venait de sarcler. Cela commençait à faire un joli spectacle, mais les sillons encore intacts semblaient s'étendre jusqu'à l'horizon. Juillet avait desséché la terre. Le sable était brûlant sous les pieds nus. Les feuilles de la vigne se recourbaient comme brûlées par le sol qu'elles touchaient et non par le soleil. Il repoussa son chapeau de palmes et s'essuya le visage dans sa manche. D'après le soleil, il devait être dix heures. Son père lui avait dit que si les patates étaient sarclées à midi, il pourrait aller voir Aile-de-Paille après le déjeuner et lui demander un nom pour le faon.

Le faon était étendu près de la haie à l'ombre d'un buisson. Il s'était montré assez encombrant au début du travail. Il galopait par tout le champ, écrasait les vignes et renversait les pousses. Puis il s'était planté devant lui dans le sillon qu'il sarclait, refusant de bouger, pour l'obliger à jouer avec lui. Son expression étonnée des premières semaines avait fait place à une alerte vivacité. Il avait un air aussi entendu que la vieille Julia. Jody avait presque décidé de le ramener au hangar et de l'y enfermer, quand, de lui-même, le faon alla s'étendre à l'ombre.

Il regardait Jody du coin de son grand œil, sa tête dans son attitude favorite renversée sur l'épaule. Sa petite queue blanche se dressait de temps en temps, et sa croupe tachetée se soulevait pour secouer les mouches. S'il était resté tranquille, Jody aurait sarclé plus vite. Il aimait à l'avoir près de lui lorsqu'il travaillait. Cela lui donnait une impression d'encouragement qu'il n'avait jamais ressentie auparavant, la houe en main. Il attaquait allégrement les mauvaises herbes et il était content de la façon dont il avançait. Les sillons s'étendaient derrière lui. Il sifflotait n'importe quoi.

Il avait imaginé divers noms pour le faon, les lui avait appliqués tour à tour, mais aucun ne lui plaisait. De tous les noms dont on avait baptisé les chiens de sa connaissance, Joe et Gram, Rover et Rob, aucun ne convenait. Mais Aile-de-Paille l'aiderait sûrement. Il avait un grand talent pour nommer ses bêtes. Il y avait Racket le ragondin, Push l'opossum, Squeak l'écureuil, et Prêchi-Prêcha le rouge-gorge infirme qui chantait du haut de son perchoir : “ prêchi, prêchi, prêchi ”. Aile-de-Paille disait que tous les rouges-gorges venaient à lui du fond de la forêt pour être mariés, mais Jody avait entendu d'autres rouges-gorges chanter la même chose. Qu'importe, c'était un nom excellent.

Il avait beaucoup de besogne depuis le départ de Buck, deux semaines auparavant. Les forces de Penny revenaient, mais il était pris de vertige de temps en temps, et son cœur battait trop fort. Penny était persuadé que c'était un reste de l'effet du venin de serpent, mais Ma Baxter croyait que c'était la fièvre et lui administrait de la tisane de feuilles de citron. C'était beau de le voir de nouveau debout, allant et venant, toute angoisse dissipée. Jody s'efforçait de se rappeler qu'il fallait le ménager. Il était si heureux d'avoir le faon pour le délivrer de la grande peine solitaire qui si souvent l'avait envahi, qu'il était rempli de gratitude pour la façon dont sa mère tolérait la présence de l'animal. Il était indiscutable que celui-ci consommait une grande quantité de lait, de plus il l'encombrait. Un jour, il était entré dans la maison et avait découvert un pain d'avoine levée prêt à être enfourné. Il l'avait avalé. Depuis, il avait dérobé de la bouillie d'avoine, des biscuits, tout ce qu'il trouvait. Il fallait l'enfermer dans le hangar pendant les repas des Baxter, car il donnait des coups de tête, bêlait et renversait les plats. Quand Jody et Penny riaient, il hochait la tête d'un air de connivence. Au début, les chiens aboyaient contre lui, à présent ils l'acceptaient. Ma Baxter, elle aussi, l'acceptait mais il ne l'amusait pas. Jody lui faisait remarquer ses charmes.

— N'est-ce pas qu'il a de jolis yeux, Ma?

— Oui, pour voir un pain d'avoine à cent mètres.

— Regarde comme sa queue est mignonne, Ma.

— Tous les faons ont les queues pareilles.

Le soleil approchait du zénith. Le faon entra dans le champ de patates, mordilla quelques feuilles tendres puis retourna à la haie et découvrit une nouvelle place ombreuse sous un merisier. Jody poursuivait son travail. Il lui restait un sillon et demi à sarcler. Il avait envie d'aller boire un verre d'eau à la maison, mais cela lui eût fait perdre trop de temps. Peut-être déjeunerait-on en retard. Il se mit à manier sa houe aussi vite qu'il pouvait sans entamer les vignes. Quand le soleil fut au-dessus de sa tête, il avait fini le demi-sillon, et le sillon entier le narguait. Dans un moment, sa mère frapperait sur la sonnette de fer à l'entrée de la cuisine et il lui faudrait s'arrêter. Penny avait bien établi qu'il n'y aurait pas de prolongation. Si Jody n'avait pas fini de sarcler à l'heure du déjeuner, pas de visite à Aile-de-Paille. Il entendit des pas de l'autre côté de la barrière. Penny debout le regardait.

— Papa, je ne peux pas. Je ne me suis presque pas arrêté de toute la matinée et il me reste encore un sillon.

— Écoute, je vais te dire. Je ne te tiens pas quitte car ce qui est dit est dit. Mais je te propose un marché. Tu iras chercher de l'eau pour ta mère au réservoir et je finirai le champ ce soir. Ça me tue de remonter de ce réservoir. Voilà une proposition honnête.

Jody jeta sa houe et prit sa course vers la maison pour chercher les seaux.

Penny lui cria :

— N'essaye pas de les remplir jusqu'au bord. Un chevreuil n'a pas la force d'un cerf.

Les seaux vides étaient déjà lourds. Ils étaient taillés à la main dans du cyprès, et le joug qui les joignait était en bois de chêne. Jody mit le joug sur son épaule et prit la route au trot. Le faon courut derrière lui. Le réservoir était sombre et silencieux. Il y avait plus de lumière là au petit matin et le soir qu'à midi, car l'épais feuillage des arbres interceptait le soleil surplombant. Les oiseaux se taisaient. Vers la fin de l'après-midi, ils voleraient au bord de l'eau. Les pigeons viendraient y boire, et les rouges-gorges et les martins-pêcheurs, les merles et les cailles. Jody se hâtait tant qu'il pouvait de descendre le bord escarpé du grand bassin vert. Le faon le suivit et ils traversèrent l'étang en pataugeant de compagnie. Le faon pencha la tête pour boire, Jody avait rêvé cela.

Il lui dit :

— Un jour, je me construirai une maison ici. Et je t'amènerai une biche et nous vivrons tous ensemble au bord de l'eau.

Une grenouille sauta et le faon recula. Jody se moqua de lui et remonta pour atteindre le réservoir d'eau potable. Il se baissa pour y boire. Le faon vint boire avec lui, aspirant l'eau et l'effleurant de ses lèvres sur toute la longueur du réservoir. Un instant, sa tête toucha la joue de Jody qui se mit à aspirer l'eau avec le même bruit que le faon, pour le plaisir de se sentir d'accord. Il leva la tête et la secoua et s'essuya la bouche. Le faon leva la tête lui aussi et l'eau s'égoutta de son museau.

Jody remplit les seaux à l'aide d'un baquet suspendu au bord du réservoir. Contrevenant à l'avertissement de son père, il les remplit presque jusqu'au bord. Il se réjouissait d'entrer dans la cour en les portant. Il se baissa et courba les épaules sous le joug. Mais il ne put pas se redresser sous cette charge. Il rejeta une partie de l'eau et parvint à remonter la pente de l'étang. Le joug de bois coupait ses maigres épaules. Son dos était douloureux. A mi-chemin de la maison, il dut s'arrêter, poser les seaux et renverser encore un peu d'eau. Le faon plongea ses naseaux curieux dans un des seaux. Heureusement que sa mère ne le saurait pas. Elle ne voulait pas comprendre combien le faon était propre et elle refusait d'admettre qu'il sentait bon.

Ses parents étaient en train de déjeuner quand il arriva à la maison. Il porta les seaux dans la buanderie et alla enfermer le faon. Il remplit la cruche d'eau fraîche et la porta à table. Il avait travaillé si dur et il avait si chaud, il était si fatigué, qu'il n'avait même pas faim. Il en fut content et il put réserver une grande part de son repas pour le faon. Le plat de résistance était un pot-au-feu fait d'un morceau d'ours. Il mangea surtout de la viande et garda sa galette et son lait pour le faon.

Penny dit :

— On a eu joliment de la chance que ç'ait été un jeune ours comme ça qui soit venu chez nous chaparder sous notre nez. Si ç'avait été un grand vieux mâle, on n'aurait pas pu le manger en cette saison. Les ours s'accouplent en juillet, Jody, et rappelle-toi toujours que la viande de mâle n'est pas bonne à ce moment-là. N'en tue donc jamais à moins qu'il ne te cherche.

— Pourquoi est-ce que leur viande n'est pas bonne alors?

— Ma foi, je ne sais pas. Mais pendant l'époque des amours, ils sont méchants et odieux.

— Comme Lem et Olivier?

Ma Baxter dit :

— Les cochons c'est pareil. Mais eux c'est toute l'année.

— Dis, Papa, les ours mâles se battent?

— Ils se battent terriblement. La femelle les regarde faire.

— Comme Twinck Weatherby.

— Comme Twinck Weatherby, après quoi elle suit le vainqueur. Ils restent par couples tout juillet et même en août. Et puis le mâle s'en va et les oursons naissent en février. Et tu sais, il se peut très bien qu'un mâle comme le vieux Pied-Bot mange ses oursons s'il les attrape. Voilà encore une raison pour laquelle je déteste les ours. Ils n'ont pas d'affections naturelles.

Ma Baxter dit à Jody :

— Tu regarderas bien tout à l'heure en allant chez les Forrester. Un ours en amour est une bête à éviter.

Penny dit :

— Garde seulement tes yeux ouverts. Tu es en sûreté avec les bêtes du moment que tu les vois le premier et que tu ne tombes pas dessus par surprise. Même ce serpent à sonnettes qui m'a eu, eh bien, je l'avais attrapé par surprise et il n'a rien fait d'autre que se défendre.

Ma Baxter dit :

— Tu excuserais le diable lui-même.

— Je crois bien que oui. On accuse le diable d'un tas de choses qui ne sont que la méchanceté humaine.

Elle demanda d'un air soupçonneux :

— Jody a fini de sarcler?

Penny répondit d'un ton sans réplique :

— Il a rempli les termes de son contrat.

Il lança un regard de côté à Jody qui le lui rendit. A quoi bon essayer de lui expliquer la nouvelle convention? Elle était étrangère à ce bon accord masculin.

Il dit :

— M'man, je peux partir tout de suite?

Elle lui fit changer de chemise et l'envoya se peigner. Il s'impatientait.

Elle dit :

— Je veux que ces sales Forrester se rendent compte qu'il y a des gens qui vivent convenablement.

Il dit :

— Ils ne sont pas sales. Ils vivent bien et naturellement, et ils s'amusent beaucoup.

Elle renifla d'un air méprisant. Il sortit le faon du hangar, le nourrit de ses mains, lui tint le pot de lait coupé d'eau pour qu'il y bût, puis ils partirent tous deux ensemble. Le faon courait parfois derrière lui, parfois devant, faisant de courtes embardées dans les broussailles pour bondir de nouveau vers lui avec un air de frayeur dont Jody était sûr qu'il était affecté. Parfois il marchait à son côté, et c'était le mieux. Alors Jody posait une main légère sur le cou de l'animal et réglait le rythme de ses deux jambes sur les quatre pattes. Il imagina qu'il était lui-même un faon. Il plia ses jambes aux genoux pour imiter la démarche de l'autre. Il levait une tête inquiète. Un buisson fleurissait au bord du chemin. Il en coupa un souple rameau et en entoura le cou du faon pour en faire un collier et une laisse. Les fleurs roses l'embellissaient tant qu'il lui semblait qu'ainsi paré il forcerait l'admiration de Ma Baxter elle-même; si elles se fanaient trop vite, il en cueillerait une guirlande fraîche au retour.

Au carrefour, près de la clairière abandonnée, le faon s'arrêta et leva les naseaux au vent. Il dressa les oreilles. Il tourna la tête de tous côtés, flairant l'air. Jody tourna lui aussi le nez dans la direction où le faon paraissait insister. Une forte odeur lui parvint, musquée et rance. Il sentit ses cheveux se dresser sur sa nuque. Il crut entendre un grognement sourd et un claquement qui pouvait être celui d'une mâchoire. Il avait envie de prendre ses jambes à son cou et de rentrer à la maison. Mais alors il ne saurait jamais ce que c'était que ces bruits. Il avança à pas de loup vers le tournant de la route. Le faon restait immobile derrière lui. Tout à coup, Jody s'arrêta.

Deux ours mâles descendaient lentement le chemin à une centaine de mètres de lui. Ils marchaient côte à côte sur leurs pattes de derrière comme des hommes. Leur démarche ressemblait presque à une danse. Soudain, ils s'affrontèrent ainsi que des lutteurs, levèrent leurs pattes de devant et tournèrent la tête en grognant, chacun cherchant à atteindre la gorge de l'autre. L'un d'eux enfonça ses griffes dans la tête de son adversaire et les grognements devinrent un hurlement. Le combat fut violent pendant quelques instants, puis les deux ours reprirent leur marche, boxant, se bousculant, se mesurant. Le vent était favorable à Jody. Il ne leur apportait pas son odeur. Il descendait la route derrière eux, gardant sa distance. Il ne voulait pas les perdre de vue. Il espérait qu'ils allaient combattre à mort, mais il eût été terrorisé si l'un d'eux, en ayant fini de son compagnon, se fût tourné vers lui. Il se dit qu'ils devaient lutter depuis longtemps et être épuisés. Il y avait du sang sur le sable. Chaque assaut paraissait moins violent que le précédent. Chaque promenade côte à côte était plus lente. Tandis qu'il les regardait, une femelle sortit des buissons suivie par trois mâles. Ils s'engagèrent silencieusement sur la route et marchèrent en file indienne. Les deux combattants secouèrent un instant la tête puis prirent la suite. Jody s'arrêta jusqu'à ce que la procession eût disparu, solennelle, ridicule et fascinante.

Il tourna les talons et revint au carrefour. Le faon n'était plus là. Il l'appela, et le petit animal surgit des fourrés au bord du chemin. Il prit la direction de la maison Forrester et se mit à courir. Maintenant que le danger était passé, il tremblait à l'idée de sa propre audace. Mais c'était fait à présent, et il savait qu'il recommencerait , car tout le monde n'avait pas la chance de surprendre les animaux dans leurs instants d'intimité.

Il se dit :

— J'ai vu quelque chose.

C'était beau de grandir et de voir des spectacles et d'entendre les sons que voyaient et entendaient les hommes, comme Buck et son père. C'est pour cela qu'il aimait tant à rester étendu à plat ventre sur le plancher ou bien par terre devant le feu de camp, tandis que les hommes parlaient. Ils avaient vu des merveilles, et plus ils étaient âgés, plus ils en avaient vues. Il se sentait promu dans une compagnie occulte. Il avait un récit à lui maintenant, à raconter aux veillées d'hiver.

Son père dirait :

— Jody, raconte-nous le jour où tu as vu les ours mâles qui se battaient sur la route.

Surtout, il fallait pouvoir raconter cela à Aile-de-Paille. Il se mit à courir pour hâter ce plaisir. Il allait surprendre son ami. Il le trouverait dans les bois, ou derrière la maison parmi ses bêtes favorites, ou bien au lit s'il était encore malade. Le faon marcherait à son côté. Le visage d'Aile-de-Paille brillerait de son étrange éclat. Il pencherait son corps contrefait et avancerait sa main douce et tordue pour toucher le faon. Il sourirait de voir Jody content. Au bout d'un long moment, Aile-de-Paille se mettrait à parler et ce qu'il dirait serait peut-être bizarre, mais sûrement très beau.

Jody arriva au terrain des Forrester et courut sous les chênes-lièges pour gagner la cour. La maison était assoupie. Aucune boucle de fumée ne montait de la cheminée. On ne voyait pas de chiens, mais un aboiement désespéré sortait du chenil. Les Forrester dormaient tous sans doute dans la chaleur de l'après-midi. Mais lorsqu'ils dormaient en plein jour, c'était tout autour de la maison, sous le porche, sous les arbres.

Il s'arrêta et appela :

— Aile-de-Paille! C'est Jody!

Le chien gémit. Une chaise racla le plancher dans la maison. Buck parut sur le seuil. Il regarda Jody et passa sa main sur sa bouche. Ses yeux étaient vagues. Jody pensa qu'il était ivre.

Jody demanda d'une voix hésitante :

— Je suis venu voir Aile-de-Paille. Je suis venu lui montrer mon faon.

Buck secoua la tête comme pour chasser une abeille, à moins que ce ne fût une pensée importune. Il s'essuya de nouveau la bouche.

Jody dit :

— Je suis venu exprès.

Buck dit :

— Il est mort.

Les mots n'avaient pas de sens. Ce n'étaient que deux feuilles brunes qui passaient devant lui dans l'air. Mais un froid suivit leur vol et un vertige le prit.

Il répéta :

— Je suis venu le voir.

— Tu es venu trop tard. Je serais bien allé te chercher si on avait eu le temps. On n'a même pas eu le temps d'appeler le vieux docteur. Une minute, il respirait. La minute d'après c'était fini. Comme une chandelle qu'on souffle.

Jody regardait Buck et Buck le regardait. Son vertige se transformait en paralysie. Il n'éprouvait aucun chagrin, rien qu'un grand froid et une défaillance. Aile-de-Paille n'était ni mort ni vivant. Seulement, il n'était nulle part.

Buck dit rudement :

— Tu peux venir le regarder.

D'abord Buck avait dit qu'Aile-de-Paille était parti comme

la flamme d'une bougie, et maintenant il disait qu'il était là. Rien de tout cela n'avait de sens. Buck entra dans la maison. Il se retourna en faisant signe à Jody avec ses yeux mornes. Jody remua une jambe puis l'autre et monta le perron. Il suivit Buck dans la maison. Tous les hommes Forrester étaient rassemblés. Il y avait une grande unité dans leur groupe assis, immobile et lourd. Ils ressemblaient aux fragments d'un même rocher grand et sombre. Pa Forrester tourna la tête et regarda Jody comme un étranger. Puis il se détourna. Lem et La Meule le regardèrent à leur tour. Les autres ne bougeaient pas. Jody avait l'impression qu'ils le voyaient par-dessus un mur qu'ils avaient bâti contre lui. Buck le prit par la main. Il le conduisit dans une grande chambre à coucher. Il voulut parler. Sa voix se brisa. Il s'arrêta et étreignit l'épaule de Jody.

Il dit :

— Regarde.

Aile-de-Paille était étendu, les yeux clos, petit et perdu au milieu du grand lit. Il était plus menu que lorsqu'il dormait sur sa petite couchette. Un drap le recouvrait, replié sous son menton. Ses bras étaient hors du drap, croisés sur sa poitrine, les mains retombantes, crispées comme dans sa vie. Jody eut peur. Ma Forrester était assise à côté de lui. Elle avait rejeté son tablier sur sa tête et se balançait en avant et en arrière. Elle laissa tomber son tablier.

Elle dit :

— J'ai perdu mon garçon. Mon pauvre tordu.

Elle se couvrit de nouveau et recommença à se balancer.

Elle gémit :

— Le Seigneur est dur. Oh! le Seigneur est dur.

Jody avait envie de fuir. Le visage osseux sur l'oreiller le terrifiait. C'était Aile-de-Paille et ce n'était pas Aile-de-Paille. Buck l'attira au bord du lit.

— Il n'entendra pas, mais parle-lui quand même.

La gorge de Jody était contractée. Aucun mot n'en sortit. Aile-de-Paille semblait être en cire comme une bougie. Et soudain il reprit son visage familier.

Jody chuchota :

— Salut.

Sa gorge était serrée comme par une corde. Le silence d'Aile-de-Paille était intolérable. Maintenant, il comprenait. C'était la mort. La mort était un silence qui ne donnait pas de réponse. Aile-de-Paille ne lui parlerait plus jamais. Il se retourna et enfouit son visage contre la poitrine de Buck. Les grands bras l'étreignirent. Il resta ainsi un long moment.

Buck dit :

— Je savais que ça te retournerait.

Ils quittèrent la chambre. Pa Forrester fit signe à Jody. Il s'approcha de lui. Le vieil homme lui tapota le bras. Il fit un signe vers le cercle d'hommes silencieux.

Il dit :

— C'est curieux, hein? on aurait pu se passer de n'importe lequel de ces gars. Le seul qu'on ne peut pas remplacer, c'est celui qui est parti. Il ajouta presque allégrement : Et un chétif, un bon à rien, pourtant.

Il se renversa dans son fauteuil méditant ce paradoxe.

Jody les blessait tous par sa présence. Il sortit dans la cour. Il s'en alla derrière la maison. Les bêtes d'Aile-de-Paille étaient là, captives, oubliées. Un ourson de cinq mois qu'on avait dû lui apporter pour le distraire pendant sa maladie, était enchaîné à un pieu. Il en avait fait tant de fois le tour que sa chaîne y était enroulée et le retenait tout contre. Son seau d'eau était renversé et vide. A la vue de Jody, il se coucha sur le dos et se mit à pleurer comme un bébé. Squeak, l'écureuil, faisait tourner son éternelle roue. Sa cage était sans nourriture ni boisson. L'opossum était endormi dans sa caisse.

Prêchi-prêcha, le rouge-gorge, sautillait sur sa patte valide et picorait le plancher de sa cage. Le ragondin n'était pas là.

Jody savait où Aile-de-Paille rangeait les sacs de cacahuètes et de graines pour les animaux. Ses frères lui avaient fait un petit garde-manger et le lui remplissaient. Jody commença par nourrir les petites bêtes, puis leur donna à boire. Il s'approcha prudemment de l'ourson. Celui-ci était petit et pataud, mais Jody n'était pas sûr de l'usage qu'il pouvait faire de ses griffes pointues. L'ourson gémit et Jody lui tendit un bras. Le petit animal y accrocha ses quatre pattes avec une énergie désespérée, et frotta son museau noir contre l'épaule de l'enfant. Jody se dégagea, le repoussa, déroula sa chaîne et lui apporta un seau d'eau. L'ourson but longuement, puis il prit le seau entre ses pattes qui rappelaient à Jody les mains d'un bébé noir, et il se renversa les dernières gouttes sur le ventre. Cela aurait fait rire Jody si sa peine n'avait été si lourde. Mais c'était un soulagement de s'occuper de ces bêtes, de leur donner les soins qu'ils ne recevraient plus jamais de leur maître. Il se demanda tristement ce qu'ils allaient devenir.

Il joua avec eux, l'esprit ailleurs. La joie aiguë qu'il éprouvait autrefois, lorsque Aile-de-Paille partageait ses jeux, était morte. Lorsque Racket, le ragondin, rentra de la forêt avec sa drôle de démarche inégale, et le reconnut, et grimpa sur son épaule, et fit entendre son petit cri aigu et plaintif en lui peignant les cheveux avec ses doigts fins et agiles, Jody fut pris d'une telle nostalgie en pensant à Aile-de-Paille, qu'il dut s'étendre à plat ventre en battant le sable de ses pieds.

Dans sa douleur, il désira la présence de son faon. Il se leva et donna une poignée de cacahuètes au ragondin pour l'occuper. Il se mit à la recherche du faon. Il le trouva derrière un buisson de myrte d'où il observait sans être vu. Jody pensa qu'il devait avoir soif lui aussi et lui offrit de l'eau dans le seau de l'ourson. Le faon renifla et refusa de boire. Jody avait envie de le nourrir avec une poignée de l'avoine des Forrester mais il se dit que ce ne serait pas honnête. D'ailleurs ses dents devaient être encore trop tendres pour broyer les graines. Il s'assit sous un chêne-liège et serra le faon contre lui. Il y goûtait un réconfort qu'il n'avait pas trouvé dans les bras velus de Buck Forrester. Il se demanda si le plaisir qu'il avait éprouvé autrefois parmi les bêtes d'Aile-de-Paille s'était évanoui parce qu'Aile-de-Paille n'était plus, ou bien parce que le faon contenait maintenant toutes ses délices.

Il lui dit :

— Je ne t'échangerais pas contre eux tous avec l'ourson en plus.

Il éprouvait un réconfortant sentiment de fidélité à découvrir que les animaux qu'il avait si longtemps convoités ne pouvaient défier sa tendresse pour le faon.

L'après-midi était interminable. Il avait l'impression d'une besogne inachevée. Les Forrester ne s'occupaient pas de lui, et pourtant il était sûr qu'ils désiraient qu'il restât. Buck lui aurait dit au revoir, s'il eût dû s'en aller. Le soleil descendait derrière les chênes-lièges. Sa mère serait fâchée. Mais il attendait quelque chose, quand ce n'eût été qu'un signe de congé. Il était lié à Aile-de-Paille blanc de cire dans son lit, et un événement allait se passer qui le libérerait. Au crépuscule, les Forrester sortirent de la maison et s'en allèrent en silence s'occuper du bétail. Une fumée monta de la cheminée. L'odeur du bois de pin brûlé se mêlait à celle de la viande grillée. Jody suivit Buck qui menait les vaches à l'abreuvoir.

Il dit :

— J'ai donné à manger et à boire à l'ourson, à l'écureuil et aux autres.

Buck toucha une génisse.

Il dit :

— J'y avais pensé un moment dans la journée, puis ça m'est sorti de l'esprit et tout y est redevenu noir.

Jody proposa :

— Est-ce que je peux vous aider?

— On est nombreux ici. Tu peux t'occuper de Ma, comme Aile-de-Paille. Entretenir son feu et des bricoles comme ça.

Jody rentra à regret dans la maison. Il évita la vue de la porte de la chambre. Elle était poussée, presque fermée. Ma Forrester s'occupait de son fourneau. Elle avait les yeux rouges. Elle s'arrêtait tous les quelques instants pour les essuyer du coin de son tablier. Elle avait mouillé et brossé ses cheveux comme en l'honneur d'un hôte.

Il dit :

— Je viens vous aider.

Elle se tourna vers lui, une cuillère à la main.

Elle dit :

— J'étais en train de penser à ta mère. Elle en a enterré autant que j'en ai.

Il s'occupa tristement du feu. Il était de plus en plus mal à son aise. Et pourtant il ne pouvait pas s'en aller. Le repas était aussi maigre qu'un repas Baxter. Ma Forrester mit le couvert sans penser à ce qu'elle faisait.

Elle dit :

— Voilà que j'ai oublié de faire du café. Ils auront besoin de café s'ils ne mangent pas.

Elle remplit la cafetière et la posa sur les charbons. Les hommes Forrester arrivèrent un par un sous le porche de derrière, ils se lavèrent la figure et les mains, peignèrent leur barbe et leurs cheveux. Il n'y avait point de bavardages, point de plaisanteries, ni de bourrades, point de pas bruyants. Ils se mirent à table comme des hommes en rêve. Pa Forrester arriva venant de la chambre. Il regarda autour de lui, d'un air étonné.

Il dit :

— C'est drôle, hein...

Jody s'assit à côté de Ma Forrester. Elle servit la viande puis se mit à pleurer.

Elle dit :

— Je l'avais compté, comme d'habitude. Oh! Seigneur, je l'avais compté!

Buck dit :

— Eh bien, Ma, c'est Jody qui va manger sa part et peut-être qu'il deviendra aussi gros que moi. Eh, garçon?

La famille se ranima. Pendant quelques minutes, ils mangèrent de bon appétit. Puis un écœurement les prit et ils repoussèrent leurs assiettes.

Ma Forrester dit :

— Je n'ai pas le cœur à la vaisselle ce soir, ni vous non plus. Mettez les assiettes en pile et laissez-les jusqu'à demain matin.

La délivrance serait donc pour le matin. Elle regarda l'assiette de Jody.

Elle dit :

— Tu n'as pas mangé ton biscuit ni bu ton lait, petit. Ça n'est pas bon?

— C'est pour mon faon. Je lui garde toujours une part de mon dîner.

Elle dit : " Pauvre agneau. " Elle se remit à pleurer.

— Comme mon petit aurait été content de voir ton faon! Il en parlait, il en parlait! Il disait : " Jody a un petit frère! "

Jody éprouva de nouveau une affreuse contraction dans sa gorge. Il avala.

Il dit :

— C'est pour ça que j'étais venu. J'étais venu demander à Aile-de-Paille de baptiser mon faon.

— Mais, dit-elle, il l'avait déjà baptisé. La dernière fois

qu'il en a parlé, il lui a donné un nom. Il a dit : " Un faon ça porte si gaiement son fanion. La queue d'un faon, on dirait un petit fanion. Si j'avais un faon à moi, je l'appellerais : Fanion. Fanion, le faon, c'est comme ça que je l'appellerais.

Jody répéta : " Fanion ".

Il étouffait de tendresse. Aile-de-Paille avait parlé de lui et baptisé le faon. Une joie se mêlait à son chagrin, tout ensemble consolante et intolérable.

Il dit :

— Je crois qu'il faut que je lui donne à manger. Il faut que je donne à manger à Fanion.

Il glissa de sa chaise et sortit, portant sa tasse de lait et ses biscuits. On eût dit qu'Aile-de-Paille était proche et vivant.

Il appela : " Ici, Fanion! "

Le faon vint à lui et il lui sembla qu'il connaissait ce nom, qu'il l'avait peut-être toujours connu. Jody trempa les biscuits dans le lait pour les lui donner. Le doux museau humide touchait ses doigts. Il rentra dans la maison et le faon suivit.

Il dit :

— Est-ce que Fanion peut entrer?

— Amène-le et qu'il soit le bienvenu.

Jody s'assit tout raide sur le petit tabouret d'Aile-de-Paille.

Pa Forrester dit :

— Cela lui ferait plaisir que tu restes avec lui ce soir.

C'était donc cela qu'on attendait de lui.

— Et ça ne serait pas bien de l'enterrer au matin sans que tu sois là. Il n'avait pas d'autre ami que toi.

Jody écarta ses scrupules à propos de son père et de sa mère comme on rejette une chemise déchirée. Cela n'importait plus devant des faits aussi graves. Ma Forrester alla veiller dans la chambre. Le faon tournait autour de la cuisine, flairant les hommes, l'un après l'autre, puis il vint s'étendre à côté de Jody. L'obscurité remplit la pièce, ajoutant son poids à celui de leur peine. Ils restaient assis, immobiles sous l'épaisse atmosphère de chagrin que seuls les vents du temps pourraient dissiper.

A neuf heures, Buck se leva et alluma une chandelle. A dix heures, un cheval portant un cavalier entra dans la cour en faisant claquer ses sabots. C'était Penny sur le vieux César. Il jeta les rênes par-dessus la tête du cheval et entra dans la maison. Pa Forrester, en qualité de maître de la maison, se leva pour le saluer. Penny regarda les sombres visages. Le vieil homme désigna la porte entrouverte de la chambre à coucher.

Penny dit :

— Le gars?

Pa Forrester baissa la tête.

— Parti... ou sur le point?

— Parti.

— C'est ce que je craignais. Je me suis dit que c'était ça qui retenait Jody.

Il posa la main sur l'épaule du vieux.

— Je sais ce que vous sentez.

Il parla à chacun des hommes. Il regarda Lem en face.

— Salut, Lem.

Lem hésita.

— Salut, Penny.

La Meule lui donna sa chaise. Penny demanda :

— Quand est-ce que cela s'est passé?

— Juste à l'aube d'aujourd'hui.

— Ma était allée voir s'il voulait manger un morceau pour le petit déjeuner.

— Il avait été couché, dolent, un jour ou deux, et nous avions eu le vieux docteur, mais il avait l'air d'aller mieux.

Les paroles se déversaient sur Penny comme un torrent.

Le soulagement des mots apaisait une souffrance qui n'avait fait que croître. Penny écoutait gravement, hochant la tête de temps à autre. C'était un solide petit rocher contre lequel venait battre leur chagrin. Quand ils eurent fini et se sentirent apaisés, il parla de ses propres deuils. C'était un témoignage qu'aucun homme n'était épargné. Ce que tous avaient supporté chacun pouvait le supporter. Il partageait leur peine, et ils comprenaient les siennes, et ce partage allégeait un peu leur douleur.

Buck dit :

— Peut-être que Jody voudrait rester seul avec lui un petit moment.

Jody fut pris de panique lorsqu'ils l'emmenèrent dans la chambre et s'éloignèrent pour fermer la porte. Quelque chose était tapi dans le coin noir de la pièce, et c'était la chose qui parcourait la brousse le soir où son père avait été mordu.

Il dit :

— Est-ce que Fanion pourrait venir aussi?

Ils approuvèrent, et le faon lui fut amené. Jody s'assit au bord d'une chaise. Elle était chaude du corps de Ma Forrester. Il croisa les mains sur ses genoux. Il regardait à la dérobée le visage sur l'oreiller. Quand la flamme vacillait, on eût dit que les paupières d'Aile-de-Paille tremblaient. Une légère brise soufflait à travers la chambre. Les draps semblaient se soulever, comme si Aile-de-Paille respirait. Au bout d'un moment, l'horreur qui remplissait Jody se dissipa et il osa s'adosser sur sa chaise. Quand il reculait un peu, Aile-de-Paille reprenait un aspect plus familier. Et pourtant, ce n'était pas Aile-de-Paille qui était étendu, les joues pincées sous la lumière de la bougie. Aile-de-Paille se promenait en boitant à travers les broussailles, le ragondin sur ses talons. Dans un instant, il allait revenir de sa démarche tangante et Jody entendrait sa voix. Il jeta un regard aux mains crispées croisées sur le drap. Leur immobilité était implacable. Il pleura en lui-même, sans bruit.

La tremblante flamme de la bougie le fascinait. Ses yeux se brouillaient. Il se redressait, mais vint un moment où les yeux refusèrent de s'ouvrir. La mort, le silence et son sommeil se confondaient.

Il se réveilla à la lueur du jour, l'esprit lourd. Il entendit des coups de marteau. Quelqu'un l'avait couché au pied du lit. En un instant, il fut complètement réveillé. Aile-de-Paille était parti. Il glissa en bas du lit et alla dans la grande salle. Elle était vide. Il sortit. Penny était en train de clouer un couvercle sur une boîte de sapin toute neuve. Les Forrester l'entouraient. Ma Forrester pleurait. Personne ne lui dit rien. Penny enfonça le dernier clou.

Il demanda :

— On est prêt?

Ils acquiescèrent. Buck, La Meule et Lem s'avancèrent.

Buck dit :

— Je peux le porter seul...

Il prit la boîte sur son épaule. Pa Forrester et Gabby manquaient. Buck se dirigea vers le sud de la clairière. Ma Forrester le suivit. La Meule la prit par le bras. Les autres venaient ensuite. La procession marcha lentement jusqu'à la plantation de chanvre. Jody se rappela qu'Aile-de-Paille y possédait un cep de vigne sous un chêne-liège. Il vit Pa Forrester et Gabby debout près de là. Ils avaient des pelles à la main. Un trou fraîchement creusé béait au pied de l'arbre. Les mottes de terre qui l'entouraient étaient noires de débris d'arbres. Le chanvre était clair car le soleil levant étendait des doigts lumineux parallèles à la terre et l'inondait de son éclat. Buck posa le cercueil et le fit glisser doucement dans la fosse. Il recula d'un pas. Les Forrester hésitaient.

Penny dit :

— Le père d'abord.

Pa Forrester leva sa pelle et jeta de la terre sur la boîte. Il tendit la pelle à Buck. Buck fit tomber quelques mottes. La pelle passa de main en main parmi les frères. Il restait un tout petit tas de terre. Jody se trouva avec la pelle entre les doigts. Étourdi, il racla la terre et la fit tomber sur le monticule. Les Forrester se regardèrent.

Pa Forrester dit :

— Penny, vous avez eu une éducation chrétienne. Nous serions fiers si vous disiez quelque chose.

Penny s'avança vers la tombe, ferma les yeux et leva le visage vers le soleil. Les Forrester baissèrent la tête.

— O Seigneur, Dieu tout-puissant. Ce n'est pas à nous, ignorants mortels, de dire ce qui est bien et ce qui est mal. Si ça avait dépendu d'aucun de nous, nous n'aurions pas mis ce pauvre gars au monde, infirme et avec un esprit dévié. Nous l'aurions créé droit et grand comme ses frères, apte à vivre, et à travailler, et à produire. Mais, si on peut dire, Seigneur, vous lui avez donné des compensations. Vous lui avez donné la grâce de charmer les bêtes sauvages. Vous lui avez donné une espèce de sagesse, vous l'avez fait adroit et doux. Les oiseaux venaient à lui et les petits rongeurs marchaient librement autour de lui, et sans doute qu'il aurait pu prendre sans peur un chat sauvage dans ses pauvres mains tordues.

« Maintenant, vous avez jugé bon de l'emmener là où la difformité d'esprit ou de membre ne compte plus. Mais, Seigneur, il nous plaît de penser que, à présent, vous avez redressé ces jambes et ce pauvre dos bossu et ces mains. Il nous plaît de penser qu'il se meut aussi aisément que n'importe qui. Et, Seigneur, donnez-lui quelques rouges-gorges, et peut-être un écureuil, et un ragondin et un opossum pour lui tenir compagnie comme ici-bas. Tous, on est un peu solitaires, et vous savez qu'il ne sera pas solitaire s'il a ces petites créatures sauvages autour de lui, si ce n'est pas trop demander que de mettre quelques rongeurs au ciel. Que votre volonté soit faite. Amen. ”

Les Forrester murmurèrent : “ Amen ”. Leurs visages étaient en pleurs. Ils vinrent à Penny l'un après l'autre et lui serrèrent la main. Le ragondin arriva en courant, et, en courant, traversa l'espace de terre fraîchement remuée. Il criait. Buck le prit sur son épaule. Les Forrester retournèrent à la maison. On sella César, et Penny l'enfourcha. Il prit Jody en croupe. Jody appela le faon qui déboucha des buissons. Buck arriva de derrière la maison. Il avait une petite cage à la main. Il la tendit à Jody. Elle contenait Prêchi-Prêcha, le rouge-gorge infirme.

Il dit :

— Je sais que ta mère ne veut pas que tu élèves des bêtes, mais ce petit compagnon-là vit de miettes. C'est en souvenir de lui.

— Merci. Au revoir.

— Au revoir.

César prit le chemin de la maison. Ils ne disaient rien. César marchait au pas et Penny ne le pressait pas. Le soleil montait dans le ciel. Jody avait le bras endolori de tenir la cage en l'air. La clairière Baxter apparut. Ma Baxter avait entendu le pas du cheval, elle était à la barrière.

Elle cria :

— Comme si ce n'était pas assez de se faire du mauvais sang pour un. L'autre s'en va et vous restez partis tous les deux.

Penny descendit de cheval et Jody se laissa glisser à terre.

Penny dit :

— Calme-toi, Maman. Nous avions un devoir à remplir.

Le pauvre petit Aile-de-Paille est mort et nous avons aidé à l'enterrer.

Elle dit :

— Ah!... Dommage que ce n'ait pas été ce grand braillard de Lem.

Penny conduisit César au pré et revint à la maison. Le petit déjeuner était servi, mais il était froid à présent.

Il dit :

— Ça ne fait rien. Réchauffe seulement le café.

Il mangea distraitement.

Il dit :

— Je n'ai jamais vu une famille aussi affligée.

Elle dit :

— Tu ne vas pas me dire ça de ces espèces de grandes brutes.

Il dit :

— Ory, un jour viendra où tu sauras que le cœur humain est toujours le même. Le chagrin frappe pareil partout. Mais il laisse des marques différentes selon les endroits. Il me semble quelquefois, qu'à toi il n'a rien fait d'autre que t'aiguiser la langue.

Elle s'assit avec brusquerie.

Elle dit :

— On dirait qu'être dure est ma seule façon de le supporter.

Il laissa son déjeuner, vint à elle et lui caressa les cheveux.

— Je sais. Tâche d'être un peu plus indulgente pour les autres.

XVIII

Août fut impitoyable dans sa chaleur, mais heureusement paresseux. Il y avait peu de travail et aucune urgence à l'accomplir. Des pluies étaient tombées et le blé était mûr. Il séchait sur pied et l'on pourrait bientôt le faucher. Penny supputait une bonne récolte, dix boisseaux à l'acre peut-être. Le long de la barrière, les tournesols dont les graines nourriraient les poulets avaient des fleurs grandes comme des assiettes. Les porcs des Baxter étaient mystérieusement revenus au logis, et, avec eux, une jeune truie. La marque des Forrester avait été remplacée sur elle par celle des Baxter. Penny l'accepta comme le gage de paix qu'elle représentait.

Les cannes à sucre venaient bien. Les Baxter attendaient avec confiance l'automne et les froids où l'on arracherait les patates, l'on tuerait les cochons, l'on moudrait le grain en farine, où l'on presserait les cannes à sucre et où l'abondance remplacerait la gêne. Il y avait assez à manger, même en ce moment, dans la maigre saison, mais il n'y avait pas de variété, pas de richesse, on n'éprouvait pas le sentiment réconfortant que donnent d'amples provisions. On vivait au jour le jour, à court de farine et de viande grasse, comptant sur la chance de Penny dans sa chasse au chevreuil, au dindon et à l'écureuil. Un soir, il attrapa au piège un gros opossum et arracha les patates nouvelles pour qu'on les cuisît avec. Ce fut un festin et une prodigalité car les patates étaient petites et pas encore mûres.

Le soleil posait une lourde main sur la brousse et la clairière. La corpulente Ma Baxter souffrait de la chaleur. Penny et Jody, maigres et secs, n'éprouvaient qu'une répugnance croissante à se mouvoir rapidement. Le matin, ils s'occupaient ensemble du bétail, trayaient la vache, donnaient à manger au cheval, sciaient du bois pour la cuisine, puisaient de l'eau au réservoir; après quoi, ils en avaient fini jusqu'au soir. Ma Baxter préparait un repas chaud pour midi, puis couvrait le feu avec des cendres; et le dîner froid se composait des restes du déjeuner.

Jody demeurait conscient de l'absence d'Aile-de-Paille. Vivant, Aile-de-Paille était avec lui, au fond de sa pensée, amicale présence vers laquelle il pouvait se tourner en esprit sinon en réalité. Mais Fanion se développait merveilleusement de jour en jour, et c'était une grande consolation. Jody avait l'impression que ses taches commençaient à s'effacer, signe de maturité, mais Penny ne voyait guère de différence. Ce qui était indiscutable, c'étaient les progrès que le petit animal faisait en intelligence. Penny disait que les ours avaient le plus grand cerveau de tous les animaux de la brousse, mais que le cerveau des chevreuils venait ensuite.

Fanion avait appris à dénouer le lacet qui fermait la porte et il entrait dans la maison à n'importe quelle heure du jour et de la nuit quand il n'était pas enfermé dans le hangar. Il fit tomber un oreiller de plumes du lit de Jody et le traîna dans toute la maison jusqu'à ce qu'il se déchirât, si bien que les plumes se répandirent partout et qu'on en retrouva dans tous les coins pendant plusieurs jours, et jusque dans un plat de pudding. Il commençait à jouer avec les chiens. La vieille Julia était trop digne pour faire autre chose que remuer lentement la queue lorsqu'il la bousculait, mais Rip grognait et courait en rond et faisait semblant de se jeter sur Fanion qui frappait du sabot, levait gaiement la queue, secouait la tête et, finalement, sautant la barrière avec désinvolture, s'élançait tout seul sur la route. Il préférait jouer avec Jody. Ils luttaient et faisaient la course côte à côte jusqu'à ce que Ma Baxter protestât parce que Jody devenait aussi maigre qu'un serpent noir.

Vers la fin de l'après-midi, un des derniers jours d'août, Jody emmena le faon au réservoir où il allait chercher de l'eau fraîche pour le dîner. La route était toute brillante de fleurs. Le soleil se couchait un peu plus tôt maintenant et, au coin de la barrière, là où le vieux chemin espagnol tournait vers le nord en longeant le réservoir, une lumière safranée s'étendait sous les branches basses des chênes-lièges en faisant de la mousse grise un éclatant tapis.

Jody s'arrêta court, la main sur la tête du faon. Un cavalier casqué galopait à travers la mousse. Jody fit un pas en avant, et cheval et cavalier s'évanouirent comme si leur substance n'était pas plus solide que la mousse. Il fit un pas en arrière et ils apparurent de nouveau. Il respira profondément. C'était là certainement l'Espagnol d'Aile-de-Paille. Il ne savait pas s'il avait peur ou non. Il avait envie de courir à la maison en se disant qu'il venait vraiment de voir un fantôme. Mais l'esprit de son père était en lui, et il s'obligea à avancer jusqu'au lieu de l'apparition. En une seconde, la vérité s'imposa à lui.

Un ensemble de feuilles et de rameaux avait créé l'illusion. Il put identifier le cheval, le cavalier et le casque. Son cœur battit de soulagement, et pourtant il était déçu. Il aurait mieux valu ne pas savoir, s'éloigner en conservant son illusion.

Il continua son chemin vers le réservoir. La glycérie était

toujours en fleur, remplissant l'air de parfum. Il s'ennuyait après Aile-de-Paille. Il ne saurait jamais si le cavalier moussu au soleil couchant était l'Espagnol, ou bien si Aile-de-Paille en avait vu un autre, un plus mystérieux, un plus vrai. Il posa ses seaux et descendit l'étroit sentier que Penny avait tracé dans le remblai bien avant sa naissance.

Il oublia ce qu'il était venu faire et s'étendit à l'ombre dentelée d'un cornouiller au pied de la pente. Le faon flaira les alentours, puis s'étendit à côté de lui.

Les yeux de Jody surprirent un mouvement au bord du remblai. Une mère ragondin suivait les auges du réservoir, accompagnée par deux petits. Elle explora attentivement toutes les auges, commençant par celle d'eau potable qui occupait le niveau le plus élevé. Jody avait un bon prétexte à présent pour s'attarder. Ne devait-il pas attendre que l'eau fût redevenue claire et tranquille? La mère ragondin ne trouvait rien d'intéressant dans les auges. Un des petits grimpa sur le rebord de celle qui servait d'abreuvoir au bétail et l'examina avec curiosité. D'une tape, sa mère l'écarta du lieu dangereux.

Elle suivait le remblai. Parfois elle disparaissait parmi les hautes fougères. Parfois son visage masqué de noir pointait de nouveau entre les tiges. Les deux petits la suivaient, leurs fins museaux, répliques du sien, leurs queues touffues dressés avec presque autant de décision.

Elle atteignit l'étang et se mit à pêcher pour de vrai. Ses longs doigts noirs se glissaient sous les rameaux, sous les branches tombées. Elle s'étendit sur le côté pour atteindre un creux où nichait sans doute une écrevisse. Une grenouille bondit, elle se jeta vivement sur elle et remonta sur le bord ramenant sa proie. Elle s'assit sur ses pattes de derrière et la tint un instant contre sa poitrine, tandis que la grenouille se débattait, puis elle y enfonça la dent et se mit à la secouer comme un chien fait d'un rat. Elle la jeta entre ses petits. Ils se précipitèrent dessus en grognant, firent craquer ses os et, finalement, la partagèrent. Elle les regarda, impassible, un instant puis redescendit dans l'étang. Sa queue touffue se dressait au-dessus de l'eau. Les petits nagèrent derrière elle, leur nez pointu hors de l'eau. Elle se retourna, les vit et les repoussa vers la rive. Elle les souleva l'un après l'autre et tapa leur petit derrière fourré d'une façon si humaine que Jody fut obligé de mettre sa main sur sa bouche pour s'empêcher d'éclater de rire. Il la regarda longtemps pêcher et nourrir sa progéniture. Puis elle s'éloigna nonchalamment suivie par ses petits qui criaient et grognaient gentiment ensemble.

Le réservoir était plongé dans l'ombre. Tout à coup, Jody eut l'impression qu'Aile-de-Paille venait tout juste de s'en aller avec les ragondins. Il y avait eu là quelque chose de lui tout le temps que les petites bêtes sauvages mangeaient et jouaient. Quelque chose de lui serait toujours auprès d'elles. Aile-de-Paille ressemblait aux arbres. Il était terrestre à leur manière, avec ses racines tordues et frêles profondément enfoncées dans le sable. Il ressemblait aux changeants nuages, au soleil couchant et à la lune qui se lève. Une partie de lui-même avait toujours été en dehors de son corps difforme. Il était venu et reparti comme le vent. Jody s'avisa qu'il n'avait pas lieu de se sentir isolé loin de son ami. Il pouvait supporter son départ.

Il alla à l'auge d'eau potable, remplit les seaux et prit le chemin de la maison. A table, il parla des ragondins, sa mère elle-même s'intéressa au récit de la correction des petits et personne ne l'interrogea sur son retard. Après le dîner, il resta assis avec son père à écouter les hiboux et les grenouilles et un lointain chat-tigre, et des renards plus lointains encore, et, vers le nord, un loup hurlant auquel d'autres répondaient.

Il essaya d'expliquer à son père les sentiments qu'il avait éprouvés ce jour-là. Penny l'écouta gravement et approuva de la tête, mais Jody ne trouvait pas les mots qui correspondaient exactement à ce qu'il avait ressenti et il n'arriva pas à le faire tout à fait comprendre à son père.

XIX

La première semaine de septembre fut aride et sèche comme de vieux ossements. Seules croissaient les mauvaises herbes. Il y avait une espèce de tension dans la chaleur. Les chiens étaient hargneux. Les serpents rampaient, le temps de leur réclusion et de leur cécité terminé. Penny tua sous la treille un serpent à sonnettes qui mesurait sept pieds de long. Il avait vu les feuilles secouées comme par le passage d'un crocodile et il avait suivi. Le serpent, dit-il, se dirigeait vers les cailles afin de remplir son long ventre en chemin vers son hivernage. Penny fit sécher la grande peau contre le mur de la réserve où l'on fumait la viande, puis il la suspendit dans la grande salle à côté de la cheminée.

Il dit :

— Ça me fait plaisir de la regarder. Je me dis que voilà un de ces bougres-là qui ne fera plus de mal à personne.

La chaleur était plus violente qu'en plein été, mais on y devinait la possibilité d'un changement, on eût dit que la végétation sentait le passage d'une saison et l'annonce d'une autre. Les chaînes-d'or, les asters et les langues-de-cerf se fanaient sous la sécheresse. Les morelles mûrissaient, et les oiseaux les picoraient le long des haies. Toutes les bêtes, disait Penny, avaient du mal à se nourrir. Les baies du printemps et de l'été étaient disparues depuis longtemps.

Les fruits des papayers et les noix de galle n'étaient pas encore mûrs. Les cerfs cherchaient leur nourriture dans les lieux bas et humides, les marécages, les prairies. Ils traversaient rarement l'île Baxter. La chasse était difficile. En l'espace d'un mois, Penny rapporta tout juste un chevreuil d'un an. Ses cornes aiguës étaient encore veloutées. Leur contact ressemblait à celui d'une laine brute. Elles étaient râpées aux endroits où le jeune animal les avait frottées contre les troncs d'arbustes pour calmer l'irritation de leur croissance et hâter leur durcissement. Ma Baxter les mangea bouillies en disant qu'elles avaient un goût de moelle. Penny et Jody n'en avaient pas envie. Ils voyaient trop clairement les grands yeux sous les jeunes cornes.

Les ours se tenaient dans les régions basses. Ils se nourrissaient surtout de choux-palmistes, les arrachant brutalement. On eût dit que le bouquet de palmes autour de la source avait été visité par un ouragan. Les palmiers allaient mourir, disait Penny. Ils ressemblaient à tous les êtres vivants, ils ne pouvaient subsister une fois leur cœur détruit. Une palme basse avait été arrachée de l'extérieur. Le cœur était intact. Penny coupa le cylindre lisse avec son couteau de chasse et le rapporta à la maison pour le faire cuire. Les Baxter en étaient aussi friands que les ours.

— Mais quand ces voyous en auront fini avec les palmistes, dit Penny, ce sera à nous d'ouvrir l'œil. On les verra passer la barrière presque chaque soir. Et ton ami Fanion, tu feras bien de le surveiller de près, surtout la nuit. Je le ferai comprendre à ta mère, si elle te dispute pour ça.

— Est-ce que Fanion n'est pas trop grand déjà pour tenter un ours?

— Un ours tuera n'importe quelle bête, si elle n'est pas capable de lui échapper. Comment, dans la prairie une année, est-ce qu'un ours n'a pas tué mon taureau aussi gros que lui!

Il en a eu à manger pour une semaine. Il y est revenu jusqu'à ce qu'il n'en reste plus rien.

Ma Baxter se plaignait du manque de pluie. Ses tonneaux d'eau étaient vides. Il fallait faire toute la lessive au réservoir.

Elle avait besoin d'eau de pluie également pour cailler le lait. Le lait tournait et rancissait à la chaleur, mais il ne voulait pas cailler. L'été, elle avait toujours besoin de quelques gouttes d'eau de pluie pour cela, et, à chaque averse, elle envoyait Jody jusqu'à un hickory, car l'eau de pluie qui ruisselle des feuilles de l'hickory est celle qui convient le mieux.

Les Baxter observaient anxieusement la lune de septembre. Penny appela sa femme et son fils lorsque parut le premier quartier. Le croissant d'argent était presque perpendiculaire. Penny jubila.

— C'est de la pluie bientôt, pour sûr, leur dit-il. Si la lune était en travers elle repousserait l'eau et on n'en aurait pas. Mais regardez. Il va tellement pleuvoir que tu n'auras qu'à mettre ta lessive dehors et le Seigneur te la lavera.

Il était bon prophète. Trois jours plus tard, tout annonçait la pluie. En passant près de la source Juniper au retour d'une chasse, Jody et lui entendirent beugler les crocodiles. Les chauves-souris volaient en plein jour. Les grenouilles s'appelaient toute la nuit. Au bout de quatre jours un vol d'oiseaux de mer tout blancs passa; Penny abrita ses yeux contre le soleil et les regarda avec inquiétude.

Il dit à Jody :

— Ces bestioles de l'océan n'ont rien à faire en Floride. Je n'aime pas ça. Ça annonce du mauvais temps, et quand je dis mauvais, c'est mauvais que je veux dire.

Jody se sentit léger comme les oiseaux marins. Il aimait l'orage. La tempête balayait magnifiquement la brousse et enfermait la famille comme dans un confortable nid. Le travail devenait impossible et ils restaient assis ensemble tandis que la pluie tambourinait sur le toit. Sa mère était de bonne humeur dans ces moments-là, elle lui faisait des caramels et Penny racontait des histoires.

Il dit :

— J'espère que ce sera un bel ouragan.

Penny se tourna vivement vers lui.

— Ne souhaite pas une chose pareille. L'ouragan abat les récoltes et noie les pauvres marins et arrache les oranges des arbres. Et vers le Sud, eh bien, petit, il renverse les maisons et tue froidement les gens.

Jody dit, un peu confus :

— Je ne le souhaiterai plus. Mais le vent et la pluie, c'est joli.

— Très bien. Le vent et la pluie, ça c'est autre chose.

Le soleil s'éteignit bizarrement ce soir-là. Le couchant n'était pas rouge, mais vert. Le soleil disparu, l'occident tourna au gris. L'orient fut envahi par une lumière de la couleur du jeune blé. Penny secoua la tête.

— Je n'aime pas ça. Ça a l'air joliment méchant.

Pendant la nuit, une rafale de vent fit claquer les deux portes. Le faon vint trouver Jody dans son lit et enfonça son museau contre sa joue. L'enfant le fit monter sur son lit près de lui. Le matin cependant se leva clair, mais l'orient était couleur de sang. Penny passa la matinée à réparer le toit de la réserve où l'on fumait la viande. Il fit deux voyages au réservoir, en rapportant de quoi remplir d'eau potable tous les baquets disponibles. A la fin de la matinée, le ciel devint gris et ne changea plus. Il n'y avait pas un souffle d'air.

Jody demanda :

— Est-ce que c'est un ouragan qui vient?

— Je ne crois pas. Mais c'est quelque chose de pas naturel.

Au milieu de l'après-midi, les cieux s'assombrirent tellement que la volaille rentra au poulailler. Jody reconduisit

Trixie et son veau à l'étable et Penny se mit en devoir de la traire de bonne heure. Il enferma le vieux César dans l'écurie et jeta une brassée de ce qui restait de fourrage dans sa mangeoire.

Penny dit

— Va ramasser les œufs. Je rentre à la maison. Dépêche-toi si tu ne veux pas être surpris.

Les poules ne pondaient guère et il y avait trois œufs seulement dans les nids déserts du poulailler. Jody grimpa dans l'aire où la vieille Barred Rock pondait. L'avoine de l'autre récolte craquait sous ses pieds. L'air sec et odorant était lourd. Il se sentit oppressé. Il y avait deux œufs dans le nid, il glissa les cinq dans sa chemise et prit le chemin de la maison. Il n'avait pas été saisi de la même hâte que son père. Tout à coup, dans le silence du faux crépuscule, il eut peur. Un lourd grondement retentissait au loin. Tous les ours de la brousse, réunis au bord de la rivière, auraient pu rugir ainsi. C'était le vent. Jody l'entendit s'approcher, venant du nord-est, aussi distinctement que s'il marchait sur d'énormes pieds palmés, frôlant au passage la cime des arbres. On eût dit qu'il franchissait d'un seul bond le champ de blé. Il frappa les arbres de la cour avec un sifflement, et les mûriers penchèrent leurs rameaux jusqu'au sol, et l'arbre à chapelets craqua de toutes ses branches sèches. Le vent passa au-dessus de Jody avec un bruissement qui ressemblait à celui des ailes d'une multitude d'oies volant très haut. Les pins gémirent. Puis vint la pluie.

Le vent était passé dans les nues. La pluie était une muraille compacte joignant le ciel à la terre. Jody y fonça comme on plonge d'une grande hauteur. Elle le repoussa et lui fit perdre l'équilibre. Un second vent semblait à présent étendre de longs doigts musclés à travers la muraille de pluie pour tout renverser sur son passage. Il souffla dans sa chemise, dans sa bouche, dans ses yeux, dans ses oreilles et essaya de l'étrangler. Jody n'osait pas laisser les œufs glisser dans sa chemise. Il recourba un bras sur sa taille pour les soutenir, leva l'autre pour se protéger le visage et courut vers la cour. Le faon attendait, frémissant. Sa queue, humide et plate, pendait, et ses oreilles étaient basses. Il courut à Jody et essaya de s'abriter derrière lui. Jody contourna la maison et courut à la porte de derrière. Le faon bondissait à sa suite. La porte de la cuisine était fermée. Le vent et la pluie faisaient tellement rage qu'il ne pouvait pas l'ouvrir. Il frappa contre le bois. Pendant un moment, il crut qu'on ne l'entendrait pas au milieu du tumulte, et que lui et son faon allaient rester dehors pour être noyés par ce déluge comme des oiseaux perdus. Puis Penny leva le verrou de l'intérieur et poussa la porte qui s'ouvrit dans la tempête. Jody et le faon bondirent dans la maison. Jody s'arrêta, haletant. Il essuya les larmes de ses yeux.

Le faon battait des paupières.

Penny dit :

— Qui est-ce qui avait dit qu'il souhaitait ça?

Jody dit :

— Si mes vœux se réalisaient toujours aussi vite, je ferais bien attention avant de souhaiter quelque chose.

Ma Baxter dit :

— Va tout de suite changer de vêtements. Tu n'aurais pas pu enfermer ce faon avant de rentrer?

— On n'avait pas le temps, M'man. Il était mouillé et il avait peur.

— Bon... Tant qu'il ne fera pas de dégâts. Mais ne mets pas ta culotte neuve. Tu en as une ici, trouée comme une écumoire, ça suffit bien pour la maison.

Penny dit, tandis qu'il s'éloignait :

— N'est-ce pas qu'il ressemble à un jeune héron? Il ne lui

manque que des plumes au derrière. Bon Dieu, comme il a grandi depuis le printemps!

Elle dit :

— Je crois qu'il sera assez beau garçon, à condition que ses taches de rousseur s'effacent, que ses cheveux veuillent bien rester en place, et que ses os se couvrent d'un peu de viande.

— Encore quelques changements, approuva Penny d'un air innocent, et il aura, Dieu merci, toute la beauté des Baxter.

Elle le regarda d'un air de défi.

— Ou peut-être la beauté des Alverse, ajouta-t-il.

— Ça vaudrait mieux. Tu fais bien de changer de refrain.

— Je n'avais pas l'intention de nous disputer, chérie, quand nous voilà enfermés au nid ensemble par l'orage.

Elle rit avec lui. Jody qui les entendait de sa chambre ne savait pas s'ils se moquaient de lui, ou s'il y avait vraiment un espoir qu'il embellît.

Il dit à Fanion :

— Toi, au moins, tu me trouves joli, n'est-ce pas?

Fanion appuya son front contre lui. Jody prit cela comme un acquiescement et ils revinrent ensemble à la cuisine.

Penny dit :

— En voilà pour un nord-est de trois jours. Ça vient un peu tôt, mais j'ai déjà vu des changements aussi précoces.

— Comment tu sais que ça durera trois jours, Pa?

— Je n'en signerai pas un papier, mais en général la première tempête de septembre c'est du nord-est de trois jours. Tout le pays change. Et, je crois, plus ou moins, le monde entier. J'ai entendu Olivier Hutto parler de tempêtes de septembre jusqu'en Chine.

Ma Baxter dit :

— Pourquoi est-ce qu'il n'est pas venu nous voir cette fois-ci? Grand-mère Hutto me choque beaucoup, mais j'aime bien Olivier.

— Je suppose qu'il en a assez des Forrester pour un temps et qu'il ne tient pas à passer par ici.

— Ils ne se battront pas avec lui s'il ne les dispute pas, quand même. Il faut être deux pour se battre.

— J'ai peur que les Forrester, Lem tout au moins, se jettent sur lui dès qu'ils le verront. Tant que l'histoire de cette fille ne sera pas classée.

— Voyez-moi ça! Personne ne se conduisait comme ça quand j'étais jeune.

— Non, dit Penny, il n'y a jamais que moi qui t'aie demandée.

Elle leva le balai en affectant la menace.

— Mais, mon chou, dit-il, les autres étaient moins malins que moi, c'est pour ça.

Il y avait un chant dans le vent aux battements féroces. Un gémissement pitoyable résonnait contre la porte. Penny alla voir. Rip avait trouvé un suffisant abri, mais la vieille Julia était là, trempée et frissonnante. Peut-être aurait-elle pu trouver un abri, elle aussi, mais elle aspirait à un réconfort moins matériel. Penny la fit entrer.

Ma Baxter dit :

— Tu n'as plus qu'à aller chercher Trixie et le vieux César, et comme ça tu seras content.

Penny dit à Julia :

— Jalouse du petit Fanion, hein? Mais tu es une Baxter depuis plus longtemps que Fanion. Allons, viens te sécher.

Elle agita la queue et lui lécha la main. Jody était tout heureux d'entendre son père inclure le faon dans la famille. Fanion Baxter...

Ma Baxter dit :

— Comment, vous autres hommes, vous pouvez vous mettre à aimer une bête stupide, voilà ce que je ne comprends pas. Appeler un chien par ton propre nom... Et ce faon qui couche dans le lit de Jody.

Jody dit :

— Je ne le considère pas comme une bête, M'man. Il me semble que c'est un garçon.

— Bah, c'est ton lit, après tout. Tant qu'il n'y amène pas de puces ou de tiques...

Il s'indigna.

— Regarde-le, Maman! Regarde ce poil comme il est propre. Sens-le, Maman.

— Je n'en ai aucune envie.

— Mais il sent bon.

— Une vraie rose, sûrement. Eh bien, pour moi, du poil mouillé, c'est toujours du poil mouillé.

— Moi, j'aime l'odeur du poil mouillé, dit Penny. Je me rappelle un jour, pendant une chasse qui a duré longtemps, je n'avais pas de veste et le temps a tourné au froid. C'était là-haut vers la source salée. Bon Dieu, qu'il faisait froid! Et on a tué un ours, et je l'ai dépouillé soigneusement et j'ai dormi sous sa peau, le poil en dehors. Et pendant la nuit il s'est mis à pleuvoir à torrent et j'ai sorti mon nez, et j'ai senti cette fourrure mouillée. Les autres, Noey Ginright et Bert Harper, et Milt Revells, ils disaient que je puais tout simplement, mais j'ai renfoncé ma tête sous la peau d'ours et j'avais aussi chaud qu'un écureuil dans un arbre creux, et ce poil d'ours mouillé sentait meilleur pour moi que le jasmin jaune.

La pluie tambourinait sur le toit. Le vent sifflait sous les portes. La vieille Julia était étendue par terre à côté du faon. La tempête apportait avec elle cette intimité à laquelle Jody avait aspiré. Il décida, par-devers lui, qu'il en souhaiterait une autre dans une semaine ou deux. De temps à autre, Penny allait regarder par la fenêtre dans la nuit.

Le souper fut abondant. Il y avait du cerfeuil, du pâté de gibier fumé et des biscuits. Tous les prétextes étaient bons pour inciter Ma Baxter à faire quelques extras, on eût dit que la farine et les épices étaient ses véritables moyens d'expression. Elle donna de ses propres doigts un morceau de biscuit à Fanion. Jody, plein d'une secrète gratitude, l'aida à faire la vaisselle. Penny alla se coucher de bonne heure, car ses forces n'étaient pas encore complètement revenues, mais il ne s'endormit pas tout de suite. Il laissa la chandelle allumée dans sa chambre et Ma Baxter y porta son ravaudage. Jody s'étendit au pied du lit. La pluie sifflait contre la fenêtre.

Il dit :

— Pa, raconte-moi une histoire.

Penny dit :

— Je t'ai raconté toutes les histoires que je connais.

— Non, tu en sais toujours d'autres.

— Eh bien, la seule qui me revienne et que je ne t'aie pas encore racontée n'est pas tout à fait une histoire. Je ne t'ai jamais parlé du chien que j'avais à mon arrivée dans la clairière? Ce chien qui réfléchissait froidement?

Jody se laissa rouler plus près sur l'édredon.

— Raconte.

— Eh bien, Monseigneur, ce chien était moitié fox, moitié limier, moitié chien ordinaire. Il avait de longues oreilles tristes qui traînaient presque par terre et les jambes si courtes qu'il ne pouvait même pas traverser un champ de patates. Il avait de drôles d'yeux lointains qui regardaient on ne sait où, et ces yeux-là m'avaient presque donné envie de l'échanger. Bon, je l'ai emmené à la chasse quelquefois, et j'ai commencé à me dire qu'il ne se conduisait comme aucun autre chien de ma connaissance. Il quittait une piste de félin ou de renard au beau milieu, et allait se coucher. Les premières fois qu'il a fait ça, je me suis dit que c'était comme si je n'avais pas de chien.

Et puis, voilà que je me suis avisé qu'il savait ce qu'il faisait. Jody, mon gars, va me chercher ma pipe.

L'interruption était horripilante. Jody courut chercher la pipe et le tabac.

— Ça va, petit. Assieds-toi par terre ou sur une chaise et laisse mon lit tranquille. Chaque fois que je dis " piste " ou " chasse ", tu sautes et ça secoue les ressorts. Ça va mieux...

— Donc, Monseigneur, j'étais obligé de m'arrêter quand mon chien s'arrêtait, pour voir ce qu'il faisait. Maintenant, tu sais comment un chat sauvage ou un renard arrive à duper la plupart des chiens? En revenant sur ses propres traces. Il commence par prendre une bonne distance sur les chiens. Puis, qu'est-ce qu'il fait? Il fait volte-face. Il revient sur ses pas aussi loin qu'il l'ose, écoutant tout le temps le bruit des chiens, puis il s'éloigne en biais, de sorte que l'image de sa piste ressemble à un grand V, comme en font les canards en volant. Alors, les chiens suivent la piste qu'il a faite pour commencer, particulièrement forte, puisqu'il y est passé deux fois, puis ils arrivent à un endroit où il n'y a plus de piste du tout. Ils flairent et ils flairent tant qu'ils peuvent autour et quand ils n'y comprennent plus rien, ils reviennent sur leurs pas. Bien entendu, ils rencontrent alors le tournant où le renard ou le chat a changé de direction. Mais ça fait bien du temps perdu et neuf fois sur dix, le chat ou le renard s'en est tiré. Et maintenant, qu'est-ce que tu crois que mon chien aux oreilles tombantes faisait?

— Dis-le.

— Il calculait, voilà ce qu'il faisait. Il calculait à peu près le moment où la bête allait revenir, et il se couchait à côté de la piste pour attendre. Et quand M. Renard ou M. Chat revenait, il y avait mon vieux Dandy tout prêt à se jeter sur lui.

" Bien sûr, quelquefois il s'arrêtait trop tôt, et comme

ses longues oreilles tombaient quand il s'apercevait qu'il s'était trompé! Mais, la plupart du temps, il devinait juste, et il m'a attrapé plus de chats sauvages et de renards qu'aucun chien que j'aie jamais eu avant ou après lui. »

Il tira sur sa pipe. Ma Baxter approcha son fauteuil de la chandelle. C'était décevant de voir l'histoire déjà finie.

— Et qu'est-ce qu'il faisait encore, ce vieux Dandy, dis, Papa?

— Eh bien, un jour, il a trouvé son égal.

— Un chat ou un renard?

— Ni l'un ni l'autre. Un grand vieux cerf, aussi malin pour un cerf que lui pour un chien. C'était un cerf avec un andouiller tordu. Chaque année il se recourbait un peu plus. Les cerfs n'ont pas pour habitude de revenir sur leurs pas. Mais ce cerf-là le faisait de temps en temps. Et c'est bien ça qui plaisait à ce vieux rusé de chien. Mais voilà où il n'a pas été à la hauteur. Le cerf faisait tout le contraire de ce que le chien imaginait qu'il ferait. Une fois, il revenait sur sa piste. Une autre fois, il continuait à courir. Il changeait de manœuvre comme de chemise. Ça a continué comme ça des années, le chien et le cerf rivalisant de malice.

— Qui était le plus malin, Papa? Comment est-ce que ça a fini?

— Tu tiens à le savoir?

Il hésita. Il désirait que le chien aux longues oreilles fût vainqueur du cerf, et pourtant il désirait le sauvetage de celui-ci.

— Oui, oui, je tiens à le savoir. J'y tiens!

— Bon, eh bien, il n'y a pas de conclusion à l'histoire : le vieux Dandy n'a jamais eu le cerf.

Jody poussa un soupir de soulagement. Quelle belle histoire! Il pourrait y penser longtemps et il se représenterait le chien sur la piste du cerf perpétuellement.

Il dit :

— Raconte encore une autre histoire comme ça, Papa, une histoire qui ne finit pas, pour que tout le monde soit content.

— Mais, c'est, petit, qu'il n'y a pas beaucoup d'histoire comme ça sur la terre. Il faut te contenter de celle-là.

Ma Baxter dit :

— Je ne suis pas beaucoup pour les chiens, mais il y a eu une fois un chien qui me plaisait. C'était une chienne et elle avait un très joli poil. J'ai dit au type à qui elle appartenait : " Quand elle aura des petits ", que je lui ai dit, " j'aimerais en avoir un ". Il a dit : " Moi je veux bien, mais ça n'ira pas parce que vous ne l'enverrez pas à la chasse ". Je n'étais pas encore mariée avec ton père, " et un chien comme ça dépérit s'il ne chasse pas " qu'il a dit. " C'est un chien de chasse? " que j'ai dit, et il a dit : " Pour sûr ". Alors j'ai dit : " Eh bien, pour sûr que je n'en veux pas, un chien de chasse, ça gobe les œufs. "

Jody attendait avidement la suite de l'histoire, puis il comprit que c'était fini. Toutes les histoires de sa mère étaient ainsi. On eût dit des chasses où rien n'arrivait. Il se mit à penser au chien qui était plus malin que les chats sauvages et les renards mais qui n'avait jamais attrapé le cerf.

Il dit :

— Je parie que Fanion sera malin quand il sera grand.

Penny dit :

— Qu'est-ce que tu feras si les chiens de quelqu'un d'autre se mettent après?

Sa gorge se contracta.

— Je tuerai n'importe quel chien, ou n'importe quel homme qui viendrait ici pour le chasser. Mais personne ne viendra, n'est-ce pas?

Penny fit gentiment :

— On le tambourinera partout, pour que les gens fassent attention. Il ne va pas courir bien loin pour l'instant.

Jody décida de garder son fusil toujours chargé contre les maraudeurs. Il dormit cette nuit-là avec Fanion sur son lit à côté de lui. Le vent secoua toute la nuit les battants des fenêtres et il dormit mal, rêvant de chiens adroits qui couraient impitoyablement le faon à travers la pluie.

Au matin, il trouva Penny vêtu comme en hiver, avec sa grosse veste, et une écharpe sur la tête. Il s'apprêtait à sortir dans la tempête pour aller traire Trixie, la seule besogne absolument nécessaire pour le moment. La pluie tombait toujours avec la même violence.

Ma Baxter dit :

— Fais vite et reviens tout de suite, sinon tu mourras de pneumonie.

Jody demanda :

— Laisse-moi venir ", mais Penny dit : " Le vent te renverserait, petit. "

Jody regarda la petite charpente de son père penchée contre les rafales en se disant qu'il n'avait pas grand-chose à lui envier sur le chapitre de la stature et de la solidité. Penny revint, trempé et haletant, avec son seau rempli d'un lait tacheté de pluie.

Il dit :

— Et moi qui ai rapporté de l'eau hier!

La journée continua comme elle avait commencé. La pluie tombait à torrents, et le vent la jetait sous les poutres, si bien que Ma Baxter dut disposer des marmites et des seaux pour la recueillir. Les tonneaux placés dehors débordaient et l'eau qui dégoulinait du toit s'y joignait avec un clapotis. La vieille Julia et le faon avaient été mis de force dehors. Ils furent bientôt de retour à la porte de la cuisine, mouillés et frissonnants. Cette fois, Rip était avec eux, gémissant. Ma Baxter protesta mais Penny les fit entrer tous les trois. Jody les sécha en les frottant avec un sac devant le feu.

Penny dit :

— Il va y avoir une éclaircie.

L'éclaircie ne venait pas. De temps à autre on eût dit que la pluie et le vent diminuaient d'intensité. Penny se levait alors de sa chaise avec espoir et regardait dehors. Mais il n'avait pas plus tôt décidé de se risquer dehors pour couper du bois et s'occuper de la volaille que le déluge reprenait aussi violent qu'auparavant. Vers la fin de l'après-midi, il retourna traire Trixie, faire boire et manger César et les poules terrorisées incapables de gratter la terre pour y trouver leur pitance. Ma Baxter lui fit immédiatement changer de vêtements. Ils séchèrent en fumant devant le feu avec une odeur douceâtre de laine mouillée.

Le dîner fut moins copieux que la veille. Penny n'était pas en veine d'histoires. Les chiens eurent la permission de dormir dans la maison, et la famille alla se coucher de bonne heure. La nuit était tombée très tôt et l'on n'eût pu dire l'heure. Jody se réveilla à ce qui, en temps normal, eût été une heure avant le jour. Le monde était sombre et la pluie continuait à tomber, le vent à souffler.

Penny dit :

— On aura un répit ce matin. C'est bien un nord-est de trois jours, mais quelle pluie ! Je serai content de revoir le soleil.

Le soleil ne parut pas. Il n'y eut pas de répit dans la matinée. L'après-midi, vint l'éclaircie que Penny attendait la veille. Mais ce fut une éclaircie grise sur le toit ruisselant, les arbres trempés, la terre humide et molle. Les poulets sortirent pendant quelques instants et picorèrent sans ardeur.

Penny dit :

— Il va y avoir un changement de vent, et tout sera clair et beau.

Le changement se produisit. Le ciel gris tourna au vert. Le vent grondait au loin. Quand il s'approcha, ce n'était pas du nord-est qu'il venait, mais du sud-est et il apporta de nouveau de la pluie.

Penny dit :

— Je n'ai jamais vu ça! Ça doit être comme ça que le Seigneur s'y est pris pour créer l'océan!

Ma Baxter dit :

— Chut! tu seras puni.

— Qu'est-ce qui pourrait bien m'arriver de pire comme punition? Les pommes de terre sont pourries, le blé aplati, le foin détruit et la canne à sucre aussi.

La cour était une mare. Jody regarda par la fenêtre et vit deux oiseaux noyés flottant le ventre en l'air.

Penny dit :

— J'ai vu des choses dans ma vie, mais je n'avais jamais vu une chose pareille.

Jody proposa d'aller au réservoir chercher de l'eau potable.

Penny dit :

— Ça sera toujours de l'eau de pluie, et de la boue jusqu'en haut de tes bottes.

Ils burent de l'eau de pluie recueillie dans une marmite sous le coin nord-ouest de la maison. Elle avait un arrière-goût de bois qui lui venait des poutres de cyprès. Le soir, ce fut Jody qui s'occupa du bétail. Il sortit par la porte de la cuisine, le seau à lait à la main, et se trouva dans un monde nouveau. C'était un monde désolé, abandonné, comme à l'origine des temps ou à la fin. La végétation était abattue. Un ruisseau coulait sur la route, et une barque à fond plat aurait pu la descendre ainsi jusqu'à Silver Glen. Les pins familiers ressemblaient à des arbres au fond de la mer, noyés non de simple pluie, mais de marées et de courants. Dans l'étable, située plus bas que la maison, il eut de l'eau jusqu'aux genoux. Trixie avait démoli la barrière qui la séparait de son veau et elle l'avait emmené dans un coin surélevé. Ils se serraient l'un contre l'autre. Le veau avait pris presque tout le lait et Jody n'en tira guère.

Le lendemain matin n'amena pas d'apaisement. Penny arpentait la cuisine de long en large.

Il dit :

— Mon père parlait d'une tempête dans les années cinquante qui a été très dure, mais je ne crois pas qu'on ait vu une telle pluie dans toute l'histoire de Floride.

Les jours passaient sans apporter de changement. Ma Baxter se désintéressait généralement des questions météorologiques, mais maintenant elle pleurait et restait assise à se balancer, les mains croisées. Le cinquième jour, Penny et Jody firent une sortie jusqu'au champ afin d'y cueillir assez de pois pour un ou deux repas. Les cosses étaient aplaties. Ils en cueillirent des branches entières, le dos contre la pluie et le vent. Ils s'arrêtèrent à la réserve pour y prendre un morceau de la viande salée de l'ours que Buck Forrester avait tué la dernière nuit qu'il avait passée chez eux. Penny se rappela que sa femme était à court de graisse pour la cuisine. Ils ouvrirent le pot qui contenait la graisse d'ours dorée et en remplirent un mortier de pierre. Ils posèrent le morceau de viande par-dessus pour la protéger et coururent à la maison.

Les cosses de pois commençaient déjà à pourrir, mais les pois à l'intérieur étaient encore fermes et bons. Le souper fut de nouveau un festin. Il y avait le miel sauvage comme renfort, et Ma Baxter fit un gâteau qu'elle sucra avec ce miel savoureux, à l'arrière-goût de bois et de fumée.

Penny dit :

— Ça ne paraît pas croyable que ça ne s'éclaircisse pas demain, mais si ça n'arrive pas, toi et moi, Jody, on fera mieux de foncer dedans et de cueillir tous ce que nous pourrons de pois.

Ma Baxter dit :

— Et comment est-ce que je les garderai?

— Tu les feras cuire d'abord s'il le faut, et puis tu en réchaufferas chaque jour.

Le matin du sixième jour fut exactement semblable aux précédents. Sachant qu'ils seraient trempés de toute façon, Penny et Jody enfilèrent leurs culottes et s'en allèrent aux champs avec des sacs. Ils travaillèrent jusqu'à midi sous des torrents de pluie, cueillant les tiges glissantes des buissons. Ils rentrèrent déjeuner en hâte et retournèrent à leur tâche sans même prendre la peine de changer de vêtements. Ils cueillirent presque tout le champ. Le foin, dit Penny, serait complètement perdu, mais ils feraient ce qu'ils pourraient pour sauver les pois. Ils passèrent une longue veillée à écosser les pois mouillés qui s'écrasaient. Ma Baxter fit un feu doux et les éparpilla devant l'âtre, tout près de la flamme qui devait les sécher. Jody fût réveillé plusieurs fois dans la nuit par le bruit du feu qu'on ranimait dans la cuisine.

Il n'y eut aucune différence entre le matin du septième jour et celui du premier. Le vent soufflait en rafales autour de la maison, on eût dit qu'il soufflait ainsi depuis toujours et pour toujours. Le bruit de la pluie sur le toit et dans les tonneaux était devenu si familier qu'on ne l'entendait plus. Au petit jour, une branche de l'arbre à chapelets craqua et tomba.

Les Baxter prirent leur petit déjeuner en silence.

Penny dit :

— Les épreuves envoyées à Job étaient encore pires.

Ma Baxter ironisa :

— Il faut toujours voir le bon côté des choses.

— Il n'y a pas de bon côté là-dedans. Si ce n'est d'enseigner l'humilité à l'homme en lui rappelant qu'il n'est rien sur terre qu'il puisse se vanter de posséder.

Après le petit déjeuner, il emmena Jody au champ de blé. Le blé avait été fauché avant la tempête. Les tiges étaient aplaties sur le sol mais les épis étaient intacts. Ils les rassemblèrent et les apportèrent également dans l'abri sec et chaud de la cuisine.

Ma Baxter dit :

— Les pois ne sont même pas encore secs. Comment est-ce que je vais faire sécher tout ça?

Penny ne répondit pas mais alla dans la pièce du devant et alluma un feu dans la cheminée. Jody sortit pour chercher du bois. Le bois était tout mouillé, mais une fois les petits fagots chauffés, il se mit à brûler tout de même. Penny éparpilla les épis de blé par terre.

Il dit à Jody :

— Maintenant tu vas t'occuper de les changer, de façon qu'ils reçoivent tous un brin de chaleur.

Ma Baxter dit :

— Comment est la canne à sucre?

— Plate.

— Et qu'est-ce que tu crois qui est arrivé aux patates?

Il secoua la tête. Vers la fin de l'après-midi, il alla au champ de patates et en arracha pour le dîner. Elles commençaient à pourrir, mais furent mangeables, une fois grattées. Le souper fut de nouveau très copieux grâce aux patates.

Penny dit :

— S'il n'y a pas de changement demain matin, on fera aussi bien de cesser de se débattre, et de s'étendre pour mourir.

Jody n'avait jamais entendu son père parler avec un tel découragement. Cela le glaça. Fanion commençait à présenter des signes de sous-alimentation. Ses côtes et sa colonne vertébrale apparaissaient. Il bêlait souvent. Penny avait abandonné toute tentative pour traire la vache, laissant le lait au veau.

Au milieu de la nuit, Jody se réveilla et crut entendre son père près de lui. Il lui sembla que la pluie était moins violente. Il se rendormit avant de s'en être assuré. Il se réveilla au matin du huitième jour. Il y avait quelque chose de changé. Le silence remplaçait le tumulte. La pluie avait cessé. Les longs sifflements du vent s'étaient tus. Une lueur de la couleur des fleurs de grenade perçait à travers l'atmosphère humide et grise. Penny ouvrit, toutes grandes, portes et fenêtres.

— Ce n'est pas un monde où il va faire très bon sortir, dit-il, mais sortons tous quand même et soyons heureux qu'il reste un monde après tout.

Les deux chiens les dépassèrent en courant côte à côte. Penny sourit.

— On croirait la sortie de l'arche, dit-il. Des animaux deux par deux... Ory, viens avec moi.

Jody se mit à sautiller, et descendit le perron d'un bond, avec le faon.

— Nous sommes deux chevreuils, cria-t-il.

Ma Baxter regarda vers les champs et se mit à pleurer. Mais Jody trouvait l'air frais et doux et plein de grâces. Le faon était de son avis et sauta la barrière de la cour sur ses chevilles fines et lestes. Le monde était dévasté par le déluge, mais c'était tout de même, comme Penny ne se lassait pas de le répéter à sa femme, le seul monde qu'ils eussent.

XX

Le second jour après la tempête, Buck et La Meule Forrester vinrent à cheval voir si tout allait bien chez les Baxter. Jamais, disaient-ils, leur génération n'avait vu spectacle comparable à celui qui leur était apparu sur la route. Le déluge avait fait des ravages parmi les petits animaux. On décida que tous quatre, Buck, La Meule, Penny et Jody iraient faire un tour d'exploration de quelques kilomètres à la ronde, de façon à se rendre compte de ce qu'on pouvait attendre du proche avenir, d'après les mouvements, non seulement du gibier, mais aussi des rongeurs. Les Forrester avaient amené deux chiens et un cheval de surplus; ils demandèrent que Rip et Julia se joignissent à eux. Jody était tout excité de faire partie de l'expédition.

Il demanda :

— Est-ce que Fanion peut venir aussi?

Penny lui répondit sèchement.

— C'est sérieux, dit-il. Je t'emmène avec nous pour t'apprendre. Si tu t'attends à batifoler, tu peux rester à la maison.

Jody baissa la tête. Il s'en alla enfermer Fanion dans le hangar. Le sol sablé était encore mouillé et le hangar sentait l'humidité, mais il fit une litière de sacs où le faon serait au sec. Il mit près de lui de l'eau et de quoi manger, au cas où son absence se prolongerait.

— Tu vas rester bien tranquille, lui dit-il, et je te raconterai tout ce que j'aurai vu, quand je reviendrai.

Les Forrester étaient, comme toujours, bien fournis de munitions. Penny avait passé deux soirées pendant la tempête à préparer du petit plomb et à remplir ses cartouches. Il en avait pour un mois. Il remplit son sac et polit le canon de son fusil.

Il dit aux Forrester :

— Je vous ai fait une sale blague en vous échangeant ce mauvais chien contre ce fusil. Aussi, si le cœur vous en dit, vous pouvez vous en servir.

Buck dit :

— Il n'y a que Lem chez nous qui serait assez mesquin pour le reprendre, Penny. Il était devenu tellement assommant pendant la tempête que j'ai été obligé de le dresser.

— Où est-il?

Buck cracha.

— Il est allé à la rivière; il craignait qu'il soit arrivé du mal à cette espèce de garce de Twinck. Il espère se remettre bien avec elle et prendre la place d'Olivier. Mais cette fois, il se battra seul.

On décida de faire un large cercle qui embrasserait les îlots Baxter et Forrester, la source Juniper, la prairie, et le bon terrain habité par les cerfs, celui où le bois de chênes-lièges qui s'élevait au milieu des marécages avait dû offrir un refuge aux animaux. Sauf pour une crête qui montait vers l'ouest, dans la direction de la rivière d'Ocklawaha, le terrain de l'île Baxter était le plus haut de la brousse. Mais il descendait de toutes parts vers le pays, et le cercle qu'ils avaient déterminé leur donnerait une vue juste des choses. Ils essayeraient d'être de retour à l'îlot pour dormir, mais si cela n'était pas possible, ils camperaient où la nuit les surprendrait. Penny remplit soigneusement un havresac. Il y mit une poêle à frire, du sel, de la farine, un morceau de lard et un paquet de tabac. Dans un autre sac, il enferma un petit pot de saindoux et un flacon d'huile de panthère qu'il gardait précieusement pour ses rhumatismes. Les sorties sous la tempête les avaient ranimés avec une intensité cruelle. Il n'avait pas de viande pour les chiens.

Buck dit :

— On trouvera bien quelque chose à tuer pour eux.

Enfin, ils furent prêts. Ils sautèrent en selle et partirent au trot vers le sud-est dans la direction de Silver Glen et du Lac George.

Penny dit :

— Tant qu'à faire, on est si près, on devrait aller voir comment va le vieux docteur Wilson. Sa maison doit être dans l'eau.

Buck dit :

— Et lui, peut-être bien, trop saoul pour s'en apercevoir.

Entre l'îlot Baxter et Silver Glen, la route descendait en pente raide. L'eau s'y était précipitée avec un tel volume et une telle force que le chemin de sable n'était plus qu'un étroit ravin. Des débris de toutes sortes s'étaient pris dans les branches basses des arbres. A mesure que la route descendait, on commençait à apercevoir des vestiges d'animaux. C'étaient les skunks et les opossums qui semblaient avoir le plus souffert. Leurs cadavres gisaient par douzaines sur le sol où les eaux, en se retirant, les avaient déposés, quand ils ne restaient pas accrochés aux branches des arbres parmi les détritus. Vers le sud et l'est, c'était le grand silence. La brousse était toujours silencieuse, mais Jody s'apercevait aujourd'hui qu'une espèce de fond sonore fait d'appels et de mouvements de bêtes aussi confus que le vent l'emplissait d'habitude. Au nord où la haute brousse était couverte de pins, s'élevait un bruissement, un ramage lointain. Les écureuils y avaient sans doute élu domicile en troupes, chassés sinon par l'eau du moins par la faim et la peur, hors des marécages des basses terres.

Penny dit :

— Je parierai que cette brousse-là pullule de bêtes.

Ils hésitèrent, prêts à explorer dans cette végétation dense. Mais ils convinrent qu'il valait mieux s'en tenir à leur premier projet qui était de contourner les basses régions afin de mesurer les dégâts, et de retourner ensuite examiner les populations animales, encore en vie. Vers Silver Glen, ils retinrent leurs chevaux.

— Vous voyez ça?

— Si vous ne le voyiez pas aussi, je n'en croirais pas mes yeux.

Silver Glen avait été inondé. Des animaux morts flottaient dans l'énorme bassin qui s'y était formé.

Penny dit :

— Je n'aurais pas cru qu'il y avait autant de serpents dans le monde.

Les cadavres des reptiles étaient aussi serrés que des roseaux. Il y en avait de toutes les espèces.

Buck dit :

— Je ne comprends pas. Tous les serpents savent nager. J'en ai rencontré un à sonnettes, une fois, au milieu de la rivière.

Penny dit :

— Oui, mais ils ont dû être surpris dans les trous.

L'eau s'était insinuée partout, comme les doigts fureteurs d'un ragondin, et avait tout arraché sur son passage. Un faon noir gisait, le ventre enflé. Le cœur de Jody battit. Fanion aurait peut-être péri ainsi, s'il n'était devenu à temps un Baxter. Tandis qu'ils regardaient alentour, deux serpents à sonnettes rampèrent sur le sol devant eux. Les serpents ne prirent pas garde à eux, comme si, devant de plus grands dangers, l'homme perdait son importance.

Ils ne pouvaient aller plus loin vers l'est, ils se dirigèrent vers le nord en contournant les eaux basses. Les mares étaient devenues des lacs, les prairies des marais. Seule la haute brousse désertique avait échappé à la dévastation. Même ici, les pins étaient déracinés et ceux qui restaient debout penchaient tous vers l'est, courbés par le vent et la pluie qui avaient déferlé sur eux toute une semaine.

Penny dit :

— Il se passera du temps avant que ces arbres se redressent.

Ils commencèrent à s'inquiéter en approchant de la Bifur. L'eau ici était encore haute, bien au-dessus du niveau du Lac George. Trois ou quatre jours auparavant, elle avait dû être beaucoup plus haute encore. Ils s'arrêtèrent et regardèrent le domaine du docteur qui descendait jusqu'au lac. Les chênes-lièges géants, les hickories, les magnolias, les orangers, plongeaient tous profondément dans une humidité pourrissante.

Penny dit :

— Essayons la route.

Cette route, comme celle qui partait de l'île Baxter vers le sud-est, formait rigole. Elle était sèche à présent. Ils la descendirent. La maison du docteur Wilson apparut ombreuse, sous les grands arbres.

Buck dit :

— Je veux bien être pendu si je sais comment un être humain a pu choisir un lieu aussi sombre pour y habiter et même pour s'y saouler.

Penny dit :

— Si tout le monde aimait les mêmes endroits, il y aurait foule.

Autour de la maison, on avait de l'eau jusqu'à la cheville. Ils se dirigèrent vers le perron en pataugeant. Un chiffon blanc était collé en travers de la porte d'entrée. Il portait un message écrit à l'encre. L'encre s'était délayée, mais l'inscription restait lisible.

Buck dit :

— Nous autres, Forrester, on n'est pas très fort sur la lecture. Lisez-nous ça, Penny.

Penny épela les mots délavés :

" Je m'en vais du côté de l'océan où une telle quantité d'eau paraît moins insolite. J'ai l'intention de ne pas dessouler jusqu'à la fin de la tempête. Je resterai quelque part entre ici et l'océan. Prière de ne pas me chercher, à moins qu'il ne s'agisse d'une fracture de la colonne vertébrale ou d'un bébé. — Le Docteur.

" Et même si c'est une fracture de la colonne vertébrale, inutile... "

Buck, La Meule et Penny éclatèrent de rire, et Jody fit comme eux.

Buck dit :

— Ce docteur-là, il lancerait une blague en pleine figure au Seigneur lui-même.

Penny dit :

— C'est pour ça que c'est un bon docteur.

— Comment ça?

— Eh bien, il arrive à rouler le Seigneur de temps en temps.

Ils rirent jusqu'à tomber par terre. Cela faisait du bien de se laisser aller à l'insouciance quand le monde avait été si longtemps gris et lourd. Ils entrèrent dans la maison et trouvèrent sur la table une boîte de biscuits et une bouteille de whisky qu'ils joignirent à leurs provisions. Ils revinrent à la route et continuèrent leur course vers le nord pendant un ou deux kilomètres, puis tournèrent de nouveau vers l'ouest.

Penny dit :

— Inutile d'aller à la Prairie. C'est sûrement un vrai lac.

Buck et La Meule étaient de son avis. Au sud de la Prairie, ils retrouvèrent le même spectacle. Les animaux les plus faibles et les reptiles avaient été noyés. Au bord d'une espèce de lac, un ours se promenait sans se cacher.

Penny dit :

— Pas la peine de le tuer. On aura peut-être besoin de sa viande dans un mois. Il est trop loin pour qu'on aille le chercher et on aura d'autres occasions de tirer, d'ici ce soir.

Les Forrester acquiescèrent à regret. Pour eux, un coup de fusil était un coup de fusil, même si le gibier était inutilisable. Penny, lui, se refusait à tuer sans raison. Même les ours ennemis, il préférait les abattre quand leur chair était comestible et qu'il en avait besoin. Ils continuèrent leur route vers l'ouest. Là, un long territoire constituait, pendant la belle saison, le domaine favori des ours, des loups et des panthères. Le terrain était toujours marécageux, la végétation basse, et des bois au nord et à l'est fournissaient à la fois nourriture et retraites. A présent, toute cette région n'était plus qu'un lac. Des îlots de chênes-lièges et quelques hauts bouquets de palmes s'en élevaient çà et là.

Tout d'abord, Jody ne vit rien, puis, Penny lui désignant tel ou tel arbre, il se mit à distinguer peu à peu des silhouettes d'animaux. Ils s'approchèrent à cheval. Les bêtes n'en parurent pas effarouchées. Un beau cerf les regardait. La tentation de tirer était irrésistible. Buck l'abattit. Ils s'approchèrent encore. Des chats sauvages et des lynx apparaissaient parmi les branches des arbres. Les Forrester avaient envie de tuer.

Penny dit :

— C'est une pitié d'ajouter encore à leurs malheurs. Il semble qu'il devrait y avoir assez de place dans le monde pour les gens et les bêtes.

La Meule dit :

— On voit bien, Penny, que vous avez été élevé par un pasteur. Vous voudriez voir le lion et l'agneau côte à côte.

Penny lui désigna devant eux un îlot surélevé.

— Eh bien, dit-il, voilà toujours le chevreuil et le chat sauvage.

Mais il fut obligé de reconnaître que tout chat sauvage en liberté, tout lynx, ours, loup ou panthère était synonyme de dévastation pour les porcs, la volaille, le bétail et le gibier plus doux : cerfs, ragondins, écureuils et opossums. C'était un cercle vicieux : " Manger ou être mangé. Tuer ou avoir faim. "

Il se joignit à l'assaut, et six grands chats tombèrent, morts ou blessés. Jody abattit un lynx. Le choc en retour du flingot le fit presque tomber de son cheval, le vieux César. Il mit pied à terre pour recharger son arme. Les Forrester lui donnèrent de petites tapes dans le dos. Les hommes dépouillèrent le cerf. Sa maigre chair témoignait de semaines de privations. Ils jetèrent la bête sur le cheval de Buck. Ils continuèrent leur chemin à pied. Des formes vagues rôdaient à l'autre bout de l'île qu'ils exploraient. C'était une impression étrange d'entendre le bruissement des bêtes, de les voir se cacher.

La fourrure des chats était terne et ne méritait pas d'être conservée.

Penny dit :

— Ces carcasses feront toujours un bon dîner pour les chiens, et facile à transporter.

Les chiens commençaient déjà à mordiller les flancs des chats. Eux aussi avaient été sous-alimentés pendant la tempête. Le milieu de l'après-midi trouva les hommes décidés à poursuivre l'expédition et à camper quand la nuit serait venue. Pendant une heure ou deux, le soleil chauffa. Une odeur de putréfaction s'élevait de la terre mouillée et des eaux. Jody se sentit assez mal à l'aise.

Buck dit :

— Je suis content qu'Aile-de-Paille ne soit pas là en ce moment. Cela lui aurait fait horreur, toutes ces bêtes mortes.

Les ours recommençaient à se montrer. On ne voyait pas de loups, ni de panthères. Ils parcoururent à cheval plusieurs kilomètres de brousse. Les chevreuils et les écureuils étaient extrêmement nombreux dans cette région. Sans doute ne l'avaient-ils jamais quittée, s'y sentant en sûreté. Ils étaient tous très hardis et visiblement affamés. Les Forrester, avides eux aussi et anxieux de fournir de viande les deux familles, tuèrent encore un cerf et le jetèrent sur le cheval de La Meule.

Aux approches du crépuscule, ils retrouvèrent des bosquets de chênes-lièges parmi la brousse. Plus loin, vers le sud, s'étendait la prairie Juniper. Elle devait être inondée. Un peu à l'est, il y avait une bande de terrain, à la fois brousse, prairie, île et marécage... Elle était ouverte comme une clairière. Ils convinrent d'y camper, bien qu'on fût encore à une ou deux heures de la nuit. Aucun d'entre eux ne se souciait de se laisser surprendre par l'obscurité dans les basses terres pestilentielles, grouillantes de reptiles. Ils s'installèrent sous deux pins géants. Cela ne constituait guère un abri, mais la nuit serait claire, et mieux valait, dans ces circonstances anormales, se trouver à découvert.

Ils mirent les chevaux à paître. La Meule avait disparu derrière un buisson. On l'entendit appeler. Les chiens l'avaient suivi sur une des innombrables pistes qui les avaient ensorcelés tout le long du jour. Ils avançaient lentement, épuisés par l'abondance d'odeurs et de traces. La vieille Julia aboya.

Penny dit :

— Ça, c'est du félin.

Les quatre chiens se mirent à aboyer, leurs voix descendaient de l'aigu jusqu'au grondement de la basse de Rip. La Meule appela de nouveau.

Penny dit :

— On dirait que vous n'avez jamais vu de chats sauvages...

Buck dit :

— Il ne crierait pas comme ça pour un chat.

Les aboiements devenaient frénétiques. Penny, Jody et Buck, excités par ce tumulte, s'élancèrent dans les buissons. Un chêne s'y dressait, d'une taille remarquable. A mi-hauteur de son tronc gris et tordu, ils virent le gibier. C'était une panthère femelle avec deux petits. Elle était maigre, décharnée, mais très grande. Les petits portaient encore les taches bleues et blanches du premier âge en travers de leur croupe. C'étaient les plus jolis félins que Jody eût jamais vus. Ils étaient de la taille des chats domestiques adultes. Ils retroussaient leurs délicates moustaches pour imiter les grognements de leur mère. Celle-ci avait un aspect redoutable. Ses dents étaient découvertes, sa longue queue se balançait en avant et en arrière, ses griffes s'enfonçaient dans la branche du chêne. Elle semblait prête à bondir sur la première créature, homme ou chien, qui s'approcherait. Les chiens étaient fous.

Jody s'écria :

— Je veux les petits! Je veux les petits!

La Meule dit :

— Faisons-la tomber et laissons les chiens se jeter sur elle.

Penny répondit :

— Ça vous fera quatre chiens lacérés.

Buck dit :

— Vous avez raison. Mieux vaut l'abattre. — Il tira.

Les chiens étaient sur elle à la seconde même où elle toucha le sol. S'il lui restait une étincelle de vie, elle fut immédiatement étouffée. Buck grimpa à l'arbre et secoua la branche.

Jody cria de nouveau :

— Je veux les petits.

Il était prêt à s'élancer pour les ramasser au moment où ils tomberaient. Il était sûr qu'ils seraient doux. Ils finirent par tomber sous les secousses vigoureuses de Buck. Jody bondit, mais les chiens le devancèrent. Les petits étaient morts, secoués, roulés, avant qu'il pût les approcher. Mais il les vit, dans leur agonie, battre les chiens, les mordre, les griffer. Il se rendit compte qu'il aurait eu des blessures à arborer pour prix de leur capture. Pourtant, il les aurait voulus vivants.

Penny lui dit :

— Dommage, petit. Mais tu ne les aurais pas gardés. Ces gredins-là deviennent vite méchants.

Jody regardait les petites dents féroces.

— Est-ce que je pourrai avoir les peaux pour faire un sac?

— Bien sûr. Ici, Buck, aidez-moi à les arracher aux chiens avant qu'ils les aient mis en miettes.

Jody ramassa les corps inanimés et les prit dans ses bras.

— Je déteste voir mourir, dit-il.

Les hommes étaient silencieux.

Penny dit lentement :

— Nul n'est épargné, petit, si cela peut te consoler.

— Non.

— Écoute, c'est là une muraille de pierre que personne encore n'a réussi à gravir. Tu pourras lui donner des coups de pied et te casser la tête contre, et hurler jusqu'à demain, personne ne t'écoutera et personne ne te répondra.

Buck dit :

— Eh bien, quand ce sera mon tour, sûr que je gueulerai mon content.

Ils écartèrent les chiens de la panthère morte. Elle mesurait neuf pieds, du museau au bout de sa longue queue. Mais elle était trop maigre pour donner de l'huile.

Penny dit :

— Il faudra que je me trouve une panthère grasse ou que je garde mes rhumatismes.

La peau elle-même était pauvre. Ils coupèrent le cœur et le foie pour les faire griller à l'intention des chiens.

Penny dit :

— Pas la peine de continuer à bercer ces petits, Jody. Laisse-les et va chercher du bois. Je vais détacher leur peau pour toi.

Il s'éloigna. Le soir était clair et rosé. Le soleil aspirait l'eau. Des doigts d'ombre reliaient le ciel lumineux à la terre détrempée. Les feuilles sèches des chênes, les fines aiguilles de pin luisaient et il oublia sa détresse. Il y avait beaucoup à faire dans un camp. Tout le bois était mouillé, mais, à force de fureter, il découvrit un pin tombé dont le cœur était plein de résine. Il appela; Buck et La Meule accoururent et traînèrent l'arbre tout entier jusqu'au camp. Allumé, il servirait de base aux autres bûches qu'il sécherait. Ils le coupèrent par le milieu et posèrent les deux longs morceaux côte à côte. Jody se débattait avec le briquet; Penny finit par le lui enlever et, avec sollicitude, fit naître un feu de petit bois entre les grandes bûches. Il y entassa de menues broussailles, vite enflammées. On empila dessus de plus grosses branches. Elles fumaient et s'effritaient, mais finirent par s'embraser. Il y avait à présent un lit de feu sur lequel les bûches les plus humides pouvaient sécher, puis lentement brûler. Jody apportait toutes les branches assez légères pour qu'il pût les porter seul. Il en fit un grand tas prêt à nourrir le feu toute la nuit. Buck et La Meule amenaient des bûches aussi grandes qu'eux.

Penny découpa les filets du cerf le plus gras et les mit à griller pour le dîner. La Meule surgit d'un buisson avec des palmes qui serviraient d'assiettes, de plats et de toutes sortes d'ustensiles de table. Il ramenait aussi deux choux-palmistes. Il en retira pelure après pelure d'écorce blanche et finit par arriver au cœur friand et sucré.

Il dit :

— Je voudrais bien la poêle à frire, s'il vous plaît, monsieur Penny, pour faire cuire mes choux.

Il les coupa en tranches minces.

— Où est la graisse, Penny?

— Dans un pot, au fond du sac.

Jody se promenait de long en large, les regardant faire. Sa fonction à lui était d'entretenir le feu. Les bûches flambaient clair. Il y avait déjà des cendres suffisantes pour la cuisine. Buck prépara des petites baguettes fourchues entre lesquelles on pouvait en poser une autre embrochant les tranches de viande. La Meule alla chercher de l'eau dans une mare voisine pour mettre dans sa poêle de choux, il la couvrit d'un morceau de palme et la mit à cuire sur les braises.

Penny dit :

— Voilà que j'ai oublié le café.

Buck dit :

— Avec le whisky du vieux toubib, on peut s'en passer.

Il sortit la bouteille et la fit circuler. Penny passa des branchettes dans le cœur et le foie de la panthère pour les mettre à rôtir. L'odeur était alléchante. Jody reniflait l'air, reniflait encore et caressait son ventre plat. Penny découpa aussi le foie des cerfs, le disposa soigneusement sur les baguettes en X préparées par Buck et donna à chacun une fourchette afin qu'il pût retourner sa part et en surveiller la cuisson à son goût. Les flammes léchaient la viande destinée aux chiens et l'odeur attira ceux-ci. Ils approchèrent, s'étendirent sur le ventre, remuèrent la queue et gémirent. La chair de chat sauvage ne leur plaisait guère. Ils l'avaient un peu mordillée en guise de victoire. Le foie, ça, c'était autre chose. Ils se léchaient les babines.

Jody fit :

— Je parie que c'est bon !

— Goûte, dit Penny qui en prit un morceau sur le feu et le lui tendit. Attention, c'est encore plus chaud qu'une pomme qu'on sort du four.

Il hésitait devant la nouveauté, puis toucha du doigt la viande chaude et juteuse et la porta à sa bouche.

Il dit :

— C'est bon!

Les hommes se moquèrent, mais il en mangea deux tranches.

Penny dit :

— Il y a des gens qui disent que ça rend intrépide de manger du foie de chat sauvage. On va voir ça.

Buck dit :

— C'est vrai que ça sent bon. Passez-m'en un bout.

Il le goûta et reconnut que cela valait le foie de n'importe quel animal. La Meule en mangea une part, mais Penny refusa.

— Si ça devait me rendre plus brave, dit-il, je serais capable de me jeter sur vous autres Forrester et vous me battriez de nouveau.

Ils firent de nouveau circuler la bouteille. Le feu brillait, la viande ruisselait de jus dans la flamme, et mêlait son odeur à la fumée. Le soleil se coucha derrière les chênes. Les choux-palmistes étaient cuits.

Buck dit :

— Si je savais qu'on est aussi bien nourri que ça au ciel, je ne pleurerais pas à l'idée de mourir.

La Meule dit :

— Les plats ont bien meilleur goût dans les bois. Moi, j'aime mieux du pain sec dans une forêt que du gâteau à la maison.

Ils s'étendirent sur le dos et regardèrent le ciel. Les étoiles scintillaient pour la première fois depuis neuf jours. Penny finit par se lever pour nettoyer les reliefs du repas. Il reboucha le flacon de graisse. Il l'approcha du feu. Il le secoua.

Il dit :

— Que je sois pendu! Nous avons mangé mon liniment!

Il fouilla dans le sac, en sortit l'autre flacon et l'ouvrit. Il n'y avait pas à s'y tromper : il contenait de l'huile de lard.

— La Meule, gibier de potence! Vous vous êtes servi de mon huile de panthère pour faire cuire vos choux.

Il y eut un silence. Jody sentit son estomac se serrer.

La Meule dit :

— Comment est-ce que je pouvais savoir que c'était de l'huile de panthère?

Buck jura à mi-voix. Puis il éclata d'un rire de tonnerre.

— Je ne m'en vais pas laisser mon imagination se battre avec ce qui se passe dans mon ventre, dit-il. Je n'ai jamais mangé de meilleurs choux.

— Moi non plus, dit Penny. Mais, quand mes os seront rongés de rhumatismes, je le regretterai peut-être.

L'estomac de Jody s'apaisa. Ce n'était pas le moment, après deux tranches de foie de chat sauvage, de se montrer poltron. Mais cela vous faisait un drôle d'effet d'avoir mangé de cette huile de panthère dont on avait vu Penny se frotter les genoux les soirs d'hiver.

Tout le monde s'amusa beaucoup à préparer les lits. Jody coupa de petits rameaux de pins avec leurs aiguilles et rassembla de la mousse pour se faire un matelas. Ils disposèrent leurs couches tout près du feu. Les Forrester s'étendirent sur les branchages avec de lourds craquements.

Penny dit :

— Je suis sûr que le vieux Pied-Bot fait moins de tapage quand il se couche.

Buck dit :

— Et moi, je suis sûr qu'on entend une tourterelle se coucher de plus loin qu'aucun de vous autres Baxter.

La Meule dit :

— J'aimerais mieux un sac de paille comme matelas.

Penny dit :

— Le meilleur lit que j'aie jamais eu était fait de poils de queue de chat. On aurait cru dormir sur un nuage. Mais ça prend du temps de rassembler assez de queues pour ça.

Buck dit :

— Le meilleur lit, c'est un lit de plumes.

Penny dit :

— Dites, les gars, personne ne vous a raconté le baroud que votre père a fait avec un lit de plumes?

— Racontez.

— C'était avant votre naissance. Peut-être pourtant que vous étiez déjà deux ou trois à la maison, dans vos berceaux. J'étais moi-même un petit mioche. Je viens dans votre île avec mon papa. Sans doute qu'il venait essayer d'aider le vôtre à faire son salut. Quand j'étais gosse, votre père était plus brute encore que vous tous. Il pouvait vider une bouteille d'eau-de-vie de blé comme si c'était de l'eau. Et il le faisait souvent à l'époque. Donc, nous arrivons à cheval à votre porte; et nous y voyons des assiettes cassées avec de la nourriture, le tout jeté par-dessus le mur, et des chaises empalées sur la grille. Et dans toute la cour, et tout le long de la barrière, il y avait des plumes. On aurait dit qu'un ouragan avait soufflé sur le paradis des poulets. Sur le perron, il y avait la housse du lit de plumes ouverte au couteau.

“ Votre père arrive à la grille. Je ne dirai pas qu'il était saoul, mais sûr qu'il l'avait été. Il avait démoli tout ce qui lui était tombé sous la main. Et la dernière chose qui l'avait tenté était le lit de plumes. Notez bien qu'il n'était ni violent ni querelleur. Il s'était seulement royalement amusé à ouvrir les choses. Il en avait fini à présent et se trouvait tout à fait heureux et paisible. Quant à ce que votre mère pouvait faire et dire pendant qu'il était en train, vous le savez mieux que moi. Mais, à ce moment-là, elle était calme et froide comme la glace. Elle était assise à se balancer, les mains croisées et la bouche fermée comme avec une serrure. Mon père était malin, tout prêcheur qu'il fût, et je pense qu'il a dû se dire qu'il valait mieux choisir un autre jour pour faire son petit sermon. Il décida donc de s'en retourner.

" Tout de même, à ce moment-là, votre mère se rappelle les convenances et lui crie : " Restez manger avec nous, monsieur Baxter, qu'elle dit. Je n'ai plus que du pâté et du miel à vous offrir, si toutefois je vous trouve une assiette entière. "

" Votre père se retourne et la regarde, tout étonné.

" — Du miel, dit-il, du miel; il y a du miel dans le pot? "

Les Forrester éclatèrent de rire en se donnant de grandes tapes.

Buck dit :

— Attends un peu, je m'en vais demander à Maman : " Du miel, il y a du miel dans le pot? " Attends un peu, tu vas voir.

Jody continua à rire bien longtemps après que les Forrester s'étaient tus. Son père racontait de façon si vivante, qu'il pouvait voir les plumes jonchant la cour contre la grille. Les chiens réveillés par les rires se dressèrent et changèrent de position. Ils s'étaient rapprochés de la chaleur des hommes et du feu. La vieille Julia dormait aux pieds de Penny. Jody aurait voulu que Fanion fût près de lui, blotti dans son doux pelage. Buck se leva et remit une bûche sur le feu. Les hommes se mirent à parler des mouvements probables des animaux du marais et de la brousse. Les loups allaient évidemment de leur côté. Plus encore que les félins, ils détestaient les régions humides, et se trouvaient certainement au cœur de la haute brousse. Les ours étaient moins nombreux qu'on aurait cru.

Jody mit ses bras derrière sa tête et regarda le ciel. Il était touffu d'étoiles, comme une mare couverte de fleurs d'argent. Entre les deux pins, au-dessus de lui, le firmament était laiteux comme si Trixie, d'un grand coup de pied, y avait renversé un grand baquet de lait écumeux. Les pins se balançaient sous une brise légère et fraîche. Leurs aiguilles étaient argentées par la clarté des étoiles. La fumée du feu de camp s'y mêlait en montant. Il la regardait s'envoler à la cime des pins. Ses paupières papillotaient. Il ne voulait pas s'endormir. Il voulait écouter. Les récits de chasse des hommes étaient les plus beaux récits du monde. Il frémissait à les entendre. La fumée qui montait vers les étoiles ressemblait à un voile ondulant devant ses yeux. Il les ferma. Pendant un moment, la conversation des hommes résonna gravement contre le craquement du bois humide. Puis elle se confondit avec le bruit de la brise dans les pins; ce n'était plus un son, mais l'ineffable murmure d'un rêve...

Les chiens furent les premiers réveillés au point du jour. Un renard avait croisé sous leur nez, laissant dans l'air sa piste fraîche. Penny bondit, rattrapa les chiens, les attacha.

— Il ne s'agit pas de renards aujourd'hui, leur dit-il. Nous avons des choses plus importantes à faire.

De sa couche, Jody regardait tout droit le soleil levant. C'était bizarre d'avoir ainsi son visage au même niveau. Chez lui, les épais buissons derrière la clairière obscurcissaient l'orient. Ici, seule une brume matinale le voilait. Le soleil ne paraissait pas se lever, mais glisser à travers un rideau gris. Le léger brouillard de septembre s'agrippa un moment aux cimes des arbres, comme pour résister aux doigts destructifs du soleil. Puis il se dissipa et tout l'est apparut de la couleur des goyaves mûres.

Buck et La Meule s'assirent sur leur couche, encore raidis de leur profond sommeil.

Penny cria à Jody de venir se laver la figure et les mains au bord de la mare. Mais, quand ils y arrivèrent, la puanteur les repoussa.

Penny dit paisiblement :

— Bah, notre crasse n'est que de la fumée de bois! Même ta mère ne te ferait pas laver dans une eau pareille!

Le menu du petit déjeuner était le même que celui du dîner, sauf qu'il n'y avait plus de chou-palmiste à l'huile de panthère. Cette fois encore, les Forrester substituèrent une rasade de whisky au café qui manquait. Penny refusa. L'eau de la mare n'était pas buvable et Jody avait soif. Dans un monde si gorgé d'eau, personne n'avait pensé à en apporter.

Penny dit :

— Cherche une souche creuse assez surélevée, avec de l'eau de pluie dedans. L'eau de pluie est toujours potable.

Le gibier rôti avait moins bon goût que la veille au soir. Penny rangea les reliefs du petit déjeuner. Les chevaux n'avaient pas eu grand-chose à paître, car les herbes étaient abattues par le déluge. Jody leur apporta des brassées de mousse qu'ils avalèrent avec délices. Lever le camp, monter en selle, tourner la bride vers le sud, c'était le commencement d'une nouvelle journée. Jody regarda par-dessus son épaule. Le lieu de leur campement avait un air de dévastation. Les bûches éteintes, les cendres grises étaient désolées. L'enchantement était mort avec les flammes du feu de camp. Le matin était froid, mais le soleil montant préparait la chaleur du jour. La terre fumait. L'odeur des eaux polluées était pénible par instants.

Penny, en tête, leur cria :

— Je me demande si les bêtes supportent cette eau pourrie?

Buck et La Meule secouèrent la tête. On n'avait jamais vu une telle inondation dans la brousse. Personne ne pouvait dire quelles en seraient les suites. La cavalcade continuait son chemin vers le sud.

Penny cria à Jody :

— Tu te rappelles l'endroit où nous avons vu les hérons danser si joliment?

Jody n'aurait jamais reconnu la prairie. C'était une étendue d'eau lisse où même un héron aurait peut-être hésité à patauger. Plus loin au sud, la brousse reprenait. Mais, à l'endroit des marécages, il y avait un véritable lac. Ils y engagèrent leurs chevaux. On eût dit qu'ils avaient campé cette nuit-là dans une étrange région frontière et qu'ils arrivaient à présent dans un autre pays. Des poissons bondissaient hors des eaux en un lieu qui, une semaine auparavant, n'était que terre ferme. C'est là, après une si longue étape, qu'ils trouvèrent les ours en train de pêcher avec une application qui les rendait inconscients ou indifférents à l'approche des chevaux et des cavaliers. Deux ou trois douzaines de formes noires se mouvaient dans l'eau qui leur montait jusqu'au ventre. Des poissons sautaient devant eux.

Penny s'écria :

— C'est du mulet!

“Mais les mulets vivent dans l'océan”, pensa Jody. Ils vivent aussi dans le lac George, légèrement salé et où sévit une faible marée. Ils vivent dans les fleuves côtiers et dans quelques rivières dont les rapides et les remous leur rappellent l'océan.

Penny dit :

— C'est simple comme bonjour. Le lac George a rejoint la crique Juniper qui a inondé la prairie. Et ça, c'est du mulet!

Buck dit :

— Voici donc une nouvelle prairie : la prairie aux mulets. Et regardez-moi ces ours...

La Meule dit :

— Mais, c'est le paradis des ours! Dites, les amis, combien en voulez-vous?

Il lança un regard complice à son fusil. Jody cligna des yeux. Il n'avait jamais vu, sauf en rêve, tant d'ours réunis.

Penny dit :

— Ça a beau être des ours, ne nous conduisons pas en brutes.

Buck dit :

— Quatre suffiront pour commencer.

— Un pour les Baxter. Jody, tu as envie de tuer un ours?

— Bien sûr.

— Bon... Maintenant, messieurs, si vous y consentez, nous allons nous mettre en ligne. On sera peut-être obligé de tirer un second coup et même un troisième, si Jody rate le sien.

Il désigna à Jody la proie la plus proche. C'était une grande bête, un mâle sans doute.

Penny dit :

— Maintenant, Jody, écarte-toi un brin vers la gauche, pour lui lancer ton plomb dans la joue. A mon signal, tout le monde fait feu. S'il bouge, vise de ton mieux à la tête. Et, s'il a la tête baissée et qu'elle te soit cachée, vise au centre de son corps; un de nous l'achèvera.

Buck et La Meule s'écartèrent un peu. Penny leva la main. Ils s'arrêtèrent. Jody tremblait si fort que, lorsqu'il leva son fusil, il ne vit plus rien devant lui qu'une espèce de vapeur d'eau. Il s'efforça de se maîtriser. Son ours s'éloignait, mais, du rivage, il pouvait encore atteindre sa joue. Penny baissa la main. Les fusils claquèrent. Il y eut une seconde salve du côté de Buck et de La Meule. Les chevaux bronchèrent. Jody ne se rappelait pas avoir appuyé sur la gâchette. Mais, à cinquante pas de lui, une masse sombre, dressée quelques instants auparavant, était, à présent, à demi abîmée dans l'eau.

Penny s'écria : " Bien tiré, petit! " et fit avancer son cheval.

Les autres ours pataugeaient à travers le marais en refoulant l'eau derrière eux, comme des barques. Il faudrait viser loin, à présent, pour en abattre un. Une fois de plus, Jody s'étonnait de la vivacité de ces corps massifs. La première salve avait été précise et mortelle. Le second coup de fusil de Buck et La Meule n'avait fait que des blessés. Les chiens se mirent à aboyer frénétiquement et se jetèrent à l'eau. Elle était trop profonde pour la marche, trop encombrée d'herbes pour la nage. Ils furent obligés de revenir, furieux et déçus. Les hommes approchèrent à cheval des deux ours blessés. Ils tirèrent de nouveau et ils s'immobilisèrent. Les autres disparaissaient déjà au loin. Il n'y a pas de gibier plus rapide ni plus intelligent.

Buck dit :

— On ne s'est pas demandé comment on arriverait à sortir de l'eau ces gredins.

Jody n'avait d'yeux que pour sa propre victime. Il ne pouvait pas croire que c'était lui qui l'avait tuée. Il y avait là de quoi garnir la table des Baxter pendant deux jours; et c'était à lui qu'on le devait.

La Meule dit :

— On ferait mieux de rentrer chez nous chercher une paire de bœufs.

Penny dit :

— Pour vous, oui. Vous en avez cinq à traîner, mais nous n'avons que celui-là. Je suis content de cette chasse, et je suis content que nous sachions tous pour quelque temps où trouver du gibier. Si vous voulez bien nous aider, Jody et moi, à soulever celui qu'il a tué, et si vous me laissez ce cheval encore un jour ou deux, nous allons nous en retourner chacun chez nous.

— D'accord.

Buck dit :

— Nous avons de plus longues jambes que vous autres Baxter. Restez en selle.

Penny était déjà à bas de son cheval. Il avait de l'eau plus haut que les genoux. Jody avait honte de rester juché sur son cheval comme un enfant. Lui aussi se laissa glisser dans l'eau. Il aida à monter son ours sur la rive. Les Forrester ne semblaient pas se rendre compte de l'importance de son action. Penny lui toucha l'épaule et il fut assez récompensé. L'ours pesait plus de trois cents livres. Ils décidèrent de le couper dans le sens de la longueur, afin d'en mettre une moitié sur le dos de chacun des chevaux. Ils l'écorchèrent et furent surpris de son embonpoint, quand les cerfs et les panthères étaient si maigres. Les ours devaient avoir trouvé à se nourrir dans ce coin-là jusqu'aux derniers jours du déluge.

Le vieux César rua et hennit quand la longue demi-carcasse lui fut jetée sur le dos. L'odeur de ce pelage n'était pas de son goût. Il avait trop souvent respiré ce fumet rance pendant les nuits d'alerte à la clairière. Une fois, un ours avait grimpé dans l'écurie.

Buck et La Meule tournèrent leurs chevaux dans la direction de leur demeure.

Penny leur cria :

— Venez nous voir!

— Venez, vous aussi!

Ils levèrent la main et s'éloignèrent. Penny et Jody se mirent à trotter derrière eux. Ils suivaient le même sentier pendant quelques kilomètres, mais les Forrester, sans charge sur leurs chevaux rapides, furent vite hors de vue. Les Baxter tournèrent à l'est le chemin qui menait chez eux. Le trajet fut lent et pénible. Le vieux César ne voulait pas suivre derrière la peau d'ours. Mais si Penny faisait passer Jody devant lui, le cheval de Forrester insistait pour prendre la tête. C'était une lutte constante. A la fin, en traversant la prairie Juniper, Penny toucha sa monture du talon et prit une grande avance. La peau d'ours hors de vue et d'odorat, le vieux César consentit à trotter raisonnablement. Pour commencer, Jody se sentait assez mal à l'aise, seul dans ce nouveau désert d'eau. Puis, la viande d'ours, derrière lui, lui rendit sa fierté et le sentiment de son importance.

Il avait cru qu'il ne se lasserait jamais de chasser. Mais lorsque les grands arbres de l'île Baxter apparurent et qu'il croisa le chemin du réservoir et vit les haies des champs paternels, il se sentit heureux de rentrer chez lui. Les champs étaient dévastés par l'inondation. La cour était dénudée. Mais il revenait avec le gibier qu'il avait tué pour nourrir sa famille, et Fanion l'attendait.

XXI

Pendant deux semaines, Penny s'occupa à sauver la récolte. Il s'en fallait de deux mois que les patates fussent à maturité. Mais elles pourrissaient et seraient complètement perdues si on ne les arrachait. Jody y travailla pendant de longues heures. Il fallait prendre bien garde d'enfoncer suffisamment la fourche et de ne pas trop approcher le centre des plates-bandes. Alors, en levant soigneusement la fourche, on amenait au jour une poignée de patates intactes. Quand toutes furent arrachées, Ma Baxter les étala sous le porche pour les faire sécher et les assainir autant que possible. Il fallut les examiner une par une et en jeter plus de la moitié. On coupa les parties endommagées et on les mit de côté pour les cochons.

La canne à sucre était couchée sur le sol. Il n'y avait rien à faire pour l'instant, car elle n'était pas mûre. Elle poussait déjà des racines le long de la barrière, mais on pourrait la tailler et la sauver plus tard.

Le buisson de pois était anéanti. Il était presque arrivé à maturité et la semaine de pluie l'avait jeté sur le sol en une masse pourrissante. Les pois que les Baxter avaient rentrés furent tout ce qu'on en sauva.

L'inondation passée depuis trois semaines, après de belles journées ensoleillées, Penny prit sa faux et s'en alla à la Prairie-aux-Mulets, comme il l'appelait à présent, afin d'y couper de l'herbe.

— Du bon fourrage pour les mauvais jours, dit-il.

Les eaux s'étaient retirées de la prairie et il n'y restait nulle trace de poisson, si ce n'est la puanteur. Même Jody, que peu d'odeurs incommodaient, fut écœuré. Ce relent de mort était partout.

Penny, mal à l'aise, dit :

— Il y a quelque chose qui ne va pas. Cette puanteur devrait avoir disparu. Il y a encore des bêtes en train de mourir.

Un mois après l'inondation, en octobre, il emmena de nouveau Jody dans la carriole à la Prairie-aux-Mulets pour y ramasser l'herbe séchée. Rip et Julia trottaient derrière. Penny permit également à Fanion de les suivre, car celui-ci avait commencé à faire de grandes scènes quand on le laissait enfermé dans le hangar. Il courait tantôt devant le vieux César, tantôt, quand la route était assez large, à côté de lui. De temps à autre, il retournait sur ses pas et batifolait avec les chiens. Il avait appris à manger des feuilles et il s'arrêtait parfois pour mordiller une tendre pousse.

Jody dit :

— Regarde-le, Pa, arracher les feuilles comme un grand!

Penny sourit :

— Je te le dis, on n'a jamais vu un faon pareil!

Tout à coup, Julia donna de la voix et s'élança vers la droite à travers les buissons. Rip la suivit, et Penny arrêta la carriole.

— Va voir ce qui prend à ces fous, Jody.

Jody sauta en bas de la voiture et les suivit. A quelques mètres de là, il reconnut la piste.

Il cria :

— Ce n'est que du chat!

Penny se soulevait pour rappeler les chiens lorsqu'il entendit Julia hurler. Il descendit et s'enfonça dans le fourré. Le chat était à portée des chiens, mais il n'y avait pas de combat.

Penny s'approcha. Jody s'arrêta, stupéfait. Le chat sauvage était couché sur le côté et on n'y touchait pas. Julia et Rip le regardaient sans l'attaquer. Le chat montrait les dents et remuait la queue, mais ne se levait pas. Il était faible et décharné.

Penny dit :

— Cette bête est mourante. Laissons-la.

Il rappela ses chiens et revint à la carriole.

Jody demanda :

— De quoi est-ce qu'il meurt, Pa?

— Mais les animaux meurent tout comme nous. Ils ne sont pas tous tués par leurs ennemis. Celui-là doit être vieux et ne peut plus rien attraper pour se nourrir.

— Ses dents n'étaient pas usées comme celles des vieux animaux.

Penny le regarda.

— Mon gars, tu es vraiment observateur. Ça me plaît.

Il n'y avait toujours pas d'explication à la faiblesse du chat. Le père et le fils atteignirent la prairie et remplirent la carriole de fourrage. Penny estima que trois voyages seraient encore nécessaires. L'herbe était dure et filandreuse, mais lorsque la gelée serait venue, et que le foin serait sec, César, Trixie et la génisse seraient heureux de le trouver. Ils prirent le chemin du retour. Le vieux César pressa le pas et Julia elle-même se mit à courir en avant, impatiente, comme tous les animaux domestiques, de retrouver la maison. Passé le sentier du réservoir, au coin de la première haie, Julia leva le nez et aboya.

Penny dit :

— Pourtant, on ne voit rien.

Julia insistait; elle sauta la haie, s'arrêta, et ses aboiements devinrent stridents. Rip, maladroit comme un bulldog, grimpa par-dessus la haie que la chienne avait sautée si légèrement. Lui aussi aboyait de toutes ses forces.

Penny dit :

— Ces chiens doivent tout de même savoir ce qu'ils font.

Il arrêta la carriole, prit son fusil et s'en alla avec Jody rejoindre les chiens. Un cerf était étendu sous la haie. Il secouait la tête avec un geste menaçant de ses cornes. Penny leva son fusil, puis l'abaissa.

— Ce cerf-là aussi est malade.

Il s'approcha et le cerf ne bougea pas. Sa langue pendait. Julia et Rip étaient furieux. Ils ne comprenaient pas le gibier qui se refusait aussi bien à fuir qu'à combattre.

— Pas la peine d'user des munitions.

Il prit son couteau dans son fourreau, se pencha sur le cerf et lui coupa la gorge. La bête mourut avec le calme d'un être pour qui la mort n'est qu'un pas au-delà d'une présente misère. Penny renvoya les chiens et l'examina soigneusement. Sa langue était noire et enflée, ses yeux rouges et larmoyants. Il était aussi maigre que le chat sauvage mourant. Il dit :

— C'est pire que ce que j'imaginais. Une épidémie a frappé les animaux sauvages. C'est la langue noire.

Jody avait entendu parler d'épidémies chez les hommes. Mais les animaux sauvages lui avaient toujours paru préservés, à l'abri de tous les maux humains. Un animal mourait à la chasse, ou bien attaqué par un animal plus fort. La mort dans la brousse était violente et nette, ce n'était pas une lente maladie. Il regardait le cerf mort.

Il dit :

— Nous n'en mangerons pas, n'est-ce pas?

Penny secoua la tête.

— Ce ne serait pas à faire.

Les chiens reniflaient plus loin, le long de la haie. Julia aboya de nouveau. Penny regarda dans sa direction. Il aperçut des carcasses. De vieux cerfs et un chevreuil étaient morts ensemble. Jody avait rarement vu son père avec un visage si grave. Penny examina le chevreuil mort de l'épidémie et s'éloigna sans parler. La mort semblait être sortie de l'air.

— Qu'est-ce qui a fait ça, Pa? Qu'est-ce qui les a tués?

Penny secoua de nouveau la tête.

— Je n'ai jamais su ce qui donnait la langue noire. Peut-être que l'eau de l'inondation, pleine de choses mortes, est devenue empoisonnée.

Une terreur traversa Jody comme un fer rouge.

— Pa... Fanion. Il ne va pas l'attraper, n'est-ce pas?

— Mon gars, je t'ai dit tout ce que je sais.

Ils revinrent à la carriole, rentrèrent et déchargèrent le fourrage à l'écurie. Jody se sentait faible et écœuré. Fanion bêla. Il alla à lui, le prit par le cou et le serra si fort que le faon se dégagea pour respirer.

Jody chuchota :

— Ne l'attrape pas. Je t'en prie. Ne l'attrape pas.

A la maison, Ma Baxter reçut la nouvelle sans broncher. Elle avait répandu ses pleurs et crié ses lamentations au moment de la perte des récoltes. De même que la mort de trop nombreux enfants avait desséché sa tendresse, de même l'anéantissement du gibier la trouvait sans réaction.

Elle dit seulement :

— Il vaudra mieux mener le bétail à l'abreuvoir du haut et ne pas le laisser boire à la mare.

Jody reprit espoir à propos de Fanion. Il ne lui donnerait à manger que ce qu'il mangerait lui-même, le tiendrait à l'écart des herbes inondées, lui donnerait à boire l'eau des Baxter. Si Fanion mourait, se dit-il avec une sombre satisfaction, ils mourraient ensemble.

Il demanda :

— Est-ce que les gens attrapent la langue noire?

— Non, seulement les bêtes.

Il attacha solidement Fanion sous le hangar quand il retourna au foin avec son père. Penny attacha de même les chiens. Jody posait d'innombrables questions. Est-ce que le foin serait contaminé? Est-ce que l'épidémie durerait toujours? Est-ce qu'il resterait tout de même du gibier? A tout cela, Penny qui, croyait-il, savait presque tout, secouait la tête avec un geste d'ignorance.

— Tais-toi, petit, pour l'amour du Ciel. Il est arrivé une chose qu'on n'avait jamais vue. Comment un homme pourrait-il savoir les réponses?

Son père le laissa ramasser le fourrage et charger seul la carriole, tandis qu'il dételait César, le montait et s'en allait s'informer chez les Forrester. Jody se sentait mal à l'aise et misérable, abandonné au bord du marais. Le monde semblait vide. Seuls, au-dessus de la brousse, les busards profiteurs tournoyaient. Il se dépêcha de travailler et il avait fini bien avant que son père revînt. Il grimpa sur le monceau d'herbe et s'étendit sur le dos, regardant le ciel. Il se dit que le monde était un drôle d'endroit où vivre. Des choses s'y passaient qui n'avaient aucun sens et qui faisaient du mal, comme les ours et les panthères, mais sans l'excuse de la faim. Il n'approuvait pas cela.

En regard de ces choses inquiétantes, il considéra Fanion. Son père aussi, naturellement. Mais Fanion occupait dans son cœur une place secrète longtemps douloureuse et vacante. Si Fanion n'était pas atteint par l'épidémie, l'inondation, après tout, aurait été intéressante. Dût-il vivre aussi vieux que Penny, que grand-mère Hutto, que Ma Forrester, il n'oublierait jamais, il le savait, la peur et le charme des interminables journées et des nuits d'ouragan. Il se demanda si les cailles allaient mourir de la langue noire. Dans un mois, lui avait dit son père, il pourrait faire un piège avec des rameaux en croix et en attraper quelques-unes pour les manger. Le plomb était trop cher pour qu'on le gaspillât sur de si petites bouchées.

Mais Penny ne permettait pas qu'on les attrapât avant que la couvée fût poussée et il exigeait chaque année que deux ou trois couples fussent épargnés pour continuer à pondre. Et est-ce que les dindons allaient mourir aussi et les écureuils, et les loups, et les ours et les panthères? Ces questions l'obsédaient.

Quand un bruit lointain et sourd fut devenu peu à peu le battement familier des sabots du vieux César, il avait oublié son malaise. Penny était toujours aussi grave, mais soulagé et animé par sa conversation avec les Forrester. Ils avaient découvert la situation des bêtes de la brousse deux jours auparavant, en s'en allant chasser. Aucune espèce n'avait été épargnée, disaient-ils. Ils avaient trouvé les bêtes de proie mortes ou mourantes à côté de leurs victimes, enfin à égalité, les faibles et les forts ramenés ensemble à la terre, les mâchoires aiguës et les autres, ceux qui ont des griffes et ceux qui n'en ont pas.

Jody demanda :

— Est-ce qu'ils vont tous mourir?

Penny lui répondit impatiemment :

— Je t'ai déjà dit de ne pas me poser de questions. Fais comme moi, attends et tu verras.

XXII

En novembre, les Baxter et les Forrester connaissaient l'étendue de l'épidémie et savaient ce qu'on pouvait attendre pour l'hiver, tant du gibier que des bêtes de proie. Les cerfs survivants représentaient une très petite fraction de leur nombre habituel. Là où une harde de douze broutait près de la clairière, un cerf isolé ou bien une biche sautait la barrière du champ en quête d'une nourriture qui n'y était pas. Les chevreuils s'enhardissaient, flairaient l'ancienne plantation de patates. Les cailles semblaient être à peu près aussi nombreuses, mais les dindons sauvages étaient décimés. Penny en conclut que le mal résidait bien dans les eaux polluées des marécages, car les dindons s'y abreuvaient et pas les cailles.

Les animaux comestibles : cerfs et dindons, écureuils et opossums, étaient devenus si rares qu'une journée de chasse parfois ne produisait rien. Les animaux hostiles avaient subi d'aussi lourdes pertes. Penny pensa d'abord que ceci pourrait être un avantage. Mais il devint vite évident que le résultat était de rendre les meurtriers qui restaient plus affamés et plus hardis encore, du fait de leur disette. Inquiet pour ses porcs, il leur construisit un enclos à l'intérieur de l'étable. Penny mit à part une mesure de grain nouveau pour les engraisser. Quelques ,ours plus tard, des piétinements et des cris résonnèrent dans l'étable à minuit. Les chiens réveillés accoururent en aboyant, et Penny et Jody enfilèrent leur culotte et les suivirent avec une torche. Le plus gros goret manquait. Le meurtre avait été si adroitement accompli qu'il n'y avait pas trace de lutte. Un petit filet de sang conduisait au-delà de la barrière. Il avait fallu un gros animal pour tuer et transporter aussi adroitement un porc aussi lourd. Penny jeta un rapide regard aux marques de pas.

— Un ours, dit-il, et un gros.

La vieille Julia suppliait qu'on lui laissât suivre la piste, et Penny lui-même était tenté, car le meurtrier repu pourrait être facilement et vivement rejoint. Mais la nuit était sombre, et il décida de ne pas courir le risque d'un combat, au cas où son coup de fusil ne ferait que blesser l'ours. Les traces seraient encore suffisamment fraîches au matin. Ils rentrèrent se coucher pour dormir légèrement. A l'aube, ils appelèrent les chiens et partirent. La piste était celle du vieux Pied-Bot. Penny dit :

— J'aurais dû me douter que de tous les ours de la brousse celui-là était de taille à passer à travers l'épidémie.

Pied-Bot avait mangé à peu de distance de là. Il avait mangé de bon appétit, laissant la marque de ses griffes à travers la carcasse. Puis il était allé vers le sud et avait traversé la crique Juniper.

Penny dit :

— Il reviendra en manger. Un ours garde sa proie une semaine. J'en ai vu qui la disputaient aux busards, même alors qu'ils n'en voulaient plus eux-mêmes. S'il s'agissait de n'importe quel autre ours on pourrait installer un piège. Mais il ne se laissera prendre à aucun piège depuis qu'il a perdu un orteil de cette façon.

— Et si on revenait le surprendre pendant qu'il mange?

— On va essayer.

— Demain?

— Demain.

Ils prirent le chemin de la maison. Ils entendirent le bruit d'un galop léger qui se rapprochait. Fanion s'était échappé et venait rejoindre la chasse. Il frappa ses chevilles l'une contre l'autre et dressa sa petite queue.

— N'est-ce pas qu'il est magnifique, Papa?

— Oui, mon gars, magnifique.

Le lendemain, Penny était couché avec des frissons et de la fièvre. Il resta au lit trois jours. Ce n'était pas la peine, maintenant, de chercher à rattraper le vieux Pied-Bot. Jody demanda à y aller seul et à le prendre en embuscade, mais Penny refusa son autorisation. Le gros ours était trop malin et trop dangereux, dit-il, et Jody trop étourdi.

Quand Penny fut en état de quitter son lit, ils convinrent qu'il valait mieux tuer les cochons sans attendre ni la pleine lune, ni que les animaux fussent complètement engraissés. Jody coupa du bois, fit un feu sous la bassine à confiture et alla puiser de l'eau au réservoir pour l'y mettre à chauffer. Il posa un baquet à côté, le cala avec du sable. Quand l'eau fut à l'exacte température, Ma Baxter la versa dans le baquet. Penny tua les porcs et les ébouillanta l'un après l'autre dans le baquet, les retournant par les pieds, adroit et vif comme toujours. Ma et Jody l'aidèrent à les pendre aux crochets, car sa force le trahit soudain. Tous trois travaillèrent d'arrache-pied au grattage, car il faut enlever le poil avant qu'il ne durcisse.

Une fois de plus, Jody s'émerveillait de la métamorphose des créatures vivantes pour lesquelles il avait éprouvé de l'intérêt et de la sympathie, en une viande inanimée qui constituait une nourriture acceptable. Il fut heureux quand la tuerie fut terminée. A présent, grattant les échines lisses et fermes, il se plaisait à voir la peau devenir nette et blanche. Il goûtait, par anticipation, l'odeur des saucisses frites et des boudins brunissant dans la graisse. Rien n'était perdu, pas même les entrailles. La viande elle-même, coupée, parée, devint des jambons, des filets, du lard, qui allaient être salés, poivrés, sucrés avec le jus de leurs cannes à sucre, puis lentement fumés au-dessus des braises d'hickory. Restaient les pieds qu'on allait conserver dans du vinaigre; les côtes et les vertèbres qu'on recouvrirait, une fois grillées, d'une couche de lard protectrice, les museaux, les rognons et les cœurs, qui deviendraient du fromage de tête. Les débris de viande maigre seraient hachés en chair à saucisse, les débris de graisse seraient triés dans la lessiveuse. Les estomacs, les intestins vidés et séchés, serviraient d'enveloppes qu'on farcirait de chair à saucisse et ces saucisses suspendues en feston seraient mises à fumer avec les jambons et le lard. Les déchets viendraient corser la pâtée des chiens.

Tel fut le sort de huit cochons. Seul, le vieux goret, deux jeunes truies et la truie mère, gage de paix des Forrester, furent épargnés pour recommencer le cycle. Ceux-ci devraient courir leur chance dans les bois. On leur donnerait des épluchures et un peu de grain le soir afin de les ramener dans leur enclos et de les y enfermer la nuit dans une sécurité relative. Pour le reste, ils devaient trouver eux-mêmes leur subsistance, gagnant leur vie s'ils pouvaient, mourant s'il le fallait.

Le souper, ce soir-là, fut un festin et la table demeura longtemps abondante. Les Baxter étaient en bonne posture pour aborder l'hiver. La saison était la plus abondante de l'année. La pénurie de gibier ne serait plus bien grave maintenant que la réserve était pleine.

La canne à sucre tombée avait poussé des racines le long des tiges et il fallut la libérer de l'emprise du sol. Les tiges étaient molles comme du chiffon. Il fallut couper les racines adventices pour pouvoir moudre les cannes. Jody fit tourner et retourner le vieux César autour de la petite meule, tandis que

Penny y faisait passer les tiges maigres et fibreuses. Le niveau restait bas et le sirop était mince et acide, mais il y avait tout de même du sucre dans la maison. Ma Baxter plongea des oranges dans le dernier bouillon du sirop et le résultat fut une riche confiture.

Le blé n'avait pas trop souffert, même les épis qui avaient subi la pluie. Jody passait chaque jour plusieurs heures au moulin. La meule inférieure était creusée de petits sillons qui partaient du centre comme les spirales d'une coquille d'escargot. L'autre reposait dessus, et toutes deux étaient maintenues par un cadre de bois à quatre pieds. On versait les grains de blé dans un trou au centre de la meule supérieure, et quand la farine moulue atteignait un certain degré de finesse, elle filait par le trou d'échappement qui aboutissait à un baquet où on la récoltait. Tourner le levier plus haut que sa tête était pour Jody une tâche monotone mais pas désagréable. Il alla chercher un tronc d'arbre et, lorsqu'il avait le dos fatigué, il s'y asseyait, autant par besoin de changement que de repos.

Il dit à son père :

— C'est ici que je réfléchis.

Penny dit :

— J'espère que tu réfléchis beaucoup, car l'inondation t'a privé de professeur. On avait décidé, les Forrester et moi, de louer un professeur cet hiver pour toi avec Aile-de-Paille. Quand Aile-de-Paille est mort, je pensais que j'aurais du gibier à vendre et que je me procurerais de l'argent comme ça. Mais les bêtes sont si rares à présent, et leur poil si pauvre, qu'il n'y a rien à faire.

Jody lui dit d'un air rassurant :

— Ça n'a pas d'importance. Je sais déjà un tas de choses.

— Rien que ça prouve ton ignorance, jeune homme. Cela me déplaît beaucoup de te voir grandir sans rien savoir. Mais cette année, il faudra que tu t'en tires avec le peu que je pourrai t'apprendre.

La perspective était assez plaisante. Penny commençait par une leçon de lecture ou d'addition, puis avant qu'ils sussent seulement comment, il se lançait dans une histoire. Jody se remit à moudre, le cœur léger.

Fanion s'approcha, et l'enfant s'arrêta pour le laisser lécher la farine autour du trou d'échappement. Lui-même y goûtait souvent. Les pierres frottées s'échauffaient et la farine avait une odeur de maïs grillé. Quand il avait très faim, il en avalait une poignée, mais le goût n'en valait pas l'odeur. Fanion finit par s'ennuyer, et s'éloigna. Il devenait plus hardi et s'en allait parfois dans la brousse, pendant une heure ou plus. Il n'y avait pas moyen de le garder dans le hangar. Il avait appris à renverser la légère porte. Ma Baxter émit l'opinion — uniquement parce que c'était son espoir — que le faon deviendrait sauvage et, un beau jour, disparaîtrait. Jody ne se laissa même pas troubler par cette remarque. Il savait que le faon était sujet à la même exaltation que lui. Fanion éprouvait seulement le besoin de se détendre les jambes et d'explorer le monde autour de lui. Ils se comprenaient parfaitement. Jody savait aussi que, lorsque Fanion s'en allait, c'était pour se promener en cercle et qu'il restait toujours à portée de sa voix.

Ce soir-là, Fanion se mit dans un mauvais cas. Les patates nettoyées s'empilaient sous le porche. Fanion alla flâner par là pendant que tout le monde était occupé, et découvrit qu'en cognant dans le tas, il faisait rouler les patates. Ce bruit et ce mouvement le charmèrent. Il cogna si bien le tas qu'il l'éparpilla dans toute la cour. Il piétina les patates avec ses sabots pointus. L'odeur l'allécha et il en mordilla une. Le goût lui plut et il alla de l'une à l'autre, toujours mordillant. Ma Baxter le découvrit trop tard. Les dégâts étaient grands. Elle poursuivit furieusement le faon avec un balai de palmes. Cela ressemblait assez aux poursuites auxquelles Jody jouait avec lui. Quand elle s'en alla, il se retourna pour la suivre et lui donna un coup de tête dans son large postérieur. Jody rentrant de son moulin arriva dans un tumulte de scandale. Penny lui-même se joignit à Ma Baxter pour trouver l'incident grave. Jody ne pouvait pas supporter l'expression du visage de son père. Il ne parvint pas à retenir ses larmes.

Il dit :

— Il ne savait pas ce qu'il faisait...

— Je sais, Jody, mais le dégât des patates est le même que s'il l'avait fait par méchanceté. Nous n'avons plus assez de provisions à présent pour finir l'année.

— Eh bien, je n'en mangerai pas et ça fera le compte.

— Personne ne te demande de te passer de patates. Il faut seulement que tu surveilles ce voyou. Si tu tiens à le garder, c'est à toi de prendre garde à ce qu'il ne fasse pas de dégâts.

— Je ne pouvais pas le surveiller et moudre le grain en même temps.

— Alors, tiens-le attaché dans le hangar quand tu ne peux pas le surveiller.

— Il déteste ce vieux hangar tout noir.

— Eh bien, fais-lui un enclos.

Jody se leva le lendemain avant le jour et se mit au travail pour construire un enclos dans un coin de la cour. Il en avait étudié l'emplacement de façon à utiliser la barrière sur deux côtés et à pouvoir apercevoir Fanion de presque tous les endroits où son travail le retenait : le moulin, le bûcher et l'étable. Fanion serait content, il le savait, s'il pouvait le regarder. Il termina l'enclos dans la soirée après s'être occupé du bétail. Le lendemain, il détacha Fanion, le sortit du hangar et le fit entrer dans l'enclos en le soulevant malgré ses coups de pied et sa résistance. Fanion avait sauté par-dessus les piliers et était sur ses talons avant même qu'il eût atteint la maison. Penny le trouva de nouveau en pleurs.

— N'en fais pas une maladie, mon gars. Nous nous en sortirons d'une façon ou d'une autre. Maintenant, il n'est dangereux que pour les patates, si tu le tiens hors de la maison. Elles devraient être enfermées, de toute manière. Garde cet enclos de fortune, mets-y un couvercle et ranges-y les patates. Un couvercle comme le toit d'un poulailler avec deux côtés en pente. Je vais te le commencer.

Jody s'essuya le nez sur sa manche.

— Je te remercie bien, Papa.

Une fois les patates enfermées et couvertes, il n'y eut plus d'aventures graves. Il fallait tenir Fanion hors de la réserve, aussi bien que de la maison, car il était devenu si grand, que, en se dressant sur ses pattes de derrière, il atteignait les quartiers de lard pendus au plafond et en léchait le sel.

Ma Baxter dit :

— Je n'ai pas envie qu'on lèche ma nourriture, avant moi, surtout une sale bête comme ça.

Fanion était aussi d'une curiosité déplacée. Il renversa un pot de graisse dans la réserve pour entendre tomber le couvercle et voir ce qu'il y avait dedans. Le temps était froid et la graisse figée fut découverte avant d'avoir coulé. Mais il suffisait, pour éviter de telles intrusions, de tenir les portes fermées. Jody devint peu à peu attentif à ces détails.

Penny dit :

— Ça ne te fera pas de mal d'apprendre à devenir soigneux. Avant tout, il faut savoir préserver la nourriture.

XXIII

La première grande gelée vint à la fin de novembre. Les feuilles du grand hickory au nord de la clairière devinrent jaunes comme du beurre, et le buisson, de l'autre côté de la route, flamboyait, écarlate comme un feu de camp. Le raisin était doré. La floraison de myrtes s'était transformée en aigrettes duveteuses. Les jours se levaient frais et vifs, tiédissaient plaisamment, puis frissonnaient de nouveau. Les Baxter passaient la soirée dans la grande pièce devant le premier feu.

Ma Baxter dit :

— On ne peut pas croire que ça recommence déjà.

Jody, étendu à plat ventre, regardait les flammes. C'est là qu'il voyait souvent l'Espagnol d'Aile-de-Paille. En clignant des yeux et en attendant que le feu métamorphosât telle ou telle bûche, il arrivait sans peine à se représenter un cavalier en cape rouge, coiffé d'un casque étincelant. L'image ne durait jamais longtemps car la flamme se déplaçait, les bûches tombaient et l'Espagnol partait sur son cheval.

Il demanda :

— Est-ce que les Espagnols avaient des capes rouges?

Penny dit :

— Je ne sais pas, petit. Tu vois le beau professeur que je suis.

Ma Baxter dit, étonnée :

— Qu'est-ce qui t'a mis une idée pareille dans la tête?

Il roula sur le côté et étendit le bras sur Fanion. Le faon dormait, les pattes sous lui comme un veau. Sa queue blanche remuait dans son sommeil. Ma Baxter le tolérait dans la maison, le soir après dîner. Elle ne s'opposait même pas à ce qu'il dormît dans la chambre de Jody, car, là au moins, il ne faisait pas de dégâts. Elle l'acceptait avec la même indifférence soupçonneuse que les chiens. Ceux-ci étaient dehors, ils dormaient au pied de la maison. Par les nuits aigres, Penny les faisait entrer eux aussi; non que ce fût nécessaire, mais parce qu'il aimait à partager son bien-être.

Ma Baxter dit :

— Jette du bois au feu. Je n'y vois pas pour finir mon ourlet.

Elle avait coupé une culotte d'hiver de Penny à l'intention de Jody.

Elle dit :

— Mais si tu continues à grandir comme ce printemps, je pourrai bientôt couper tes culottes pour ton papa.

Jody éclata de rire et Penny fit semblant d'être vexé. Puis ses yeux se mirent à pétiller dans la lumière de l'âtre, et ses épaules étroites se soulevèrent. Ma Baxter se balançait avec satisfaction. Tout le monde était content quand elle plaisantait. Sa bonne humeur transformait la maison, comme le feu en cette froide soirée.

Penny dit :

— Ça s'annonce comme un bon hiver. On s'en tire bien mieux que je ne pensais, rapport à la récolte et à la viande. Peut-être qu'on va pouvoir souffler un peu.

Ma Baxter dit :

— Pas trop tôt.

— Oui, la vieille Disette doit chasser ailleurs.

La soirée se passa sans plus de discours. Il n'y avait pas

d'autres bruits que les bouffées de la pipe de Penny et le grincement du fauteuil à bascule de Ma Baxter, sur le plancher. Un moment, un grand sifflement passa sur la maison comme une bourrasque dans les pins. C'étaient les canards volant dans la direction du sud. Jody leva les yeux vers son père. Penny désigna le plafond, du tuyau de sa pipe, et hocha la tête. S'il ne s'était pas senti si douillet, Jody aurait aimé à demander quelle espèce de canards c'était et où ils allaient. S'il arrivait à connaître ces choses-là comme son père, il pourrait bien se passer d'arithmétique et d'orthographe. Il aimait la lecture. C'était des histoires, en somme, pas aussi belles que celles de Penny, mais des histoires quand même.

Penny dit :

— Allons, on ne va pas dormir ici. Au lit.

Il se leva et vida sa pipe dans l'âtre. Comme il se penchait, les chiens se mirent à aboyer et à courir. On eût dit que son mouvement les avait réveillés et qu'ils s'élançaient contre un ennemi imaginaire. Penny ouvrit la porte de la maison et mit sa main en cornet autour de son oreille.

— Je n'entends rien d'autre que ces chiens.

La génisse se mit à meugler. C'était un cri de terreur et de souffrance. Il y en eut un autre, hurlement aigu, brusquement étouffé. Penny courut à la cuisine chercher son fusil.

— Donne-moi de la lumière.

Jody préféra croire que c'était à sa mère que ce discours s'adressait. Il courut derrière son père avec le fusil que, depuis la dernière visite du vieux Pied-Bot, il était autorisé à garder chargé. Ma Baxter les suivit de mauvaise grâce portant une torche allumée, avançant lentement et avec précaution. Jody grimpa dans l'enclos du bétail. Il regrettait à présent de n'avoir pas apporté lui-même la torche. Il ne voyait rien. Il entendait seulement un bruit de lutte, de grognements, de claquements de dents, les voix assourdies de Rip et de la vieille Julia. Par-dessus tout cela, s'éleva la voix désespérée de son père :

— Attrape-les, Julia! Tiens-les, Rip! Bon Dieu, de la lumière!

Jody revint en sautant la barrière, courut à sa mère et lui prit la torche des mains. Il se hâta de retourner près de Penny en tenant haut la torche. Les loups avaient envahi l'étable et tué la génisse. Une véritable horde, trois douzaines au moins, se pressaient autour de l'enclos. Leurs yeux par paires reflétaient la lumière, luisants, comme des mares d'eau croupie. Ils étaient amaigris, le poil rude. Leurs crocs brillaient, blancs comme des os de seiche. Jody entendit sa mère crier de l'autre côté de la barrière, et il s'aperçut qu'il criait aussi.

Penny appela :

— Tiens ta lumière tranquille.

Il s'efforça de l'immobiliser. Il vit Penny lever son fusil et tirer une fois, deux fois. Les loups tournèrent et sautèrent la barrière en un flot gris. Rip leur mordait les talons. Penny courut derrière eux en criant. Jody s'élança aussi, essayant de maintenir sa lumière sur les rapides silhouettes. Il se rappela qu'il avait son fusil dans l'autre main. Il le tendit à son père, et Penny le prit et tira de nouveau. Les loups étaient partis comme un tonnerre. Rip hésitait, son arrière-train blanc dans l'ombre, puis il se tourna et revint vers son maître en traînant. Penny se pencha et le caressa. Lui aussi se retourna et revint lentement à l'étable. La vache meuglait.

Penny dit doucement :

— Je prends la lumière.

Il la leva et l'agita à travers l'enclos. Le corps dépecé de la génisse gisait au milieu. Près de lui, la vieille Julia enfonçait ses dents dans la gorge d'un loup décharné. Le loup rendait son dernier soupir. Ses yeux flamboyaient. Il était pelé et galeux.

Penny dit :

— Ça va, ma fille. Laisse-le.

Julia relâcha sa prise et fit un pas en arrière. Ses dents usées par l'âge, plates comme des grains de blé, avaient procédé à la seule exécution. Penny regarda la génisse mutilée et le loup mort. Puis il regarda dans la nuit comme s'il fixait les yeux verts d'un ennemi invisible. Il paraissait petit, ratatiné.

Il dit :

— Bon...

Il rendit son fusil à Jody et reprit le sien contre la haie. Il se pencha, saisit la génisse par un de ses sabots et prit, d'un pas décidé, la direction de la maison. Jody comprit en frissonnant que son père voulait installer la carcasse près de lui au cas où les maraudeurs reviendraient. La proximité d'une panthère ou d'un ours le terrifiait toujours. Mais, les autres fois, les hommes s'étaient dressés, le fusil levé. Les autres fois, les chiens avaient eu de l'espace pour s'élancer. La horde sauvage dans l'enclos était un spectacle qu'il souhaitait ne jamais revoir. Il aurait voulu que son père traînât la carcasse dans les bois.

Ma Baxter apparut sur le seuil et appela d'une voix tremblante.

— Je suis revenue dans l'obscurité. Je n'ai jamais eu aussi peur. C'étaient encore les ours?

Ils entrèrent dans la maison, Penny passa devant sa femme, s'approcha de l'âtre et y prit la bouilloire qui chantonnait; il avait besoin d'eau chaude pour les blessures des chiens.

— Des loups.

— Oh! ciel. Est-ce qu'ils ont tué la génisse?

— Ils l'ont tuée.

— Oh! ciel. Une génisse!

Elle le suivit tandis qu'il versait l'eau chaude dans une cuvette et lavait les blessures des chiens. Elles n'étaient pas graves.

— Je voudrais lancer les chiens sur ces bêtes une par une, dit-il durement.

Dans la tiède sécurité de la maison, hardi à présent, parce que sa mère avait peur, Jody retrouva enfin la parole.

— Est-ce qu'ils vont revenir cette nuit, Pa? Est-ce qu'on va aller les chasser?

Penny enduisait de résine bouillie la seule blessure profonde de Rip, une entaille déchiquetée sur le flanc. Il n'était pas en humeur de répondre aux questions. Il ne parla pas avant d'en avoir fini avec les chiens et de leur avoir disposé un bon lit au pied de la maison, près de la fenêtre de sa chambre. Il ne tenait pas à se laisser surprendre une seconde fois. Il rentra, se lava les mains et les réchauffa devant le feu.

— Il fait un temps à s'enrhumer, dit-il. Il faudra sûrement que j'emprunte une pinte aux Forrester demain.

— Tu y vas demain?

— J'ai besoin d'aide. Mes chiens sont bien, mais une grosse bonne femme, un petit bonhomme et un gamin ne sont pas de taille à se mesurer contre cette bande de loups affamés.

Cela semblait étrange à Jody d'entendre son père reconnaître qu'il ne pouvait venir seul à bout de quelque chose. Mais les loups n'étaient jamais auparavant descendus en bande dans la clairière. Les daims, les petits animaux pullulaient pour les nourrir. Quelques-uns seulement s'aventuraient jusque-là, isolés ou par couples, rôdant peureusement et s'enfuyant à la première alerte. Ils n'avaient jamais constitué une menace d'importance. Penny ôta sa culotte et se tourna, le dos au feu.

— Oui, j'ai eu peur, dit-il. J'ai le derrière tout froid.

Les Baxter allèrent se coucher. Jody s'assura que sa fenêtre était bien fermée. Il voulut prendre Fanion dans son lit, mais le faon rejetait la couverture chaque fois qu'il la tirait sur lui. Fanion préférait dormir au pied du lit. Jody se réveilla deux fois dans la nuit et s'assura en tâtonnant qu'il était toujours là. Fanion n'était pas aussi grand que la génisse presque adulte... Son cœur battait dans l'obscurité. La forteresse que constituait la clairière était vulnérable. Il tira la couverture par-dessus sa tête, il n'osait pas s'endormir. Mais le lit était confortable et paisible par cette première nuit froide d'automne...

Penny partit de bon matin pour aller chez les Forrester. La bande n'était pas revenue de la nuit. Il espérait qu'un ou deux étaient blessés peut-être. Jody le supplia de l'emmener, mais sa mère refusa absolument de rester seule.

— Pour toi, c'est toujours de l'amusement, se plaignit-elle. Je peux venir? Je peux venir? Tu ne penses même pas que tu pourrais être un homme et veiller sur ta mère.

On faisait appel à sa vanité. Il caressa le bras de sa mère.

— Ne t'en fais pas, Ma. Je reste avec toi, et je chasserai les loups.

— Il est temps! J'en ai la chair de poule rien que d'y penser.

Il se sentait brave, son père ayant déclaré que la bande ne reviendrait pas en plein jour, mais, quand Penny s'éloigna, monté sur le vieux César, il se trouva inquiet, quoi qu'il en eût. Il attacha Fanion dans sa chambre, au pied de son lit, et s'en alla puiser de l'eau. Sur le chemin du retour, il fut frappé par des sons inaccoutumés. Il regarda à maintes reprises derrière lui, et, aussitôt atteint le coin de la haie, prit le pas de course. Il n'était pas effrayé, se dit-il, mais sa mère pouvait l'être. Il se hâta de couper du bois, en remplit la caisse de la cuisine jusqu'au bord, et en empila près du foyer, au cas où sa mère en demanderait plus tard. Il lui demanda si elle voulait qu'il allât chercher de la viande fumée dans la réserve. Elle refusa, mais elle avait besoin d'os et d'un bol de graisse.

Elle dit :

— Voilà maintenant que ton père est parti sans même nous dire ce qu'il fallait faire de cette pauvre génisse, l'enterrer, ou la faire cuire pour les chiens, ou bien la conserver comme appât. Bon, on attendra son avis.

Il n'y avait plus rien à faire dehors. Jody verrouilla la porte de la cuisine derrière lui.

— Tu vas mettre ton faon dehors, dit Ma Baxter.

— Oh! Ma, laisse-moi le garder dans la maison. Rien que son odeur attirerait les loups de partout.

— Bon, mais tu nettoieras après lui s'il ne se conduit pas bien.

— Oui.

Il voulut étudier son livre de lecture. Sa mère alla le prendre au fond de la malle qui contenait les couvertures et les vêtements d'hiver. Il lut toute la matinée.

— Je ne t'avais jamais vu si occupé avec ce livre, dit-elle méfiante.

Il voyait à peine les mots sur la page. Il n'avait pas peur, se répétait-il. Mais ses oreilles étaient tendues à l'extrême pour capter une rapide ruée, ou un pas feutré. Il épiait aussi le cher bruit des sabots du vieux César dans le sable et la voix de son père à la grille.

Penny revint à l'heure pour déjeuner. Il n'avait pas mangé grand-chose le matin et il avait faim. Il ne parla pas avant de s'être rassasié. Il alluma sa pipe et se balança dans son fauteuil. Ma Baxter lava la vaisselle, et balaya le plancher avec un balai de palmettes.

— Eh bien, dit Penny, je vais vous dire où on en est. C'est bien ce que je pensais. Les loups ont été parmi les plus touchés par l'épidémie. La bande qui est venue cette nuit est tout ce qu'il en reste. Buck et Lem ont été à Fort Butler et à Volusia et on n'a pas vu ni entendu de loup depuis l'épidémie, sauf ceux-là. Toujours en bande. Ils sont arrivés ici, venant de la région de Fort-Gates en tuant le bétail sur leur passage. Ça ne leur a pas rapporté grand-chose, car on les a surpris chaque fois avant qu'ils commencent à manger, et ils ont filé. Ils meurent littéralement de faim et l'avant-derrière nuit, ils ont attrapé une génisse et un petit taureau chez les Forrester. Ce matin, à l'aube, ils les ont entendus hurler. C'était après qu'ils avaient passé ici.

Jody était plein d'ardeur à présent :

— Est-ce qu'on va aller chasser avec les Forrester?

— Eh bien, voilà. J'ai eu une bonne prise de bec avec ces types. Nous ne sommes pas du même avis sur la manière de les tuer. Moi, je voudrais des bons chiens de chasse, des pièges autour de notre enclos et du leur. Mais les Forrester tiennent à les empoisonner. Moi, je n'ai jamais empoisonné une bête, et je n'ai pas envie de commencer.

Ma Baxter jeta un torchon sur la table.

— Erza Baxter, si on te sortait le cœur, on verrait qu'il n'est pas en viande. C'est du beurre pur. Tu es abruti par l'épidémie, voilà ce que tu es. Laisse les bêtes sauvages tuer froidement ton bétail, et nous mourir de faim. Non, non, tu es trop sensible pour leur faire mal au ventre.

Il soupira :

— Ça a l'air idiot, n'est-ce pas? Je n'y peux rien. D'ailleurs, comme cela, on empoisonne aussi des animaux innocents. Des chiens et d'autres avec.

— Ça vaut encore mieux que de se laisser dévaliser par les loups.

— Allons, allons, Ory, il n'est pas question qu'ils nous dévalisent. Ils ne s'en prendront pas à Trixie ni à César. Je doute qu'ils puissent seulement enfoncer la dent dans leurs vieilles croupes. Ils ne se mesureront pas non plus avec des chiens aussi bons combattants que les miens. Ils ne grimperont pas aux arbres pour attraper la volaille. Il n'y a plus rien pour eux ici, maintenant que la génisse est morte.

— Il y a Fanion, Pa.

Il semblait à Jody que, pour une fois, son père avait tort.

— Ce n'est pas plus mal de les empoisonner que, pour eux, de déchiqueter la génisse.

— En déchiquetant la génisse, ils obéissent à la nature. Ils avaient faim. Les empoisonner, ça a quelque chose de pas naturel. Ce n'est pas loyalement combattre.

Ma Baxter dit : " Il faut être toi pour vouloir combattre loyalement un loup, tu... "

— Allons, Ory, vas-y, sors ce que tu as à dire.

— Pour le dire, il me faudrait des mots que je peux à peine penser, que je ne saurais même pas dire.

— Tant pis, femme. Le poison, c'est une chose dont je n'use pas.

Il tira sur sa pipe.

— Si ça peut te faire plaisir, dit-il, les Forrester m'en ont dit de plus dures encore que toi. Je savais qu'ils allaient se moquer de moi quand j'ai sorti mon point de vue, et ils ne se sont pas gênés. Et ils sont décidés à le faire quand même et à mettre le poison.

— Je suis contente qu'il y ait encore des hommes dans le pays.

Jody les regardait tous deux. Son père avait tort, pensait-il, mais sa mère était injuste. Il y avait quelque chose en son père qui l'élevait au-dessus des Forrester. Le fait que, cette fois, ceux-ci n'avaient pas voulu l'écouter, devait signifier, non qu'il n'était pas un homme, mais seulement qu'il se trompait.

— Laisse Pa tranquille. Moi je trouve qu'il est plus malin que les Forrester.

Elle se précipita sur lui.

— Par exemple, monsieur l'insolent, tu mérites une correction.

Penny frappa sur la table avec sa pipe.

— Restez tranquilles! Comme si on n'avait pas assez de tracas avec les animaux sans que la famille se dispute. Est-ce qu'il faut absolument mourir pour trouver la paix?

Ma Baxter retourna à son travail. Elle se calma pendant l'après-midi. Après tout, les Forrester allaient faire le nécessaire. Trois d'entre eux arrivèrent à cheval vers le coucher du soleil. Ils étaient venus prévenir Penny des lieux exacts où se trouvait le poison afin qu'il en écartât ses chiens. Ils l'avaient distribué ingénieusement. Ils avaient fait cela du haut de leurs chevaux, afin que les loups ne sentissent pas l'odeur haïe de l'homme. Ils avaient préparé des boulettes de viande crue prélevée sur leur génisse et leur taureau tués, les mains enveloppées de peaux de cerf tandis qu'ils mêlaient le poison. Puis les trois frères s'étaient séparés pour suivre les pistes où la bande avait chance de s'engager. Ils avaient creusé des trous à l'aide de pieux, penchés sur leur selle, et y avaient jeté les appâts empoisonnés, les recouvrant ensuite de feuilles, du bout de leurs pieux. Ils avaient déterminé la dernière piste, en direction de l'enclos de Penny, sur une ligne droite partant du réservoir où les loups pouvaient se rassembler soit pour boire, soit pour guetter d'autres gibiers. Penny prit la situation avec philosophie.

— Bon, je garderai mes chiens attachés une semaine.

Ils acceptèrent un verre et une chique de tabac de Penny, mais refusèrent le dîner avec des remerciements. Ils voulaient être rentrés avant la nuit, au cas où la bande reviendrait dans leur corral. Ils s'éloignèrent au bout de quelques minutes de visite. La soirée s'écoula paisiblement. Penny remplit des cartouches et chargea son fusil. Il chargea aussi celui de Jody, Jody le posa soigneusement à côté de son lit. Il était reconnaissant à son père de l'admettre dans de tels préparatifs. Étendu dans son lit, il pensait à cela. Ses parents aussi étaient déjà couchés, et il les entendait parler.

Son père disait : " J'ai des choses à te raconter. Buck m'a dit qu'Olivier Hutto a pris un bateau de Jacksonville à Boston et a décidé d'y rester quelque temps avant de rembarquer. Il avait donné de l'argent à Twinck Weatherby, et elle a filé à Jacksonville où elle a pris un bateau pour le rejoindre. Lem est furieux. Il dit que, s'il rencontre jamais Twinck et Olivier, il les tuera tous les deux. "

Jody entendit le corps massif de sa mère se retourner en faisant craquer le lit.

Elle dit : " Eh bien, si la petite est comme il faut, pourquoi est-ce qu'Olivier ne l'épouse pas, pour en finir? Et si ce n'est qu'une de ces petites rien du tout, pourquoi est-ce qu'il se commet avec elle? "

— Je ne sais pas. Il y a si longtemps que j'étais un jeune étalon courant les filles, que je ne me rappelle pas ce qu'Olivier peut éprouver.

— En tout cas, il n'aurait pas dû la laisser courir après lui comme ça!

Jody était de son avis. De colère, il agita ses jambes sous sa couverture. Il en avait fini avec Olivier. Si jamais il le revoyait, il lui dirait ce qu'il pensait de lui. Il souhaitait surtout voir Twinck Weatherby pour lui tirer ses cheveux jaunes ou lui jeter quelque chose à la tête. C'était à cause d'elle qu'Olivier était reparti sans venir les voir. Il l'avait perdu. Il lui en voulait tellement que ça ne lui faisait pas de peine. Il s'endormit au milieu d'agréables images où il voyait Twinck se promener dans la brousse, manger le poison des loups, et tomber morte dans une agonie bien méritée.

XXIV

LE poison des Forrester tua trente loups en une semaine. Il en restait une bande d'une ou deux douzaines, qui sut se préserver. Penny accepta de collaborer à leur extermination par les légitimes procédés du piège et du fusil. Le champ d'action de la bande était vaste, elle ne tuait jamais deux fois au même endroit. Une nuit, elle envahit le corral des Forrester. Les veaux meuglèrent et les Forrester se précipitèrent. Ils trouvèrent le bétail résistant aux loups. Ils avaient formé le cercle, les veaux au centre, et se tenaient sur la défensive, les cornes baissées. Un des veaux se mourait, la gorge ouverte, et deux autres avaient la queue tranchée net. Les Forrester abattirent six loups. Le lendemain, ils remirent du poison, mais les loups ne revinrent pas. Deux de leurs propres chiens trouvèrent les appâts et moururent d'une mort affreuse.

Buck vint un soir au crépuscule inviter Penny à chasser avec eux le lendemain à l'aube. On avait entendu les loups hurler ce matin-là près d'un point d'eau à l'ouest de l'île Forrester. Une longue période de sécheresse avait suivi le déluge, et les hautes eaux s'étaient évaporées. Les étangs, les mares, les marécages, avaient à peu près retrouvé leur niveau normal. Ce qui restait de gibier pouvait être facilement repéré autour des points d'eaux connus. Les loups avaient fait la même découverte. La chasse aurait deux objectifs : avec de la chance, on parviendrait à tuer tous les loups qui restaient; par ailleurs, on prendrait facilement du gibier. La viande de cerf et de loup commençait à tenter les imaginations. Penny accepta l'invitation avec gratitude. Les Forrester étaient assez nombreux pour n'importe quelle chasse sans avoir besoin d'aide extérieure. C'était un sentiment généreux qui envoyait Buck à l'îlot Baxter. Jody le savait. Il savait aussi que la connaissance que son père possédait des mœurs du gibier était toujours précieuse.

Penny dit : " Restez coucher ici, Buck, et nous partirons avant le jour. "

— Non, car si je ne suis pas à la maison ce soir, ils croiront qu'il n'y a pas de chasse et ils ne se prépareront pas.

Jody tirait son père par la manche.

Penny demanda : " Est-ce que je peux emmener mon garçon et mes chiens? "

— Les chiens, nous comptons sur eux, car Nelle et le Grand ont été empoisonnés. Le garçon, nous n'y avons pas pensé, mais si vous répondez de lui, et s'il ne nous gâche pas notre chasse...

— J'en réponds.

Buck s'en alla. Penny prépara les munitions et graissa les fusils. Les Baxter se couchèrent de bonne heure.

Il sembla à Jody que son père se penchait sur lui, le secouait pour l'éveiller avant qu'il eût eu seulement le temps de s'endormir. Il faisait encore nuit. On se levait toujours de bonne heure, mais, d'habitude, il y avait au moins une mince ligne de lumière vers l'est. A présent, le monde était d'un noir de poix, et les arbres bruissaient encore aux vents nocturnes. C'est un bruit qui ne ressemble à aucun autre. Un instant, Jody regretta sa demande de la veille. Puis il pensa à la chasse et, plein d'ardeur, sauta du lit dans l'air froid.

Le feu craquait dans la cuisine. Sa mère mettait une poêle

de crêpes dans le four. Elle avait une vieille veste de chasse de Penny sur sa longue chemise de flanelle. Ses nattes grises pendaient sur ses épaules. Jody vint à elle, la flaira et frotta son nez contre sa poitrine couverte de flanelle. Il la sentait grande et chaude et il glissa ses mains sous la veste pour les réchauffer. Elle le garda ainsi un moment, puis le repoussa.

— Je n'ai jamais vu un chasseur se conduire comme ça, un vrai bébé, dit-elle. Vous serez en retard au rendez-vous si tu ne me laisses pas faire le petit déjeuner.

Mais sa voix était cordiale.

Fanion sortit de la chambre et vint flairer la cuisine.

Ma Baxter dit : « Donne à manger à ce faon et attache-le dans le hangar, ou bien tu vas oublier et je ne veux pas qu'il m'embête pendant que vous serez partis. »

Il emmena Fanion dehors. Le faon était capricieux et s'enfuit. Il eut du mal à le rattraper dans l'obscurité. Il commença par l'attacher, puis lui donna une pâtée de viande et d'eau.

Il lui dit : « Sois bien sage et je te raconterai les loups quand je rentrerai. »

Penny venait de traire la vache. Il y avait peu de lait à cette heure matinale. Le petit déjeuner était prêt. Ils mangèrent rapidement. Ma Baxter ne se mit pas à table; elle leur préparait un repas à emporter. Mais Penny assurait qu'ils seraient de retour pour déjeuner.

Elle dit : « Ça ne serait pas la première fois que tu me dirais ça et que tu rentrerais dans la nuit avec des crampes d'estomac. »

Jody dit : « Sûr que tu es bonne, Maman. »

— Oh! toi, quand il s'agit de manger...

Penny sella César, l'enfourcha et prit Jody en croupe. Ma Baxter leur tendit les fusils.

On sentait l'aube proche. Les sabots du cheval faisaient

un bruit sourd dans le sable. C'était étrange, songeait Jody, que la nuit parût plus silencieuse que le jour, alors que la plupart des bêtes s'agitent et ne s'endorment qu'au lever du soleil. Seul un faucon criait, et, quand son cri fut éteint, ils continuèrent leur course dans une ombre vide. D'instinct, on parlait à voix basse. L'air était froid. Dans son excitation, Jody avait oublié sa vieille veste. Il se serra contre le dos de son père.

— Petit, tu n'as pas de veste. Veux-tu la mienne?

Il était tenté, mais il refusa.

— Il ne fait pas froid, dit-il.

Le dos de Penny était plus large que le sien. Et tant pis pour lui s'il avait oublié sa veste.

Ils arrivèrent au rendez-vous avant les Forrester. Jody descendit de cheval et courut avec Rip pour se réchauffer et pour tromper l'intolérable attente. Il commençait à craindre qu'ils les eussent manqués, lorsqu'un bruit de sabots résonna à quelque distance, et les Forrester arrivèrent. Ils étaient venus tous les six. Ils saluèrent les Baxter. Le vent léger qui soufflait du sud-ouest était favorable. S'ils ne se fourvoyaient pas, ils pourraient surprendre la bande de loups. Le mieux serait de viser de loin. Buck et Penny prirent la tête, côte à côte. Le reste suivit en file indienne.

Une teinte grise à peine lumineuse se glissait à travers la forêt. Il y eut entre l'aube et le lever du soleil, un intervalle, une heure irréelle. Il semblait à Jody qu'il se mouvait dans un rêve entre la nuit et le jour et qu'il se réveillerait avec le soleil. La file des cavaliers sortit de la brousse et émergea dans une clairière d'herbe plantée de bouquets de chênes-lièges. Un point d'eau très fréquenté par les bêtes de la forêt se trouvait par là. C'était une mare claire et profonde et il y avait dans le goût de son eau quelque chose qui plaisait au gibier. En outre, elle était protégée de deux côtés par des marécages à travers lesquels on pouvait voir approcher le danger, et, des deux côtés, la forêt s'ouvrait à une rapide retraite.

Les loups n'étaient pas encore là, si toutefois ils y devaient venir. Buck, Lem et Penny descendirent de cheval et attachèrent les chiens aux arbres. Une mince rai de couleur s'étendait à l'est, comme un ruban jaune. Le brouillard d'automne flottait alentour. On ne distinguait les silhouettes qu'à quelques pieds au-dessus du sol. Tout d'abord, la mare parut déserte. Puis des formes se précisèrent çà et là sur ses bords comme une matérialisation du brouillard toujours gris et vaporeux. Les andouillers d'un cerf se dessinèrent au loin. Lem leva machinalement son fusil, puis l'abaissa. Les loups importaient plus pour l'instant.

La Meule murmura : « Je ne me rappelais pas ces buissons autour de la mare. »

Tandis qu'il parlait, les buissons bougèrent. Jody cligna des yeux. Les buissons étaient des jeunes ours. Il y en avait une bonne douzaine. Deux autres plus grands se dandinaient lentement derrière eux. Ils n'avaient pas vu, ni flairé le cerf, ou bien s'en désintéressaient. Le rideau de brume se dissipa légèrement. La bande colorée s'élargit à l'est. Penny leva la main. Quelque chose remuait vers le nord-ouest. Les formes des loups étaient à peine discernables, avançant sur une seule file comme avaient fait les cavaliers. Le nez fin de Julia perçut une odeur ténue, elle se leva et aboya. Penny la frappa pour la faire taire... Elle s'aplatit sur le sol.

Penny dit tout bas : « Aucune chance de viser par là. Nous ne pouvons pas nous approcher suffisamment. »

Le chuchotement de Buck ressemblait à un grognement.

— Et si on tirait sur ce cerf et au besoin sur les ours?

— Écoutez. L'un de nous pourrait prendre vers l'est et le sud et faire vivement le tour de la mare. Les loups sont trop avancés pour revenir en arrière. Ils n'iront pas à la mare. Ils seront forcés d'entrer dans le bois en passant juste là où nous sommes.

L'idée fut immédiatement acceptée.

— Partez devant.

— Jody fera ça aussi bien qu'un homme. Et il n'est pas tireur. Nous avons besoin de tous les tireurs ici.

— C'est juste.

— Jody, tu vas aller juste derrière la lisière du bois là-bas. Quand tu seras en face de ce grand pin, tu couperas à travers le marécage dans notre direction. Avant de tourner, tire un coup de fusil en l'air vers les loups. N'essaye pas de les atteindre, continue à avancer. Va vite, mais sans bruit.

Jody toucha le flanc de César et s'éloigna au trot. Son cœur avait quitté sa position normale et battait plus haut dans sa gorge. Il voyait trouble. Il craignait de ne pas reconnaître le grand pin, de couper trop tôt ou trop tard par le marécage en gâchant toute l'affaire. Il avançait sans rien voir. Il se redressa et glissa une main le long du canon de son fusil. Il se sentit soudain raffermi et lucide. Il discerna le pin avant de l'atteindre. Il tourna vivement la tête de César vers la droite, lui enfonça ses talons dans la chair, frappa son encolure avec les rênes et s'élança hors du bois. L'eau de la mare s'agitait au-dessous de lui. Il vit les jeunes ours se disperser. Il craignit de n'être pas allé assez loin pour prendre les loups à revers. Leur lente bande devant lui hésitait, prête à revenir sur ses pas. Il leva son fusil et tira. Les loups s'élancèrent en masse serrée. Il retint son souffle. Il les vit foncer dans la brousse. Il entendit le claquement des fusils comme une musique à ses oreilles. Il avait joué son rôle et l'action ne lui appartenait plus. Il contourna la mare au galop, pour rejoindre les hommes.

Le stratagème de Penny avait réussi à merveille. Une douzaine de cadavres jonchaient la terre. Mais on discutait. Lem voulait lâcher les chiens sur le reste de la bande. Buck et Penny s'y opposaient.

Penny dit :

— Lem, vous savez bien que nous n'avons pas un chien capable de courir comme ces loups, comme la foudre. Ils ne les rattraperont jamais.

Buck dit :

— Il a raison, Lem.

Penny se retourna, tout animé.

— Regardez-moi ces jeunes ours. Ils ont grimpé aux arbres. Si on les prenait vivants, qu'est-ce que vous en dites? Est-ce qu'on ne donne pas un bon prix sur la côte est, pour les bêtes vivantes?

— On le dit.

Penny sauta en selle et Jody recula pour lui faire place.

— Doucement, les gars. Plus on ira lentement pour ce travail-là, mieux ça vaudra.

Trois des oursons, orphelins sans doute depuis assez longtemps pour avoir oublié la discipline, n'avaient même pas grimpé aux arbres. Ils étaient assis sur leur derrière, pleurant comme des bébés. Ils ne firent aucun effort pour échapper. Penny les attacha tous trois ensemble et noua le bout de la corde autour d'un grand pin. Quelques oursons avaient grimpé sur de simples arbustes. Il fut facile de les en secouer et de les lier eux aussi. Deux autres étaient très haut, dans les branches d'un grand arbre. Jody, le plus léger et le plus agile de la bande, grimpa derrière eux. Ils continuèrent à monter devant lui, puis s'engagèrent sur une branche perpendiculaire. Il s'y accrocha. C'était une besogne délicate de la secouer sans tomber lui-même. La branche craqua légèrement. Penny lui cria d'arrêter. On coupa une branche de chêne qu'on tailla et qu'on lui tendit. Jody se laissa glisser jusqu'à ce qu'il fût assez bas pour pouvoir l'atteindre, puis remonta. Il en toucha les oursons ainsi qu'avec un aiguillon. Ils se cramponnaient à leur branche comme s'ils ne faisaient qu'un avec elle. Enfin, ils la lâchèrent. Jody redescendit.

Le vieil ours et le cerf avaient disparu au premier coup de fusil. Deux ours d'un an montrèrent trop d'ardeur pour qu'on pût les prendre vivants. Ils étaient dodus, et, comme les deux maisons manquaient de viande fraîche, on les tua pour les manger. Les oursons capturés étaient au nombre de dix.

Jody dit :

— Si je n'avais pas déjà Fanion, sûr que j'en ramènerais un à la maison.

Penny dit :

— Et on vous mettrait tous les deux en cage.

Jody s'approcha des oursons et leur parla. Ils levèrent leur museau pointu, le flairant, debout sur leurs pattes de derrière.

Il dit :

— Vous devez être joliment contents qu'on vous laisse vivants.

Il s'approcha encore et avança une main timide pour en toucher un. L'ourson enfonça sa patte griffue dans sa manche. Jody fit un saut en arrière.

Il dit :

— Ils ne sont pas reconnaissants, Pa. Ils ne sont pas du tout reconnaissants que nous les ayons sauvés des loups.

Penny dit :

— Tu n'avais pas bien regardé ses yeux. Tu en as justement choisi un méchant pour le caresser. Je t'ai déjà dit que, sur deux oursons jumeaux, il y en avait toujours un gentil et un méchant. Maintenant vois si tu en trouves un qui a un bon regard.

— J'ai peur de mal choisir. J'aime mieux les laisser.

Les Forrester se mirent à rire. Lem ramassa un bâton et se

mit à taquiner un des oursons. Il le lui enfonça entre les côtes pour qu'il y mordît. Il le frappa, et le petit ours gémit de douleur.

Penny dit :

— Allons, Lem, tuez-le plutôt que de le faire souffrir.

Lem se retourna, irrité.

— Gardez votre morale pour votre gamin. Je fais ce qui me plaît.

— Vous ne ferez pas souffrir une bête tant que j'aurai la force de l'empêcher.

— Ça ne sera pas long.

Buck dit :

— Ne fais pas le méchant, Lem.

— Toi aussi, tu veux une raclée?

En général, les Forrester se battaient entre eux, sans rime ni raison, mais cette fois tous prirent le parti de Buck et Penny. La chasse les avait mis de bonne humeur. Lem écumait mais desserra ses poings. On décida que Gabby et La Meule resteraient là pour surveiller les oursons au cas où ils rompraient leur corde.

Les autres iraient chercher la carriole à l'îlot Forrester pour y ramener ensuite leur prise.

— Maintenant, dit Penny, Jody et moi, nous ferions aussi bien de rentrer chez nous. J'ai une petite chasse particulière à faire en chemin.

— Vous voulez le cerf? demanda Lem soupçonneux.

— Si vous tenez à connaître mes affaires, j'ai l'intention d'aller à la crique Juniper et d'y tuer un crocodile. J'ai besoin de graisse pour mes bottes, et je veux fumer la queue pour mes chiens. Vous êtes content?

Lem ne répondit pas. Penny se tourna vers Buck.

— Vous ne croyez pas que Saint-Augustin serait le meilleur endroit pour vendre ces oursons?

— Bah! si le prix ne nous convient pas, ça vaudra toujours la peine d'aller à Jacksonville.

— Jacksonville, dit Lem. J'y ai affaire pour mon compte.

— J'ai une amie à Jacksonville, dit La Meule, mais je n'ai rien à y faire.

— Si c'est celle qui s'est mariée, sûre que tu n'as rien à y faire.

Penny dit patiemment :

— Ce sera donc Jacksonville. Mais qui est-ce qui ira?

Les Forrester se regardèrent.

Lem dit :

— La carriole ne partira pas sans moi.

— Ce sera donc Buck et Lem. Maintenant, voulez-vous que je vienne aussi? Il n'y a que trois places sur le siège.

Ils se turent.

La Meule dit enfin :

— Vous avez une bonne part dans les oursons, Penny, c'est sûr, mais je meurs d'envie d'y aller. Et maintenant que j'y pense, j'ai une barrique que je voudrais vendre là-bas.

— Bon, dit Penny, moi je n'ai pas particulièrement envie d'y aller. Buck voudra bien se charger de mes affaires et me garder ma part. Quand partez-vous? Demain? Très bien. Si vous voulez vous arrêter chez nous en passant, la mère et moi on vous chargera de nos commissions.

— Je ne vous ferai pas tort, vous le savez.

— Je le sais.

Ils se séparèrent. Les Forrester s'en allèrent vers le nord et les Baxter vers le sud.

Penny dit :

— Je ne m'en irais sur la côte avec ces chenapans, ni pour or, ni pour argent. Il y aura des pots et des crânes brisés tout le long de leur route.

— Tu crois que Buck ne nous fera pas tort?

— Il ne nous fera pas tort. Buck est le seul de la nichée qui vaille quelque chose. Lui et le pauvre Aile-de-Paille.

Jody dit :

— Pa, je me sens drôle.

Penny retint César et regarda derrière lui. Jody était blanc.

— Eh bien, mon garçon, tu as eu trop d'émotions. C'est tout. Maintenant que c'est fini, tu te laisses aller.

Il descendit de cheval et prit Jody dans ses bras. Il était sans force. Penny l'adossa à un arbuste.

— Tu as fait la besogne d'un homme aujourd'hui. Maintenant, repose-toi, je m'en vais te chercher quelque chose à manger.

Il fouilla dans le sac et en sortit une patate rôtie qu'il pela.

— Ça va te remettre. En arrivant à la crique, tu boiras un bon coup.

D'abord Jody ne put pas avaler. Puis le goût de la patate toucha son palais, il se redressa et la mangea à petites bouchées. Il se sentit mieux aussitôt.

— Tu es tout à fait comme moi, quand j'étais petit, dit Penny. Tu prends tout à cœur et ça te vide.

Jody sourit. Avec tout autre que son père, il se serait senti humilié. Il se remit sur ses pieds. Penny lui posa la main sur l'épaule. Les buissons flamboyaient, les chênes luisaient. Le parfum des langues-de-cerf couleur de pourpre remplissait la route. Des geais volaient. Le fumet fort de l'ours d'un an jeté derrière lui sur la croupe du vieux César n'était pas déplaisant, mêlé à la sueur du cheval, à la riche odeur de la selle, au parfum des langues-de-cerf et à la saveur de la patate. Il pensa qu'il aurait beaucoup de choses à raconter à Fanion en rentrant à la maison. Ce qu'il y avait de bien dans ce qu'il racontait à Fanion, c'est qu'il pouvait penser la plus grande partie des choses sans avoir à les dire. Il préférait parler à son père, mais il ne pouvait jamais trouver les mots pour exprimer clairement les choses. Lorsqu'il essayait de dire une de ses pensées, l'idée s'évanouissait tandis qu'il balbutiait encore. C'était le même effort que pour tuer des colombes dans un arbre. Il les voyait, levait son fusil, visait. Elles étaient parties avant qu'il eût tiré.

A Fanion il pouvait dire :

— Voilà les loups qui s'amènent dans la mare... et il n'avait qu'à rester tranquille pour voir toute l'affaire, et en éprouver de nouveau les sensations, les frayeurs et les jouissances aiguës. Fanion le lécherait et le regarderait de ses doux yeux liquides, et il se sentirait compris.

Il revint à lui tout à coup. Ils avaient pris le vieux chemin espagnol qui menait à la source Juniper. L'eau avait retrouvé son niveau normal. Des débris d'inondation s'amoncelaient sur les bords. La source elle-même sortait claire et bleue d'une profonde caverne. Un arbre était tombé en travers. Ils attachèrent César à un magnolia et suivirent le bord de l'eau à la recherche d'une trace d'alligator. Il n'y en avait point. Un vieil alligator femelle, presque apprivoisé, habitait là. Elle mettait des petits au monde tous les deux ans, et elle nageait vers la rive quand on l'appelait pour venir prendre la viande qu'on lui jetait. Elle devait être dans sa grotte avec ses derniers-nés.

Penny tendit une main derrière lui pour retenir Jody. Sur la rive opposée, il y avait une trace fraîche d'alligator. La vase avait été foulée par le mouvement de son corps dur. Penny s'accroupit derrière un buisson. Jody s'accroupit derrière lui. Penny avait chargé son fusil. Il y eut un mouvement dans les eaux courantes. Quelque chose qui ressemblait à une bûche tombée s'éleva presque à fleur d'eau. Cette bûche portait deux boursouflures à une de ses extrémités. C'était un alligator de huit pieds et les boursouflures étaient ses yeux aux paupières lourdes. L'alligator plongea de nouveau, puis resurgit et posa ses pattes de devant sur la berge. Il s'y hissa, balança la queue et s'étendit tranquillement. Penny visa plus soigneusement que pour un ours ou un daim. Il tira. La longue queue s'agita frénétiquement, mais le corps s'aplatit instantanément dans la vase. Penny courut en amont vers la source, la contourna, Jody sur ses talons, puis redescendit sur l'autre rive. La large mâchoire plate s'ouvrait et se fermait mécaniquement. Penny, d'une main, la tint fermée, et de l'autre, saisit une des pattes de devant. Les chiens aboyaient, très excités. Jody empoigna la bête et ils la tirèrent sur la terre ferme. Penny se releva et s'essuya le front avec sa manche.

Ils se reposèrent un moment, puis se mirent à dépecer la queue dont la viande, une fois fumée, constituerait une bonne nourriture à emporter à la chasse pour les chiens. Penny retourna la bête et découpa des tranches de graisse sur les flancs.

— Les alligators sont des rares qui profitent de l'inondation, dit-il.

Jody réfléchit à l'étrangeté de ce cas. Les créatures de l'eau et les créatures de l'air avaient survécu, les bêtes dont la patrie était la terre elle-même avaient péri, prises au piège entre les éléments étrangers, le vent, l'onde. Cette pensée était de celles qui le troublaient et qu'il ne parvenait jamais à amener au jour pour les partager avec son père. Elle s'agitait à présent dans son esprit, comme un reste de la brume du matin. Il revint à la graisse de l'alligator.

Les chiens ne paraissaient pas tentés par cette chair qui n'était pas plus de leur goût que les grenouilles, les canards et autres bêtes nourries de matières poissonneuses. Mais lorsque la queue, rose comme du veau, aurait été fumée, la saveur étrangère en serait éliminée et ils en mangeraient, faute de mieux. Penny sortit les provisions des sacs et les remplit de viande et de graisse d'alligator.

— Peux-tu manger maintenant, petit?

— Je peux presque toujours manger.

— Alors, on va manger pour en être débarrassé.

Ils se lavèrent les mains dans l'eau courante et burent à la source. Étendus à plat ventre, ils buvaient avidement. Ils ouvrirent les paquets de provisions et les partagèrent. Penny laissa sur sa part un biscuit couvert de confiture et un morceau de pudding. Jody les accepta avec reconnaissance. Penny regarda le petit ventre de son fils.

— Ce que je me demande, c'est où tu caches tout ça. Mais je suis content d'avoir de quoi t'en donner. Il y avait des jours quand j'étais petit — nous étions une telle meute — où j'avais le ventre vide.

Ils s'étendirent commodément sur le dos. Jody regardait le magnolia au-dessus de lui. Le dessous de l'épais feuillage ressemblait au cuivre du pot qui avait appartenu à la grand-mère de sa mère. Penny se leva nonchalamment et donna à manger aux chiens. Il conduisit César à la source pour le faire boire. Puis ils montèrent en selle et prirent la direction du nord et de l'îlot Baxter.

A l'ouest de la source des eaux douces, Julia découvrit une piste. Penny se pencha pour l'examiner.

— Mais c'est une piste de cerf toute fraîche, qu'elle a trouvée là, dit-il. J'ai bien envie de la suivre.

La chienne agitait la queue, son nez collé au sol. Elle prit sa course. Elle leva le museau et continua de trotter, flairant le vent.

— Il doit être juste devant nous, dit Penny.

La piste suivait la route pendant quelques centaines de mètres, puis tournait à droite. Julia fit entendre un petit aboiement.

Penny dit :

— Maintenant, il est tout près. Je parierais qu'il est installé dans ce fourré.

Il poussa le cheval dans le fourré à la suite de la chienne. Celle-ci aboya et un cerf couché s'agenouilla puis sauta sur ses pattes. Ses andouillers étaient entièrement épanouis. Au lieu de se précipiter pour fuir, il chargea le chien, tête baissée. La raison de cette attitude apparut aussitôt. Une biche leva derrière lui son crâne lisse et sans cornes. L'inondation avait retardé l'époque des amours. Ce cerf était en rut et prêt au combat. Penny retint son coup de fusil, comme il faisait souvent lorsque les choses lui paraissaient étranges. La vieille Julia et Rip étaient aussi étonnés que lui. Ils n'avaient pas peur des ours, des panthères et des chats sauvages, mais ici, ils s'attendaient à voir leur proie prendre la fuite. Ils reculèrent. Le cerf piétinait le sol comme un taureau et secouait ses andouillers. Julia reprit courage et lui sauta à la gorge. Il l'attrapa sur ses cornes et la jeta dans les buissons. Jody vit la biche se retourner et s'enfuir. Julia n'était pas blessée et revint au combat. Rip était sur les talons du cerf. Celui-ci chargea de nouveau, puis demeura en arrêt, les cornes baissées.

Penny dit :

— Ça, mon vieux, ça me fait de la peine, et il tira.

Le cerf s'affaissa, donna quelques ruades, puis s'immobilisa. Julia éleva la voix en un aboiement de triomphe.

Penny dit :

— Ça m'a été très désagréable.

Le cerf était grand et beau, bien nourri de baies. Mais son pelage roux d'été était déjà terni. Il tournait au gris hivernal, à la couleur de la mousse et des lichens qui poussent sur la face nord des pins.

— Dans un mois d'ici, à courir la brousse pour ses amours, il aurait été bien pauvre, et sa viande filandreuse, dit Penny.

Il rayonnait.

— Je ne crois pas que César va pouvoir tout porter, dit-il.

— J'irai à pied, Pa. Est-ce que le cerf pèse plus lourd que moi?

— Au moins le double. Nous ferons mieux d'aller tous les deux à pied.

César accepta docilement le fardeau. Il ne semblait pas être effrayé par la dépouille du jeune ours comme il l'avait été par celle du grand. Penny marchait devant pour le guider. Jody se sentait aussi allègre qu'au début d'une journée. Il se mit à courir en avant. Les chiens traînaient derrière. Il n'était pas beaucoup plus de midi lorsqu'ils atteignirent la clairière. Ma Baxter ne les attendait pas si tôt. Elle abritait ses yeux du soleil. Son lourd visage s'éclaira à la vue du gibier.

— Ça vaut la peine de rester seule quand vous me revenez avec des choses pareilles, s'écria-t-elle.

Jody se répandit en bavardages. Sa mère ne l'écoutait qu'à moitié, occupée de la qualité de la viande de cerf et d'ours. Il la laissa et se glissa dans le hangar pour voir Fanion. Ce n'était pas l'heure de s'installer à faire la conversation. Il laissa Fanion flairer ses mains, sa chemise et son pantalon.

— Ça c'est l'odeur de l'ours, expliqua-t-il. Tu fileras comme l'éclair, si jamais tu la sens proche. Et ça, c'est le loup. Depuis l'inondation, ils sont encore plus mauvais que les ours, mais on les a presque tous détruits ce matin, pour sûr. Il en reste peut-être trois ou quatre, tu n'auras qu'à les fuir. Maintenant, l'autre odeur, c'est celle de ta famille. Il ajouta avec une espèce d'horreur fascinée : " Peut-être bien que c'est ton papa. Pas la peine de fuir ceux-là. Mais si, tout de même. Un vieux cerf peut très bien tuer un faon ou un daim pendant le rut, Papa l'a dit. Quoi qu'il arrive, sauve-toi. "

Fanion agita sa queue blanche, tapa du pied et secoua la tête.

— Et ne dis pas non. Tu dois m'obéir.

Penny et Ma Baxter passèrent la soirée à discuter leurs plus urgents besoins pour l'hiver. Ma Baxter finit par dresser une liste soigneusement écrite au crayon sur du papier réglé :

Une pièce de bon lènage pour faire des vêtements de chasse à M. B... et à Jody.

Une demie-pièce de guingan d'un joli écoçais bleu et blan pour Mme B... mais d'un très joli bleu.

Une pièce de toille.

Un sac de café.

Un tono de farine.

Une hache.

Sac de sel.

2 baguettes de fusil.

Des cartouches pour le fusil de M. B...

Poudre.

Homespun, 6 mètres.

Toille à chemise, 4 mètres.

Brodequins Jody.

1/2 rame de papier.

1 boîte bouttons, pour pantalons.

1 carte bouttons de chemises.

1 bouteille huile de ricins.

1 boîte vermifuge.

1 boîte pillules pour le foie.

1 flacon laudanum.

1 dito alcol canfré.

1 dito parégoric.

1 dito menthe.

Si reste assez d'argent, 2 mètres alpaga noir.

Les Forrester s'arrêtèrent le lendemain matin en passant. Jody courut à leur rencontre, suivi de Penny et de Ma Baxter. Buck, La Meule et Lem encombraient le siège de la carriole. Derrière eux, se bousculant, se disputant, grognant, une masse de poil luisant et sombre était traversée par l'éclat des petites dents, des griffes, des paires d'yeux brillants comme des perles noires. Les cordes et les chaînes s'entremêlaient. Une barrique de whisky se dressait au milieu. Un ourson à la chaîne plus longue y avait grimpé et dominait la mêlée. Jody sauta sur une roue pour regarder dans la carriole. Une patte griffue passa devant son visage et il se laissa retomber sur le sol.

Penny cria :

— Ne vous étonnez pas si tout Jacksonville s'attroupe sur votre passage.

— Ça fera peut-être monter les prix, répondit La Meule.

Buck dit à Jody :

— Je ne peux pas m'empêcher de penser au plaisir que ça aurait fait à Aile-de-Paille de voir ça.

Si Aile-de-Paille avait vécu, songeait Jody avec regret, tous deux se seraient fait emmener à Jacksonville. Il regardait avec envie l'espace réduit devant le siège, sous les pieds des hommes. Lui et Aile-de-Paille auraient pu s'y installer commodément et voir le monde.

Buck prit la liste des Baxter.

Il dit :

— Ça fait des tas de choses. Si on n'a pas un bon prix, et si l'argent qu'on rapporte ne suffit pas, qu'est-ce que je laisse tomber?

— Le guingan et la toile, dit Ma Baxter.

Penny dit :

— Non, Buck, vous prendrez le guingan de la mère, quoi qu'il arrive. Prenez le guingan, la hache et les cartouches. Et aussi la toile à chemises, c'est pour Jody.

— Bleue et blanche, s'écria Jody. Tout mélangé, Buck, comme une peau de serpent.

Buck dit :

— Entendu, et si on n'a pas assez d'argent, on tâchera d'attraper encore quelques ours.

Il frappa les chevaux avec les rênes.

Ma Baxter leur cria encore :

— C'est le lainage qui est le plus utile.

Lem dit :

— Arrête la carriole. Tu vois ça?

Il désignait du pouce la peau de cerf étendue sur le mur de la réserve. Il sauta de son siège, ouvrit la barrière et marcha à grands pas dans cette direction. Il regarda autour de lui et découvrit les andouillers séchant à un clou. Il s'avança sur Penny, et, d'une gifle, l'aplatit contre le mur de la réserve. Penny devint livide. Buck et La Meule se précipitèrent. Ma Baxter courut dans la maison chercher le fusil de Penny.

Lem dit :

— Ça t'apprendra à mentir. Tu n'en avais pas au cerf, non, n'est-ce pas?

Penny dit :

— Je devrais te tuer pour cela, Lem, mais tu n'en vaux pas la peine. C'est pur hasard, si j'ai attrapé ce cerf.

— Tu mens!

Penny se tourna vers Buck, sans s'occuper de Lem.

Il dit :

— Buck, personne ne m'a jamais vu mentir. Si vous vous étiez tous rappelé ça, vous ne vous seriez pas laissé prendre à l'histoire du chien.

Buck répondit :

— C'est vrai. Ne vous occupez pas de lui, Penny.

Lem retourna à la carriole et grimpa sur son siège.

Buck ajouta à mi-voix :

— Je vous demande bien pardon, Penny. Il est mauvais comme une bête. Il est comme ça depuis qu'Olivier lui a pris sa poule. Il est devenu mauvais comme un cerf qui ne trouve pas de biche.

Penny dit :

— J'avais l'intention de vous donner un quart de cette venaison à votre retour. Je vous jure, Buck, que c'est dur de pardonner ça.

— Je comprends. Enfin, ne vous en faites pas pour votre part dans l'affaire des oursons, ni pour vos commissions. Nous deux La Meule, on est de taille à faire tenir Lem tranquille quand il le faut.

Ils revinrent à la carriole. Buck leva les rênes et fit tourner les chevaux. Ils devaient rejoindre la route du nord derrière le réservoir. Ils traverseraient la prairie Hopkins, passeraient la source salée et gagneraient Palatka où ils franchiraient la rivière et s'arrêteraient peut-être pour la nuit avant de continuer. Jody et Penny regardèrent la carriole s'éloigner, et Ma Baxter qui les suivait des yeux derrière la porte posa le fusil. Penny rentra dans la maison et s'assit.

Ma Baxter dit :

— Pourquoi t'es-tu laissé faire?

— Quand on a affaire à quelqu'un de déraisonnable, raison de plus pour garder son sang-froid. Je ne suis pas de taille à me battre avec lui. Tout ce que j'aurais pu faire, ç'aurait été de prendre mon fusil et de lui tirer dessus. Si jamais je tue un homme, ce sera pour quelque chose de plus sérieux qu'une mesquinerie de ce genre.

Il était visiblement malheureux.

— J'aimerais tant à vivre en paix, dit-il.

A la surprise de Jody, sa mère répondit :

— Je trouve que tu as bien fait. Il ne faut plus y penser.

Jody ne les comprenait pas bien. Il était plein de rancune contre Lem et très déçu par son père qui avait laissé l'offense impunie. Il ne s'y reconnaissait pas non plus dans ses propres sentiments. Juste au moment où il avait transféré son amitié d'Olivier aux Forrester, Lem trahissait son père. Il finit par trouver une solution en décidant de haïr Lem mais de continuer à aimer les autres, particulièrement Buck. Cette haine et cette affection étaient également satisfaisantes.

Il n'y avait aucun travail particulier à faire, et il passa la matinée à aider sa mère à peler les grenades et à mettre les pelures à sécher. C'était, disait-elle, le meilleur remède contre la dysenterie. Mais il mangea tant de grenades, qu'elle avait peur qu'il eût besoin du remède avant qu'il ne fût prêt.

XXV

Novembre s'évanouit en décembre sans autre signe que le cri aigu et triste des canards sauvages.

Les courlis arrivaient. Ils venaient de Georgie tous les hivers. Les vieux étaient blancs avec de longues plumes recourbées. Les jeunes, de la couvée du dernier printemps, étaient d'un gris brun. Les jeunes courlis étaient un mets savoureux. Quand la viande fraîche se faisait rare ou bien lorsque les Baxter étaient las des écureuils, Penny et Jody chevauchaient jusqu'à la Prairie-aux-Mulets et en rapportaient une demi-douzaine. Ma Baxter les faisait rôtir comme du dindon, et Penny jurait que c'était encore meilleur.

Buck Forrester avait vendu les oursons un bon prix à Jacksonville. Il avait rapporté aux Baxter tous les articles de la liste, plus un petit sac de monnaie d'argent et de cuivre. Les relations entre les deux familles étaient tendues depuis l'attaque de Lem contre Penny, et, leurs affaires réglées, les grands bonshommes bruns s'éloignèrent rapidement.

Penny dit :

— Sans doute que Lem a persuadé aux autres que je leur avais vraiment menti à propos du cerf. Ça s'éclairera bien un jour.

Ma Baxter dit :

— Ça me va aussi bien d'être débarrassée d'eux.

— Allons, Ma, il ne faut pas oublier ce que Buck a fait quand j'ai été mordu par le serpent.

— Je n'ai pas oublié. Mais ce Lem est un serpent lui-même. Il se dresse et vous attaque, rien que pour un bruissement de feuilles.

Buck vint un jour, cependant, pour annoncer qu'ils pensaient avoir détruit les derniers loups. Ils en avaient abattu un dans le corral, en avaient pris trois au piège, et, depuis, n'en avaient plus vu de trace. Les ours leur causaient de perpétuels soucis. Le pire était le vieux Pied-Bot dont les virées s'étendaient, dit Buck, depuis la rivière à l'est jusqu'à la crique Juniper à l'ouest. Sa halte favorite était le corral des Forrester. Il étudiait le vent et évitait chiens et pièges, se glissait dans le corral et se saisissait d'un veau chaque fois qu'il en avait envie. Les nuits où les Forrester veillaient à le guetter, il ne se montrait pas.

Buck dit :

— Il n'y a pas grand-chose à faire, mais j'ai cru bon de vous prévenir tout de même.

Penny dit :

— Mes bêtes sont si près de la maison, que je le surprendrai peut-être. Je vous remercie, Buck, je voulais vous dire quelque chose. J'espère que vous n'avez pas de doute dans votre esprit à propos de ce cerf qui a mis Lem si en colère.

Buck répondit évasivement :

— Ça va. Un cerf, qu'est-ce que c'est que ça ? Bon, au revoir.

Penny secoua la tête et retourna à son travail. Cela le préoccupait de ne pas être en bons termes avec ses seuls voisins dans son petit univers de brousse.

Il n'y avait pas beaucoup de travail et Jody passait de longues heures avec Fanion. Le faon grandissait rapidement. Ses pattes étaient toujours longues et effilées. Jody s'aperçut un jour que ses taches claires, signes d'enfance, avaient disparu. Il examina la tête lisse et dure pensant y trouver des traces de cornes. Penny le vit et ne put s'empêcher de rire :

— Tu attends des miracles, petit. Il sera sans cornes, jusqu'à l'été. Et après, il lui en poussera de toutes petites et pointues.

Jody en éprouva un plaisir étonné et chaleureux. La désertion d'Olivier Hutto lui-même et la froideur de leurs rapports avec les Forrester devenaient des maux lointains qui ne le concernaient guère. Presque chaque jour, il prenait son fusil et son sac et s'en allait dans les bois avec Fanion. Il y avait de la gelée tous les matins. Les bois en étaient brillants comme une forêt d'arbres de Noël. Cela lui rappela que Noël n'était pas loin.

Penny dit :

— Nous allons bricoler jusqu'à Noël, et on ira faire le réveillon à Volusia. Puis, après ça, on se remettra au travail.

Jody découvrit un plant de houx dans le bois de pin derrière le réservoir. Il remplit ses poches des baies rouges et brillantes. Elles étaient dures comme du petit plomb. Il vola une aiguille et une aiguillée de gros coton dans la corbeille à ouvrage de sa mère et les emporta dans ses flâneries. Il s'asseyait au soleil, adossé à un arbre, et enfilait laborieusement quelques perles par jour, pour faire un collier à sa mère. Les baies étaient inégalement disposées, mais il était satisfait de l'effet obtenu. Le collier terminé, il le garda dans sa poche, pour le regarder de temps en temps, si bien qu'il finit par prendre un aspect poisseux au contact des miettes de biscuits, des poils d'écureuils et autres objets de ce genre qui s'y trouvaient. Il lava le collier au réservoir et le cacha sur une étagère dans sa chambre.

L'année précédente, toutes les réjouissances de Noël avaient consisté en un dindon sauvage pour le déjeuner, car il n'y avait pas d'argent. Cette année-ci, il en restait de la vente des oursons. Penny en mit une partie de côté pour des plantations de coton et dit qu'on pourrait dépenser le reste pour Noël.

Ma Baxter dit : " Mais si nous allons à la fête, il faudra d'abord que j'aille faire des emplettes à Volusia. Il me faut quatre mètres d'alpaga pour être décente pour Noël. "

Penny dit : " Mon amie, tu fais ton compte comme tu veux. Je ne te dispute pas et tout ce qui est à moi est à toi. Mais il me semble que quatre mètres, c'est juste de quoi te faire un petit pantalon. "

— Puisque tu veux tout savoir, j'ai l'intention d'arranger ma robe de mariée. Elle est assez longue, car je n'ai pas grandi depuis. Mais c'est en largeur que j'ai poussé, et j'ai l'intention d'y mettre une bande sur le devant pour qu'elle joigne.

Penny tapota son large dos.

— Ne te fâche pas. Une bonne femme comme toi a bien le droit d'avoir une bande d'étoffe pour garnir le devant de sa robe de mariée.

Elle mollit : " Tu me taquines toujours. Je ne demande jamais rien pour moi, et tu finis par trouver ça tout naturel. "

— Je sais. Mais ça m'attriste que tu aies si peu de choses. Je voudrais t'apporter des pièces de soie, et si le Seigneur me laisse vivre longtemps, tu auras un jour un puits près de la maison, et tu n'auras plus besoin d'aller laver au réservoir.

Elle dit : " Je voudrais aller demain à Volusia. "

Il dit : " Laisse-nous un jour ou deux pour chasser, à Jody et moi, et peut-être que nous aurons de la venaison et des peaux à porter à la ville, et comme ça tu auras de quoi te payer tout ce dont tu auras besoin. "

Le premier jour de chasse ne rapporta rien.

— Quand on ne cherche pas de cerf, dit Penny, on en trouve partout. Quand on va chasser, c'est le désert.

Un incident curieux eut lieu. Au sud de l'îlot, Penny essaya de lancer les chiens sur une trace qui semblait celle d'un petit daim ou d'un faon. Les chiens refusèrent. Penny fit une chose qu'il n'avait jamais faite depuis des années : il cassa une branche et fouetta Julia pour la punir de son entêtement. Elle gémit et pleura, mais continua à refuser. Le mystère s'éclaircit, à la fin de la journée. Fanion apparut, selon son habitude, au milieu de la chasse. Penny poussa un cri puis s'agenouilla par terre pour comparer ses traces avec celles que les chiens s'étaient refusés à suivre. C'étaient les mêmes. La vieille Julia, plus avisée que lui, avait reconnu soit les traces, soit l'odeur du dernier des Baxter.

Il dit : " Voilà qui me rend modeste. Un chien qui reconnaît la parenté, pour ainsi dire. "

Jody était ravi. Il éprouvait une profonde reconnaissance pour la vieille chienne. Il aurait eu beaucoup de peine si leur poursuite avait effrayé Fanion.

Le second jour de chasse fut plus fructueux. Ils trouvèrent du gibier dans le marécage. Penny tua un grand cerf. Il en suivit un autre à la trace, un plus petit, et le rejoignit. Il laissa Jody tirer, et comme celui-ci avait manqué sa proie, il l'abattit. Jody essaya de porter le plus petit cerf, mais son poids le fit presque tomber. Il resta auprès des bêtes, tandis que Penny allait chercher le cheval et la carriole. Quand il revint, Fanion le suivait.

Penny cria : " Ton petit protégé aime autant la chasse qu'un chien. "

Le lendemain matin, Penny dit : " Mettons-nous bien d'accord, est-ce qu'on passera la nuit chez grand-mère Hutto ou bien est-ce qu'on rentrera ce soir? Si on ne rentre pas, il faut que Jody reste ici pour traire la vache et donner à manger aux chiens et à la volaille. "

Jody dit : " Trixie n'a presque plus de lait, Pa. Et on n'a

qu'à laisser la nourriture pour les bêtes. Emmenez-moi et restons coucher chez grand-mère Hutto. »

Penny dit à sa femme : « Tu veux passer la nuit là-bas? »

— Non. Elle et moi on ne s'entend pas.

— Alors, on ne restera pas. Jody, tu peux venir, mais n'insiste pas pour rester là-bas, une fois que nous y serons.

— Qu'est-ce que je vais faire de Fanion? Il ne pourrait pas venir avec nous pour le faire voir à grand-mère?

Ma Baxter éclata : « Ce sacré faon! On n'a jamais rien vu d'aussi embêtant, même en te comptant! »

Blessé dans sa vanité, il dit : « Je crois que je vais rester ici avec lui. »

Penny dit : « Allons, petit, attache cet animal et n'y pense plus. Ce n'est pas un chien, ni un enfant, bien que tu le traites comme ça. Tu ne peux pas l'emmener en visite comme une petite fille sa poupée. »

A contrecœur, il attacha Fanion sous le hangar, et alla changer de vêtements pour se rendre à Volusia. Penny était vêtu de son habit de drap aux manches trop courtes, son chapeau de feutre noir sur l'occiput. Les vers avaient fait un trou sur le bord, mais c'était tout de même un chapeau. Jody était sur son trente et un : brodequins, culotte de homespun, et veste d'alpaga toute neuve brodée de galon rouge. Ma Baxter était propre et nette dans sa robe neuve de guingan bleu et blanc acheté à Jacksonville. Le bleu était plus foncé qu'elle n'aurait voulu, mais la disposition des carreaux était jolie.

C'était amusant de cahoter en carriole le long du chemin de sable. Jody était assis au fond, le dos appuyé contre le siège. C'était intéressant de voir la brousse s'éloigner. Le sentiment d'avancer était plus aigu que lorsqu'on était face à la route. La carriole avait des soubresauts, et son dos maigre était endolori lorsqu'ils atteignirent la rivière. Il se mit à penser à grand-mère Hutto. Elle serait surprise d'apprendre qu'il en voulait à Olivier. Il se représenta son visage avec satisfaction. Puis il se sentit mal à l'aise. Il nourrissait toujours les mêmes sentiments pour elle, sauf qu'au cours de l'été, il l'avait complètement oubliée. Peut-être ne lui dirait-il pas qu'il était fâché avec Olivier. Il se voyait lui-même, dans sa bonté, gardant un noble silence. La scène lui plaisait. Il décida de demander poliment des nouvelles d'Olivier.

Penny avait la viande des cerfs et leur peau dans des sacs. Ma Baxter portait un panier d'œufs et une petite motte de beurre à vendre; un autre panier contenait des cadeaux pour grand-mère Hutto : un quart de sirop frais, des patates et un jambon. Ma Baxter n'aurait pas voulu arriver les mains vides, même dans une maison ennemie.

Penny cria vers l'autre rive du fleuve pour appeler le passeur. L'écho renvoya sa voix le long de la rivière. Un garçon apparut sur la berge opposée. Pendant un instant, il sembla à Jody que ce devait être un sort enviable que de pousser son bachot en travers du fleuve. Puis il se dit que c'était là une vie sans aucune liberté. Il ne devait y avoir pour ce garçon ni chasses, ni courses dans les brousses, ni Fanion. Il se sentit heureux de n'être pas le fils du passeur. Il dit : “ Bonjour ”, d'un air condescendant. Le garçon était laid et timide. La tête baissée, il aidait à faire monter le cheval des Baxter sur son radeau. Jody était curieux de la vie qu'il pouvait mener.

Il lui demanda : “ Tu as un fusil? ”

Le garçon pencha la tête de côté pour dire non et fixa son regard sur la rive est. Jody se rappela Aile-de-Paille avec nostalgie. Dès la première minute de leur rencontre, Aile-de-Paille lui avait parlé. Il renonça à ce nouveau garçon comme à un cas désespéré. Ma Baxter désirait faire des emplettes avant sa visite. Ils arrêtèrent la carriole à proximité du magasin et étalèrent sur le comptoir leurs articles d'échange. Le boutiquier Boyles n'était pas pressé de faire des affaires. Il voulait des nouvelles de la brousse. Les Forrester lui avaient fait un récit invraisemblable des suites de l'inondation. Quelques chasseurs de la région de Volusia avaient été par là et avaient rapporté que le gibier y était devenu à peu près introuvable. Les ours pourchassaient le bétail le long de la rivière, ce qu'ils n'avaient pas fait depuis des années. Boyles demanda à Penny la confirmation de ces rumeurs.

— Tout ça est vrai, dit Penny.

Il s'accouda au comptoir et s'installa commodément pour parler.

Ma Baxter dit : « Tu sais que je ne peux pas rester très longtemps sur mes pieds. Si vous vous mettez d'accord tous les deux, je vais faire mes achats, puis j'irai chez Mme Hutto. Après ça, vous aurez toute la journée pour parler. »

Boyles pesa promptement la viande. Le gibier étant rare, il en avait facilement la vente et à un bon prix. Il examina soigneusement les peaux et finit par s'en déclarer satisfait. Il avait une commande et pouvait payer chacune cinq dollars. C'était plus que les Baxter n'avaient espéré. Ma s'approcha du comptoir des tissus avec un air important. Elle tenait à la meilleure qualité. Boyles manquait d'alpaga marron. Il pouvait en faire livrer par le prochain bateau, dit-il. Elle secoua la tête. L'île Baxter était trop loin pour qu'elle pût revenir le chercher.

Il dit : « Pourquoi ne prenez-vous pas un métrage complet de cet alpaga noir, pour vous faire une robe neuve? »

Elle leva la tête.

— Sûr qu'il est joli... Combien dites-vous? Oh!...

Elle se détourna. Elle eut une retraite pleine de dignité.

— J'ai dit brun, c'est brun, fit-elle froidement.

Elle acheta des épices et des raisins pour le gâteau de Noël.

Elle dit : “ Jody, va donc voir si le vieux César n’a pas filé. ”

La question était si absurde qu’il la considéra, la bouche ouverte. Penny lui fit signe. Il se dépêcha de sortir pour qu’elle ne le vît pas sourire. Elle voulait acheter de quoi lui faire une surprise pour Noël. Penny aurait imaginé un meilleur prétexte pour l’éloigner. Il sortit et alla regarder le fils du passeur. Le garçon était assis et examinait ses genoux. Jody ramassa des cailloux et les lança contre le tronc d’un chêne au bord de la route. Le garçon l’observait à la dérobée, puis il s’approcha de lui sans rien dire, ramassa lui aussi des cailloux et les lança contre l’arbre. Leur jeu continua sans paroles. Au bout d’un certain temps, Jody pensa que sa mère devait avoir fini et il revint à la boutique en courant.

Sa mère lui dit : “ Tu viens avec moi, ou bien tu restes avec Pa? ”

Il hésita. Grand-mère Hutto sortirait ses gâteaux dès qu’il mettrait le pied dans sa maison. D’autre part, il n’était jamais las d’entendre son père parler avec des hommes. Son choix fut fixé par le boutiquier qui lui tendait un morceau de bois de réglisse. Les besoins du corps et de l’âme seraient satisfaits tous ensemble.

Il dit fièrement : “ Je viendrai avec Pa. ”

Elle sortit. Penny la suivit des yeux. Boyles caressait le pelage des cerfs avec un air approbateur.

Penny dit : “ J’avais l’intention de vous demander le prix de ces peaux en argent. Mais si vous voulez me donner un métrage d’alpaga noir à la place, moi je veux bien. ”

Boyles eut l’air de se faire prier : “ Je ne ferais ça pour personne d’autre. Mais il y a longtemps que nous faisons des affaires ensemble. Entendu. ”

— Dépêchez-vous de le couper et de l’envelopper avant que je ne change d’avis.

— Vous voulez dire : avant que moi je ne change d'avis, fit Boyles sèchement.

Les ciseaux grincèrent à travers l'alpaga.

— Maintenant, donnez-moi de la soie à coudre assortie, et une carte de ces boutons de verre.

— Ce n'est pas par-dessus le marché.

— J'ai de la monnaie. Et mettez l'alpaga dans un carton au cas où il pleuvrait ce soir.

Boyles dit avec bonne humeur : " Maintenant que vous m'avez roulé, dites-moi où il faut aller pour tuer un dindon sauvage pour le dîner de Noël. "

— Je ne peux pas mieux faire que vous dire où j'ai l'intention d'aller en chercher moi-même. Ils sont rares. Ils ont beaucoup pâti de l'inondation. Vous connaissez l'étang...

La bonne conversation virile commençait. Jody s'assit sur une caisse de biscuits pour l'écouter. Il suçait son bois de réglisse. Le savoureux jus noir lui remplissait la bouche, et la conversation calmait en lui une autre faim plus profonde et rarement satisfaite. Penny parlait de l'inondation de la brousse. Les choses avaient été graves aussi au bord de la rivière, dit Boyles en l'interrompant. Les berges avaient été submergées et la cabane d'Easy Ozell, arrachée par le vent, avait fini par couler.

— Il habite dans la grange de grand-mère, dit Boyles; et il est heureux comme un roi.

Penny raconta la chasse aux loups, la chasse à l'ours, raconta la piqûre de serpent que les Forrester avaient oublié de mentionner. Jody revivait l'été fini, et la façon dont Penny le racontait le rendait plus intéressant encore. Boyles était aussi fasciné que lui, il en oubliait de fumer. Un client entra et il quitta son fauteuil à contrecœur.

Penny dit : " Il y a bien une heure ou deux que ta mère est

partie, petit. Tu devrais courir chez grand-mère. Dis-leur que j'arrive tout de suite. »

Le bois de réglisse était terminé depuis longtemps. Midi approchait et il avait faim.

— Est-ce qu'on déjeune chez grand-mère?

— Ma foi oui. Si on n'était pas invités, ta mère serait déjà revenue. Vas-y maintenant. Et apporte-lui toi-même ce quartier de viande.

Il partit, un peu grisé par les récits de Penny.

Le jardin bien soigné de grand-mère se remettait des suites de l'inondation. Le fleuve y était monté et avait dévasté la floraison d'automne. Grand-mère était dans la maison avec sa mère. Il entendit les voix en entrant sous le porche. Elle l'aperçut par la fenêtre et vint à sa rencontre.

Son baiser fut tendre mais manquait de chaleur. Les deux hommes Baxter étaient mieux venus sans la mère. Il n'y avait pas de plat de biscuits en vue... Mais une odeur de bonne chère montait de la cuisine. Il aurait eu peine, sans cela, à surmonter sa déception. Grand-mère Hutto s'assit de nouveau et reprit la conversation commencée avec un air de patience affectée. L'attitude de sa mère n'était pas plus aimable. Elle fixait d'un regard critique le tablier blanc à ruches de grand-mère.

Elle dit : « N'importe où je suis, j'aime être habillée simplement le matin. »

Grand-mère Hutto répondit aigrement : « Je ne voudrais pas, même si j'étais morte, qu'on me trouve sans ruches. Les hommes aiment les femmes bien habillées. »

— On m'a toujours enseigné qu'il était immodeste de s'habiller pour plaire aux hommes. Enfin, nous autres, gens simples qui nous habillons pauvrement sur terre, gagnerons nos fanfreluches au ciel.

Grand-mère Hutto se balançait vivement.

— Moi, je n'ai pas envie d'aller au ciel, déclara-t-elle.

Ma Baxter dit : “ Je pense que vous pouvez être tranquille. ”

Les yeux noirs de grand-mère flamboyaient.

— Pourquoi vous ne voulez pas y aller, Grand-mère? demanda Jody.

— D'abord à cause des rencontres que j'y ferais.

Ma Baxter ignora l'allusion.

— Et puis, à cause de la musique. Il paraît qu'on n'y joue que de la harpe. Et moi, la seule musique que j'aime, c'est la flûte et le violon. A moins qu'un de vos curés ne me promette ça, je refuse de faire le voyage.

Le visage de Ma Baxter était sombre.

— Enfin, il y a la nourriture. Le Seigneur lui-même aime l'encens des viandes rôties. Mais, d'après les curés, les gens au ciel vivent de lait et de miel. Je déteste le lait, et le miel me fait mal à l'estomac. ” Elle lissa son tablier d'un air satisfait. “ Je crois que le ciel n'est pas autre chose que le désir des gens pour ce qu'ils n'ont pas sur la terre. Eh bien, moi, j'ai eu à peu près tout ce qu'une femme peut désirer. C'est peut-être pour ça que ça ne m'intéresse pas. ”

Ma Baxter dit : “ Y compris Olivier filant avec une rien du tout aux cheveux jaunes, sans doute. ”

Le rocking-chair de grand-mère battait la mesure sur le plancher.

— Olivier est beau et bien fait, et les femmes lui ont toujours couru après, et elles continueront. Twinck, par exemple. Elle n'est pas à blâmer. Elle n'a jamais rien eu de bon dans sa vie et voilà qu'Olivier fait attention à elle. Pourquoi est-ce qu'elle ne le suivrait pas? La pauvre enfant est orpheline. ” Elle secoua ses fanfreluches. “ Laissez voir une orpheline en butte aux chrétiens. ”

Jody s'agitait dans son fauteuil. La tiédeur douillette de la maison de grand-mère était glacée comme si on avait ouvert les portes. C'était encore la faute des femmes, songea-t-il. Les femmes étaient très bien pour cuire des bonnes choses à manger. Le reste du temps, elles ne faisaient que de l'embarras. Le pas de Penny résonna sous le porche. Jody se sentit soulagé. Peut-être son père pourrait-il les mettre d'accord. Penny entra dans la pièce. Il se frotta les mains devant le feu.

Il dit : " Est-ce que ce n'est pas ravissant? Les deux femmes que j'aime le plus au monde m'attendant au coin du feu. "

Grand-mère dit : " Si les deux femmes s'aimaient autant l'une l'autre, Erza, tout irait bien... "

— Je sais bien que vous ne vous entendez pas, vous deux, dit-il. Voulez-vous savoir pourquoi? Vous êtes jalouse, Grand-mère, parce que je vis avec Ory. Et toi, Ory, tu es jalouse parce que tu n'es pas aussi élégante que grand-mère. Mais c'est qu'il faut un certain âge pour rendre une femme élégante — je ne dis pas jolie — et quand Ory sera un peu plus âgée, peut-être qu'elle deviendra élégante, elle aussi.

Il était impossible de se quereller devant tant de bonne humeur. Les deux femmes se mirent à rire.

Penny dit : " Ce que je voudrais bien savoir, c'est si les Baxter sont invités à la fortune du pot ou bien s'il faut qu'ils rentrent chez eux pour faire cuire leur pâtée? "

— Vous savez très bien que vous êtes le bienvenu à n'importe quelle heure du jour ou de la nuit. Et je vous remercie pour la viande de cerf. Je regrette seulement qu'Olivier ne soit pas là pour manger avec nous.

— Quelles nouvelles de lui? Nous avons été très offensés qu'il ne vienne pas nous faire visite avant d'embarquer.

— Il a mis longtemps à guérir des suites de la bagarre. Et après ça on l'a prévenu qu'il y avait un bateau à Boston qui le voulait comme compagnon.

— Je crois qu'il y a une fille en Floride qui le voulait pour la même chose, hein?

Ils rirent ensemble et Jody rit avec eux, de soulagement. La maison de grand-mère se réchauffait.

Elle dit : “ Le déjeuner est prêt, et si vous autres, gens de la brousse, n’y faites pas honneur, je serais très vexée. ”

Ma Baxter dit : “ Voilà, nous avons décidé de venir à la fête pour Noël. Nous n’avons pas pu venir l’année dernière parce que nous ne voulions pas arriver les mains vides. Vous croyez qu’un cake aux fruits et une boîte de bonbons suffiront pour ma part? ”

— C’est parfait. Et si vous passiez tous la nuit chez moi pour que nous fêtions Noël ensemble?

Penny dit : “ Ce serait magnifique et vous pouvez compter sur moi pour la viande. ”

Ma Baxter dit : “ Mais que deviendront la vache, les chiens et la volaille? On ne peut pas tous partir et les laisser, Noël ou pas Noël. ”

— On pourra laisser ce qu’il faut pour les chiens et la volaille. Ils n’ent mourront pas pour un jour. Et j’ai comme une idée que Trixie aura vêlé à ce moment-là et qu’on pourra charger le veau de la traire.

— Et la laisser emporter par un ours ou une panthère.

— Je pourrais barricader l’étable. Maintenant, si tu tiens à rester à la maison pour garder les bêtes, fais ce que tu veux, moi, je veux fêter Noël.

— Moi aussi, dit Jody.

On décida qu’ils viendraient tous les trois chez grand-mère pour la fête et qu’ils passeraient la nuit et la journée du lendemain. Jody était ravi... Puis la pensée de Fanion lui revint comme un nuage sombre dans un ciel ensoleillé.

Il s’écria : “ Ah! non, je ne peux pas venir. Il faudra que je reste à la maison!... ”

Penny dit : “ Qu’est-ce qui te prend, petit? ”

Ma Baxter se tourna vers grand-mère Hutto.

— C'est son sacré faon. Il ne peut pas supporter de le quitter de l'œil. Je n'ai jamais vu un enfant aussi fou d'un animal. Il se passerait de manger pour lui en donner. Il couche avec lui, il lui parle comme à une personne — oh! je t'ai entendu dans le hangar — il ne pense à rien d'autre qu'à ce faon.

Penny dit doucement : " Ne donne pas à cet enfant l'impression qu'il a la petite vérole, Ory. "

Grand-mère dit : " Pourquoi est-ce qu'il ne l'amènerait pas? "

Il lui jeta les bras autour du cou.

— Oh! Fanion vous plaira, grand-mère. Il est si gentil que vous pourrez le dresser comme un chien.

— Bien sûr qu'il me plaira. Est-ce qu'il s'entendra avec Fluff?

— Il aime les chiens. Il joue avec les nôtres. Quand ils vont à la chasse, il file par un autre côté pour les rejoindre. Il aime la chasse à l'ours autant que les chiens.

Les louanges du faon débordaient de son cœur. Penny l'arrêta en riant.

— Si tu lui racontes tout ça, elle n'aura plus rien de bien à découvrir. Alors, elle découvrira peut-être ce qu'il a de mal.

— Il n'a rien de mal, dit-il avec chaleur.

— Non, rien, si ce n'est de sauter sur la table, et de faire tomber le couvercle des pots de lard, et de renverser les pommes de terre, et de se conduire plus mal que dix garnements, dit Ma Baxter.

Elle alla dans le jardin regarder les fleurs. Penny prit grand-mère à part.

— J'étais inquiet d'Olivier, dit-il. Ces grandes brutes ne l'ont pas obligé à partir avant qu'il ne soit remis, j'espère?

— C'est moi qui l'ai fait partir. J'en avais assez de le voir se cacher pour aller retrouver cette fille. Olivier, que je lui ai dit, tu ferais aussi bien de retourner en mer, pour le bien que tu me fais ou l'aide que tu m'apportes. — Je ne me fais pas de bien à moi-même, non plus, qu'il m'a répondu. La mer, c'est ce qu'il me faut... Mais je n'aurais jamais cru que cette fille le suivrait.

Jody écoutait de toutes ses oreilles. Maintenant qu'il était de nouveau chez grand-mère, Olivier redevenait réel. Et c'était une satisfaction de découvrir qu'elle aussi avait perdu patience avec Olivier. Il lui montrerait son mécontentement quand il le reverrait, mais il lui pardonnerait. Il ne pardonnerait jamais à Twinck.

Les Baxter rassemblèrent leurs paniers, leurs sacs, leurs paquets. Jody essayait de deviner lequel contenait sa surprise de Noël, mais ils se ressemblaient tous. La déprimante idée lui vint que sa mère pouvait l'avoir vraiment envoyé s'assurer que César était encore là, et qu'elle n'avait rien acheté du tout pour lui. Il la questionna tout le long de la route à ce sujet.

— Tu ferais aussi bien d'interroger cette roue de carriole, dit-elle.

Il prit son refus de répondre comme le signe certain qu'elle avait quelque chose pour lui.

XXVI

La vache vêla, la semaine précédant Noël. Ce fut une génisse qui naquit et l'on s'en réjouit beaucoup à l'île Baxter. Elle remplacerait celle que les loups avaient tuée. Trixie n'était plus jeune et on avait besoin d'une génisse pour lui succéder. A la maison, on ne parlait guère d'autre chose que du prochain Noël. Maintenant que la génisse était née, toute la famille pourrait passer la nuit à la fête, car la nourrissonne se chargerait de traire la vache.

Ma Baxter fit cuire un gâteau dans son plus grand four. Le gâteau fut le centre du monde trois jours durant; un jour pour le préparer, un pour le faire cuire et le jour suivant pour l'admirer. Jody n'avait jamais vu un gâteau aussi énorme. Sa mère se rengorgeait.

Elle dit :

— Je ne vais pas souvent à la fête, mais quand j'y vais, j'aime à faire bien les choses...

Penny donna l'alpaga noir le soir où le gâteau fut terminé. Elle le regarda, puis regarda l'étoffe. Elle fondit en larmes. Elle se laissa tomber dans un fauteuil, jeta son tablier sur sa tête et se mit à se balancer avec toutes les apparences du plus profond chagrin. Jody était inquiet. Elle devait être déçue. Penny vint à elle et lui mit la main sur les cheveux.

Il dit :

— Ce n'est pas faute de vouloir, si je ne fais pas des choses comme ça plus souvent pour toi.

Jody comprit alors qu'elle était contente. Elle s'essuya les yeux, prit l'alpaga sur ses genoux et resta longtemps ainsi, le caressant de temps à autre.

Elle dit :

— Il va falloir que je travaille en vitesse pour que ce soit prêt à temps.

Elle travailla nuit et jour, pendant trois jours, les yeux brillants de joie. Elle dut avoir recours à Penny pour l'essayage. Il s'agenouilla docilement, des épingles plein la bouche, remontant l'étoffe, abaissant selon ses indications. Jody et Fanion regardaient, émerveillés. La robe fut terminée, on la pendit sous un drap pour la protéger de la poussière.

Quatre jours avant Noël, Buck Forrester s'arrêta chez eux. Il était de bonne humeur et Penny se dit qu'il avait dû rêver sa méfiance. Le vieux Pied-Bot était revenu à l'île Forrester et avait tué un porc mâle de deux cent cinquante livres. Le combat, et non la faim, avait causé le meurtre. Le cochon s'était bien défendu. Le sol était piétiné sur plusieurs mètres à la ronde. L'un des crocs du verrat était brisé et l'autre était couvert de lambeaux arrachés à la fourrure noire du vieux Pied-Bot.

— C'est le moment de le poursuivre, dit Buck, car il doit être blessé.

Eux-mêmes n'avaient découvert le meurtre que le jour qui l'avait suivi. Il était trop tard pour se mettre en chasse. Penny le remercia pour l'information.

— Je crois que je vais mettre un piège pour lui faire peur, dit-il. Nous avons l'intention d'aller à la rivière pour la fête. » Il hésita : « Vous venez, vous autres? »

Buck hésita, lui aussi.

— Je crois que non. Nous ne nous amusons pas beaucoup

avec ces types de Volusia. Ce n'est pas drôle si on n'est pas saoul, et, si on l'est, Lem ne manquera pas de chercher querelle aux amis d'Olivier. Non, je crois que l'on fera la saoulerie de Noël à la maison. Ou bien peut-être à Fort-Gates.

Penny était soulagé. Il imaginait la consternation des gens de la rivière si les Forrester avaient fait irruption au milieu de la foule guindée et bien pensante.

Il huila son plus grand piège à ours. Il avait six pieds de large et pesait, disait-il, près de quarante livres. La chaîne seule en pesait douze. Il projetait d'enfermer ensemble la vache et la génisse à l'intérieur de l'étable, de barricader la porte et de poser le piège devant. Si le vieux Pied-Bot venait avec l'intention de faire de la génisse son souper de Noël tandis qu'ils seraient tous partis, il trouverait d'abord le piège. La journée passa en multiples occupations. Jody recommença à polir le collier de baies rouges. Il espérait que sa mère le mettrait sur sa robe d'alpaga noir. Il n'avait pas de cadeau pour Penny. Il s'en tourmenta et, dans l'après-midi, alla parmi les maïs cueillir de quoi faire une pipe à la manière des anciens Indiens qui habitaient autrefois le pays. Il ne savait que donner à Fanion. Il se dit que le faon se contenterait d'une ration supplémentaire. Il lui ferait une laisse de gui et de houx.

Ce soir-là, Penny resta debout après le coucher de Jody. Il se livrait à une mystérieuse besogne de tannage qui devait avoir quelque rapport avec Noël.

Personne, pas même les chiens, n'entendit le moindre bruit dans la nuit. Au matin, quand Penny s'en alla à l'étable pour traire Trixie et lui mener la génisse, il s'aperçut que celle-ci avait disparu. Il sortit étudier le sable. En ligne droite, parmi les pas de vache, de cheval et d'hommes, se dessinait, inexorable, la trace du vieux Pied-Bot. Penny revint à la maison annoncer la nouvelle. Il était blanc de rage.

— Je l'aurai, dit-il. Je suivrai cet animal jusqu'à Jacksonville s'il le faut. Cette fois, ce sera lui ou moi.

Il se mit tout de suite en devoir de graisser son fusil et de préparer des cartouches. Il travaillait rapidement, l'air farouche.

— Mets-moi du pain et des pommes de terre dans un sac, Ory.

Jody demanda timidement :

— Je peux venir, Pa?

— Si tu peux marcher à mon pas et ne pas poser de questions. Quand tu n'en pourras plus, tu te laisseras tomber là où tu seras, ou bien tu rentreras seul. Je ne m'arrêterai pas avant la nuit.

— Est-ce qu'il faut que j'attache Fanion, ou bien est-ce qu'il peut venir?

— Je m'en moque pas mal. Seulement, que personne ne me demande d'avoir pitié si la route est dure.

Il s'en alla à la réserve, chercher de la viande d'alligator pour les chiens. Il était prêt. Il traversa la cour, s'en allant vers l'étable pour prendre la piste. Il siffla les chiens, et posa Julia sur la trace. Elle aboya et fila. Jody s'affolait. Son fusil n'était pas chargé, il n'avait pas ses bottines et il n'arrivait pas à se rappeler où il avait laissé sa veste. Il savait, rien qu'à regarder le dos de Penny, que ce n'était pas la peine de lui demander d'attendre. Il courut à la recherche de ses affaires. Il cria à sa mère de lui mettre du pain et des pommes de terre dans son sac.

Il appela Fanion et se mit à courir comme un fou après son père et les chiens. Il était hors d'haleine lorsqu'il les rejoignit. La vieille Julia jubilait sur la piste fraîche. Ses aboiements, sa queue allègre, ses bonds, montraient clairement que cette expédition lui plaisait par-dessus tout. Fanion frappa du talon et se mit à courir derrière elle.

— Il ne fera plus tellement le fier quand le vieux Pied-Bot se dressera devant lui, dit Penny malveillant.

A un kilomètre à l'ouest, ils trouvèrent les dépouilles de la génisse. Le vieil ours, empêché de chasser pendant quelque temps, peut-être, par les blessures que le verrat des Forrester lui avait infligées, avait mangé gloutonnement.

Penny dit : “ Il ne doit pas être allé bien loin, il a l'intention de revenir. ”

Mais l'animal n'obéissait à aucune règle. La piste continuait. Elle menait près de l'île Forrester, tournait au nord et à l'ouest et longeait la prairie Hopkins.

La distance était telle, et l'allure si rapide que, à la fin de la matinée, Penny lui-même fut obligé de s'arrêter pour se reposer. Les chiens voulaient continuer, mais leurs flancs haletants et leurs langues pendantes montraient bien qu'eux aussi étaient fatigués. Penny s'arrêta sous un bouquet de chênes-lièges près d'une eau claire où les chiens purent se désaltérer. Il s'étendit par terre au soleil. Il reposait sur le dos sans parler. Ses yeux étaient fermés. Jody s'étendit à côté de lui. Les chiens se couchèrent sur le ventre. Fanion, infatigable, batifolait autour d'eux. Jody regardait son père. Il n'avait jamais été si vite, si dur. Ce n'était plus le plaisir de la chasse, la nonchalante supériorité de l'esprit de l'homme sur la vivacité et la ruse de la bête. C'étaient de la haine et de la vengeance, et il n'y avait pas de joie là-dedans.

Penny ouvrit les yeux, se tourna sur le côté, prit son sac et en sortit son déjeuner. Jody ouvrit le sien. Ils mangèrent en silence. Les biscuits et les pommes de terre froides semblaient presque sans saveur. Penny jeta quelques morceaux d'alligator aux chiens. Ils mastiquèrent de bon appétit. Cela leur était égal que Penny chassât pour son plaisir ou avec la résolution du désespoir. Le jeu était le même : la bonne odeur forte de la piste et la bonne bagarre pour finir. Penny se leva.

— Ça va. Il est temps de partir.

La sieste avait été brève. Les bottines de Jody pesaient à ses pieds. La piste menait dans la brousse, en ressortait, revenait à la prairie Hopkins. Le vieux Pied-Bot essayait de semer les chiens. Leur odeur venait jusqu'à lui. Penny fut obligé de s'arrêter deux fois dans l'après-midi pour se reposer. Il était furieux.

— Du diable! Il fut un temps où je n'avais pas besoin de m'arrêter, dit-il.

Mais, chaque fois qu'il se remettait en chemin, sa marche était si rapide, que Jody s'épuisait à le suivre. Il n'osait pas le dire. Seul, Fanion s'amusait, faisait le fou. La longue étape n'était qu'une promenade pour ses grandes jambes. La piste conduisait presque jusqu'au lac George, tournait brusquement au sud, puis de nouveau à l'est, et se perdait dans la confusion des marais. Le soleil se couchait et l'ombre était épaisse.

Penny dit :

— Hou, hou!... Il a l'intention de revenir et de manger de nouveau de cette génisse. Nous allons rentrer et le surprendre.

Le chemin de retour jusqu'à l'île Baxter n'était pas long, mais il semblait à Jody qu'il n'arriverait jamais au bout. Au cours de toute autre chasse, il n'aurait eu qu'à dire cela et Penny l'aurait attendu avec patience. Son père se dirigeait vers la maison du même air bourru et obstiné qu'il l'avait quittée. Il faisait noir lorsqu'ils arrivèrent, mais Penny chargea aussitôt le grand piège à ours sur la charrette, y attela César et le conduisit à l'endroit où se trouvait la victime. Il permit à Jody de grimper sur la charrette. Jody étendit avec délices ses jambes endolories.

Il dit :

— Tu n'es pas fatigué, Pa?

— Je ne suis jamais fatigué quand je suis aussi en colère.

Jody lui tint une torche tandis qu'il levait la carcasse déchiquetée en s'aidant d'un bâton pour ne pas y laisser d'odeur humaine; il ouvrit le piège, le posa et le recouvrit des feuilles et de débris. Ils revinrent à la maison. Le souper chaud était servi, Penny mangea vite et légèrement, puis se coucha aussitôt.

— Ory, combien est-ce que tu prendrais pour me frictionner le dos avec de l'huile de panthère?

Elle s'approcha et besogna de ses grandes mains fortes. Il grognait de soulagement. Jody regardait. Penny roula sur le dos et enfonça sa tête dans l'oreiller avec un soupir.

— Et comment ça va, petit? Tu en as assez?

— Je me sens mieux depuis que j'ai mangé.

— C'est ça, la force d'un garçon tient à son ventre. Ory!

— Oui?

— Je veux mon petit déjeuner avant le point du jour.

Il ferma les yeux; il dormait déjà. Jody alla se coucher et resta un moment éveillé, courbatu, puis, lui aussi, cessa d'entendre le bruit que faisait Ma Baxter préparant dans la cuisine le petit déjeuner du lendemain.

Il dormait encore aux premières lueurs du jour. Il s'éveilla tout engourdi. Il s'étira. Il se sentait raide. Il entendit la voix de son père dans la cuisine. Penny était évidemment de la même humeur bourrue que la veille, et n'avait même pas pensé à l'appeler. Il sortit du lit, mit sa chemise et sa culotte et entra dans la cuisine, mal réveillé, ses bottines à la main. Ses cheveux en broussailles lui tombaient dans les yeux.

Penny dit :

— Bonjour, camarade. Tu es prêt à continuer?

Il acquiesça.

— Ça, c'est bien!

Il avait trop sommeil pour pouvoir beaucoup manger.

Il se frottait les yeux et chipotait dans son assiette.

Penny se leva et s'appuya un moment à la table. Il grimaça un sourire.

— Je me sentirais tout à fait bien, dit-il, si je n'avais pas l'impression d'avoir le dos cassé en deux.

Le matin noir était d'un froid aigre. Ma Baxter avait transformé le lainage de Jacksonville en vestes de chasse pour tous deux. Ils n'osaient pas les mettre, tant elles étaient belles, mais en s'avançant lentement à travers le bois de pins, ils les regrettèrent. Les chiens, encore ensommeillés et fatigués, suivaient en silence. Penny mit son doigt dans sa bouche et se leva pour déceler le moindre mouvement d'air. Il n'en perçut aucun et alla tout droit vers le piège. Il se trouvait dans un lieu relativement découvert, et il s'arrêta à quelque cent mètres. Le jour se levait, à l'est derrière eux. Il donna des petites tapes aux chiens et ils s'aplatirent sur le sol. Jody était tout engourdi par le froid. Penny frissonnait dans ses vêtements minces, dans sa veste râpée. Jody voyait le vieux Pied-Bot dans tous les buissons, derrière tous les arbres. Avec une lenteur infinie, le soleil se levait.

Penny chuchota :

— S'il est pris, il est mort, car je n'ai rien entendu.

Ils s'avancèrent à pas de loup, le fusil levé. Le piège était tel qu'ils l'avaient laissé la veille au soir. Il ne faisait pas assez clair pour qu'on pût examiner la piste et déterminer si le prudent animal était venu, puis, méfiant, reparti. Ils posèrent leurs fusils contre un arbre, et secouèrent leurs bras en frappant des pieds pour se réchauffer.

— S'ils est venu, dit Penny, il n'est pas loin. La vieille Julia le rattrapera bien.

La lumière était sans chaleur mais elle s'étendait à travers la forêt. Penny avança, penché sur le sol. Julia reniflait en silence.

Penny dit :

— Que je sois pendu! Que je sois pendu!

Jody lui-même pouvait voir que les seules traces visibles étaient celles de la veille.

— Il n'est pas venu dans les parages, dit Penny. Il ne suit aucune règle.

Il se redressa, appela les chiens et se tourna vers la maison.

— En tout cas, dit-il, nous savons d'où il est parti hier.

Il ne parla plus jusqu'au moment où ils se retrouvèrent à la maison. Il alla dans sa chambre et mit sa veste de chasse neuve par-dessus la vieille trop mince.

Il cria vers la cuisine :

— Ma, emballe-moi du lard, du sel et du café, et tout ce que tu as de cuit. Mets-le dans mon sac.

Jody le rejoignit.

— Est-ce que je mets aussi ma veste neuve?

Ma Baxter vint à la porte de la chambre, le sac à la main. Penny, en train de s'habiller, s'arrêta.

— Écoute, petit. Tu peux venir si ça te dit. Mais mets-toi bien ça dans la tête. Ce n'est pas une chasse d'agrément. Il fait froid, et la route sera peut-être dure et on couchera peut-être dehors. Je ne rentrerai pas avant d'avoir cet ours. Tu tiens toujours à venir?

— Oui.

— Dans ce cas, prépare-toi.

Ma Baxter regarda le drap qui recouvrait la robe d'alpaga noire.

— Vous ne serez pas là ce soir?

— Très probablement. Il a une nuit d'avance sur moi. Peut-être qu'on sera encore parti demain soir, peut-être toute la semaine.

Elle avala.

Elle dit faiblement :

— Ezra... demain, c'est le réveillon.

— Je n'y peux rien. J'ai une piste fraîche à suivre et je la suis.

Il se redressa et attacha ses bretelles. Ses yeux surprirent une expression désolée sur le visage de sa femme. Il fronça les lèvres.

— Alors, c'est demain le réveillon? Mais, dis donc, Ma, tu n'aurais pas peur de conduire la carriole et le cheval jusqu'à la rivière, en plein jour?

— En plein jour, non.

— Alors, si nous ne sommes pas rentrés à temps demain, tu atteleras César et tu partiras. Et s'il y a la moindre possibilité nous te rejoindrons à la fête. Tu trairas Trixie avant de partir, et si nous ne sommes pas là, il faudra que tu reviennes demain matin pour la traire. Je ne vois rien de mieux à faire.

Elle avait les yeux mouillés, mais elle sortit sans rien dire pour aller remplir le sac. Jody attendit le moment où elle allait à la réserve chercher de la viande. Il en déroba un morceau qu'il cacha, à l'intention de Fanion, dans son sac tout neuf fait de la peau des petits de la panthère. C'était la première fois qu'il s'en servait. Il le caressa. Il n'était pas aussi doux que celui en ragondin qu'il avait donné au docteur Wilson, mais les taches bleues et blanches étaient bien jolies. Ma Baxter finissait de préparer les provisions. Jody était hésitant. Il s'était promis une grande joie de la fête de Noël au bord de la rivière. Et voilà qu'il allait la manquer. Sa mère serait heureuse de le voir rester avec elle et il serait estimé pour agir ainsi, et considéré comme un garçon de cœur. Penny prit son sac sur son dos et ramassa son fusil. Tout à coup, Jody sentit qu'il ne pourrait pas le laisser pour toutes les fêtes du monde. Ils étaient partis pour tuer le vieux Pied-Bot. Il jeta son sac sur son épaule couverte de chaude laine, prit son fusil et suivit son père, le cœur léger.

Ils s'en allèrent droit au nord, reprendre la piste où ils l'avaient laissée la veille au soir. Fanion fit une sortie dans les buissons. Jody siffla.

La piste revenait de nouveau à l'ouest vers la prairie Hopkins et s'enfonçait dans la région marécageuse. Elle était difficile à suivre. La vieille Julia pataugeait dans les mares. De temps à autre, elle buvait une gorgée d'eau, comme pour en éprouver le goût, l'odeur. Puis elle levait son long nez contre les roseaux, le regard vague, cherchant le côté où la fourrure musquée les avait frôlés. Puis elle repartait. Par instants, elle précédait la piste. Alors, Penny gagna la terre ferme, suivant des yeux le bord de l'étang, en quête de la grande trace qui devait en sortir.

— Ici, ma fille, ici, appelait-il.

Rip suivait Penny sur ses petites jambes. Fanion était partout.

Jody demanda anxieusement.

— Fanion ne te gêne pas, n'est-ce pas?

En dépit de l'air renfrogné de Penny, la chasse retrouvait son ancienne atmosphère de plaisir. Le jour était frais et clair. Penny donna une petite tape sur le dos de Jody.

— C'est plus amusant que les poupées de Noël?

— Je comprends!

Le repas froid de midi était meilleur que tous les déjeuners cuisinés. Ils s'installèrent pour manger et se reposer sous le bon soleil. Ils ouvrirent leur veste. Lorsqu'ils se levèrent pour repartir, le sac parut lourd au début, puis, ils s'y accoutumèrent une fois de plus.

Sans qu'on comprît pourquoi, au milieu de l'après-midi, la piste retournait vers les marais. Le chemin était difficile.

— Cela me rappelle la fois où nous l'avons suivi à travers la crique Juniper, au printemps dernier, dit Penny.

“ A la fin de l'après-midi, il n'était pas loin des Sources

Salées ", dit-il. Soudain, la vieille Julia se mit à aboyer.

— Il serait par ici!

Julia se précipita en avant. Penny se mit à courir.

— Elle l'a rattrapé!

Il y eut un craquement devant eux, un bruit d'orage à travers les fourrés.

— Attrape-le, ma fille! Vas-y! Vas-y!

L'ours fuyait avec une incroyable vélocité. Il fonçait à travers les buissons qui retardaient les chiens. On eût dit un bateau fendant la rivière, et le dense enchevêtrement de bruyères, de ronces et de bois mort, n'offrait pas plus de résistance à son avance qu'un courant liquide. Penny et Jody étaient en sueur, Julia aboya avec une note nouvelle de découragement. Elle ne pouvait pas rejoindre. Le sol devenait si marécageux qu'ils y enfonçaient jusqu'au revers de leurs bottes. Jody en eut bientôt jusqu'aux hanches. Penny se retourna pour l'aider. Fanion avait fait un grand cercle à gauche à la recherche de terre ferme. Penny s'arrêta pour reprendre son souffle. Il haletait. Plus loin, Julia fit entendre un long aboiement aigu.

— Arrête-le, ma fille! Arrête-le!

Les fourrés aboutissaient à une prairie. Dans l'espace découvert, le vieux Pied-Bot apparut à leur vue. Il courait comme un ouragan noir. Julia surgit à un mètre derrière lui. Les eaux rapides et brillantes de la Source Salée luisaient derrière.

L'ours fonça dans l'eau vers la rive opposée. Penny épaula son fusil et tira deux fois. Julia s'arrêta net. Elle s'assit sur son derrière et leva le nez. Elle se mit à gémir de désappointement, Pied-Bot remontait sur l'autre rive. Penny et Jody coururent au bord de l'eau. On ne voyait plus que la grande croupe noire et ronde. Penny saisit le fusil de Jody et tira. L'ours fit un bond.

Penny s'écria :

— Je l'ai touché!

Pied-Bot continuait sa route. Il y eut quelques craquements tandis qu'il se frayait un chemin dans les buissons, puis le bruit lui-même s'évanouit. Penny s'efforça de pousser les chiens. Ils refusèrent absolument de traverser l'eau. Il leva les mains dans un geste de désespoir, se laissa tomber accroupi sur le sol humide et secoua la tête. La vieille Julia se leva et renifla les traces de pas au bord de l'eau, puis elle s'assit et reprit sa plainte commencée. Jody frémit. Il pensa que la chasse était terminée. Le vieux Pied-Bot leur avait échappé une fois de plus.

Il fut étonné de voir Penny se lever, essuyer la sueur de son visage, recharger les deux fusils et prendre la direction du nord-ouest le long de l'eau. Il pensa que son père connaissait un chemin moins difficile pour rentrer à la maison. Mais Penny ne lâchait pas le bord de l'eau, même lorsque des voies s'ouvraient à leur gauche entre les sapins. Il n'osait pas l'interroger. Fanion avait disparu et il était plein d'angoisse pour lui. Il s'était engagé par traité à ne pas se plaindre, ni pour lui, ni pour le faon. Le dos étroit de Penny était voûté de fatigue et de découragement, mais c'était un dos de pierre. Jody n'avait rien d'autre à faire que de le suivre, les pieds meurtris, les jambes douloureuses. Le vieux fusil pesait lourd sur son épaule. Penny se mit à parler mais plutôt à lui-même qu'à son fils.

— Oui, je crois bien me rappeler que sa maison est par là...

Les chênes et les pins se dressaient devant le soleil couchant. Ils arrivèrent à un plateau dominant la source. Il y avait une cabane au sommet devant un champ cultivé. Penny grimpa le chemin en lacet. La porte était fermée et nulle fumée ne montait de la cheminée. La cabane n'avait pas de fenêtre. Des volets de bois devant des ouvertures carrées en tenaient lieu. Ils étaient fermés. Penny fit le tour de la cabane. Sur la façade de derrière, un volet béait. Il regarda à l'intérieur.

— Elle n'est pas là, mais entrons quand même.

Jody demanda, plein d'espoir :

— Et après, on rentre à la maison?

Penny se retourna et le regarda :

— Rentrer à la maison? Ce soir. Je t'ai dit que j'aurai cet ours. Tu peux rentrer si tu veux...

Il n'avait jamais vu son père si froid et inflexible. Il le suivit docilement. Les chiens s'étaient couchés dans le sable devant la maison, haletants. Penny alla au bûcher et coupa du bois. Il en ramassa une brassée qu'il jeta dans la maison par l'espèce de fenêtre, il y entra en grimpant par le même chemin, et, de l'intérieur, ouvrit la porte verrouillée de la cuisine.

Penny fit un feu et pendit une marmite à la crémaillère. Il ouvrit son sac par terre et en sortit un morceau de lard qu'il coupa dans la marmite. Il se mit à siffler doucement. Il sortit chercher de l'eau au puits. Il prit une cafetière sur une planche de la cuisine, fit du café et le mit à chauffer près de l'âtre. Il sortit des tasses et des assiettes du placard.

— Allons, dit-il. C'est prêt.

Ils mangèrent vite et avidement. Le froid qui glaçait Jody n'était pas seulement celui de la nuit tombante. Il détestait le silence de son père. Il avait l'impression de manger avec un étranger. Penny fit chauffer de l'eau dans la marmite, lava la vaisselle et la rangea. Il sortit et ramassa des brassées de mousse dont il fit une litière pour les chiens dans un coin abrité devant la maison. La nuit tombait, très silencieuse et glaciale. Il alla chercher des bûches dans les bois et les disposa dans l'âtre.

Il remplit sa pipe, l'alluma et s'étendit par terre devant le feu, avec son sac comme oreiller.

Il dit gentiment :

— Tu devrais en faire autant, petit. Nous partons de bonne heure demain matin.

Il était de nouveau lui-même et Jody osa l'interroger.

— Tu crois que le vieux Pied-Bot va revenir par ici, Pa?

— Lui? Jamais. Ce n'est pas moi qui l'attendrai, toujours. Je suis sûr qu'il est blessé. Je vais remonter à la Source Salée et je la contournerai. Puis je redescendrai l'autre rive jusqu'au fourré où il s'est enfoncé ce soir.

— C'est très loin, n'est-ce pas?

— Assez, oui.

— Pa...

— Oui?

— Tu ne crois pas qu'il est arrivé malheur à Fanion?

— Tu te rappelles ce que je t'ai dit quand tu m'as demandé de l'emmener?

— Je me rappelle...

Penny s'adoucit :

— Il n'est pas perdu, si c'est cela qui t'inquiète. On ne perd pas un chevreuil dans les bois. Il reviendra, à moins qu'il ne lui prenne envie de retourner à la vie sauvage.

— Il n'y retournera pas, Pa, jamais.

— Pas si jeune, en tout cas. En ce moment, il doit être en train de faire enrager ta mère.

— C'est la maison de qui, ici, Pa?

— Elle appartenait à une veuve. Il y a des siècles que je n'y étais venu.

— Elle ne dira rien qu'on soit entré comme ça?

— Si elle est toujours la même, elle ne dira rien. Je venais ici lui faire la cour, avant d'épouser ta mère. Dors.

— Pa...?

Il hésita et se tut. Il voulait demander à Penny s'il pensait qu'ils pourraient être de retour à temps pour la fête de Noël, le lendemain soir. Il décida que la question était sotte. La chasse du vieux Pied-Bot prendrait vraisemblablement toute la vie. Ses pensées revinrent à Fanion. Il se le représentait, perdu, affamé, poursuivi par une panthère. Il se sentait seul, sans lui. Il se demanda si sa mère avait jamais été aussi inquiète de lui, son fils unique; il en doutait. Il s'endormit dans ses tristes pensées.

Il fut réveillé au matin par un bruit de roues dans la cour. Il entendit les chiens aboyer et un chien étranger leur répondre. Il s'assit. Penny était debout et secouait la tête pour se réveiller. Ils avaient dormi tard. La lumière rose du levant remplissait la cabane. Le feu était éteint, l'air glacial. Leur respiration se condensait en nuages froids. Ils étaient transis jusqu'aux os. Penny alla à la porte de la cuisine et l'ouvrit. Un pas retentit et une femme d'âge moyen entra dans la pièce, suivie d'un adolescent.

Elle dit :

— Pour l'amour du Ciel!...

Penny dit :

— Bonjour, Nellie. Vous voyez que vous ne serez jamais débarrassée de moi.

— Ezra Baxter! Vous auriez pu attendre d'être invité.

Il lui sourit.

— Je vous présente mon fils, Jody.

Elle regarda vivement Jody. C'était une jolie femme, rose et dodue.

— Il vous fait honneur. Celui-là c'est mon neveu Asa Revell.

— Le fils de Matt Revell? Pas possible! Eh bien, mon garçon, je t'ai connu quand tu n'étais pas plus haut que la caisse à ordures.

Ils échangèrent une poignée de main. Le garçon avait l'air sournois.

La femme dit :

— Eh bien, puisque vous êtes si cérémonieux, Monsieur Baxter, vous pourriez m'expliquer comment vous vous êtes permis de pénétrer dans ma maison.

Son ton était jovial. Elle plaisait à Jody. Les femmes se rangeaient par espèces, comme les chiens, songeait-il. Elle était de l'espèce de grand-mère Hutto qui met les hommes à leur aise. Et deux femmes pouvaient dire les mêmes choses sans que leurs paroles eussent le même sens, comme deux chiens aboyant, l'un de façon menaçante, l'autre amicalement.

Penny dit :

— Laissez-moi faire le feu. Mon souffle est trop gelé pour que je puisse parler.

Il s'agenouilla devant l'âtre et Asa sortit chercher du bois. Jody le suivit pour l'aider. Julia et Rip, la queue raide, tournaient autour du chien étranger.

Asa dit :

— Vos chiens ont failli nous faire mourir de peur, tante Nellie et moi...

Jody ne savait pas quoi répondre; il courut porter le bois dans la maison.

Penny dit :

— Si vous avez jamais été un ange du ciel, Nellie, c'est la nuit dernière. Jody et moi avec les chiens on avait suivi un grand ours boiteux deux jours de suite. Il m'a tué du bétail une fois de trop.

Elle l'interrompit :

— Un ours avec un doigt de moins à une patte de devant? C'est lui qui m'a pris un cochon l'année dernière.

— Eh bien, nous avons pris sa piste à la sortie de chez nous, et nous l'avons rejoint dans le marécage au sud de la source. Si j'avais eu dix mètres d'avance, je ne l'aurais pas raté. J'ai tiré dessus trois fois, mais il était trop loin. La dernière fois, je l'ai touché. Il a passé l'eau, mais les chiens n'ont pas voulu plonger. Ah! Nellie, je n'avais jamais été aussi près du désespoir, depuis la fois où vous m'avez dit que Fred vous avait demandée.

Elle rit :

— Allons, allons, vous n'avez jamais voulu de moi.

— Il est trop tard pour que je vous prenne au mot... Bref, je savais que si vous n'étiez pas remariée, ou si vous n'aviez pas déménagé, votre maison devait être dans ces parages. Et je savais que vous ne me refuseriez pas votre plancher et votre feu. Et quand je me suis étendu hier soir pour dormir, j'ai dit : Dieu bénisse la mignonne Nellie Ginright!

Elle rit tout haut :

— C'est vrai que personne ne pouvait me faire plus de plaisir. Mais, la prochaine fois, prévenez-moi pour que je n'aie pas un tel choc. Une veuve n'est pas habituée à trouver des chiens inconnus dans sa cour et un homme devant son feu. Qu'est-ce que vous pensez faire, maintenant?

— Aussitôt que j'aurai cassé la croûte, j'ai l'intention de remonter jusqu'à la Source et de reprendre la piste de l'autre côté, où je l'ai vu pour la dernière fois.

Elle fronça les sourcils.

— Non, Ezra, ce n'est pas la peine. J'ai un vieux bateau, ici, il est en piteux état et avarié, mais il vous conduira sur l'autre rive. Prenez-le, c'est de bon cœur, et ça vous épargnera des kilomètres.

— Hourra! Tu entends ça, Jody? Il faut bien que je dise encore : Dieu bénisse la mignonne Nellie Ginright!

— Plus si mignonne que quand vous m'avez connue.

— Non, mais vous êtes beaucoup mieux maintenant. Vous avez toujours été jolie, mais vous étiez trop mince. Vous aviez des jambes comme des branches de pin.

Ils rirent ensemble. Elle ôta son bonnet et se mit à s'occuper de la cuisine. Penny ne semblait plus si pressé. Le temps qu'ils allaient gagner en traversant l'eau leur laissait le loisir de faire un vrai petit déjeuner. Il donna le reste du lard. Elle fit du café et des biscuits. Il y avait du sirop pour les biscuits, mais ni beurre, ni lait.

— Je ne veux pas garder de vache ici, dit-elle. Les crocodiles dévorent ce que les ours et les panthères me laissent. — Elle soupira. — La vie est dure quelquefois pour une veuve!

— Asa n'habite pas avec vous?

— Non. Il est seulement venu avec moi de Fort-Gates, et il m'accompagne à la fête de Volusia ce soir.

— Nous avions l'intention d'y aller aussi, mais je crois que nous ferions aussi bien d'y renoncer ". Une idée lui vint : " Mais, j'y pense, ma femme y sera. Dites-lui que vous nous avez vus, pour qu'elle ne s'inquiète pas. "

— C'est bien votre genre, Ezra, de vous inquiéter de l'inquiétude de votre femme! Vous ne m'avez jamais demandée, mais j'ai souvent pensé que j'avais eu tort de ne pas vous encourager.

— Et sans doute que ma femme regrette de l'avoir fait.

— On ne sait jamais ce qu'on veut avant qu'il ne soit trop tard.

Penny garda un judicieux silence.

Ce petit déjeuner était une vraie fête. Nellie Ginright nourrit généreusement les chiens et insista pour donner un en-cas à emporter aux Baxter. Ils la quittèrent à regret, réchauffés, corps et âme.

Il y avait de la glace partout. L'herbe en était gainée. Le vieux canoë y était pris. Ils le détachèrent et y montèrent. Il y avait longtemps qu'il n'avait été à l'eau. Les chiens se méfiaient du bateau et Penny ne les y avait pas plus tôt posés qu'ils sautèrent dehors. Pendant ces minutes perdues, le canoë prit plusieurs centimètres d'eau glacée. Ils écopèrent, puis Jody y monta et s'accroupit au milieu. Penny prit les deux chiens par la peau du cou et les lui tendit. Il les attrapa à bras-le-corps et les tint serrés contre lui, tout gigotants. Penny éloigna la barque du rivage, du bout d'une branche de chêne. Une fois hors des glaces, le courant était rapide. L'eau montait dans le bateau jusqu'aux chevilles de Jody. Penny pagayait de toutes ses forces. L'eau entrait par une fente à la proue. Les chiens se tenaient tranquilles à présent, tremblants de peur devant tant de nouveautés. Jody s'accroupit et pagaya avec ses mains.

Le canoë était difficile à manœuvrer avec son poids d'eau. Penny le poussa cependant contre la rive opposée. L'eau leur montait à mi-jambe et leur glaçait les pieds. Mais ils furent bientôt sur la terre ferme, sur la même rive que le vieux Pied-Bot, et ils s'étaient épargné des heures de marche pénible. Les chiens frissonnants regardaient Penny, attendant des ordres. Il ne leur en donna pas, mais se mit immédiatement en marche vers le sud-ouest le long de la rive. Le sol était si marécageux par endroits qu'ils étaient forcés de remonter dans les bois.

Penny s'arrêta pour s'orienter. Il pouvait s'en remettre à la vieille Julia pour retrouver la piste quand ils la rencontreraient, mais il n'osait pas la pousser. Il avait une extraordinaire notion des distances. Il reconnut un cyprès mort en travers de l'eau; ils étaient passés là peu de temps après avoir perdu l'ours de vue. Il ralentit sa marche et se mit à étudier soigneusement le sol gelé. Il feignait de reconnaître une piste.

Il dit à Julia :

— C'est là. Attrape-le. Le voilà!

Elle s'éveilla de sa froide léthargie, secoua sa longue queue et se mit à renifler bruyamment. Au bout de quelques mètres, elle fit entendre un cri aigu.

— Le voilà. Elle l'a!...

Les grands pas étaient solidement imprimés dans la boue. On pouvait les suivre des yeux facilement. Des buissons brisés marquaient le passage de Pied-Bot. Penny suivait les chiens de tout près. L'ours s'était couché dès qu'il avait été assuré qu'il n'était plus suivi. A quelque quatre cents mètres derrière la rive, Julia le rejoignit d'un saut. Il était invisible dans les buissons. Son bond lourd retentit. Penny ne pouvait pas tirer sans voir, car les chiens étaient aux talons de la bête. Jody s'attendait à voir son père se précipiter à sa poursuite aussi vite que le sol détrempé le permettait.

Penny dit :

— Nous ne le rattraperons pas, de toute façon. Laissons faire les chiens. J'ai idée qu'ici rien ne sert de courir.

Ils continuèrent leur chemin.

Penny dit :

— Enfin, nous avons toujours la satisfaction de penser que lui aussi est éreinté.

Il sous-estimait son adversaire. La poursuite continuait.

Penny dit :

— On dirait qu'il a un billet pour Jaksonville.

L'ours et les chiens étaient hors de vue et on ne les entendait pas. La piste était toujours claire aux yeux de Penny. Un rameau brisé, une motte d'herbe foulée, dessinaient une carte devant lui, même aux endroits où la terre était dure et ne portait pas de traces de pas. Vers la fin de la matinée, ils durent s'arrêter pour se reposer. Penny tendit l'oreille dans le vent glacé qui se levait.

— Je crois que j'entends la vieille Julia, dit-il. Elle est en arrêt.

Leur élan les reprit. A midi, ils arrivèrent au lieu de la mêlée. L'ours avait fini par se décider à s'arrêter et à faire front. Les chiens aboyaient. Lui se balançait sur ses pattes épaisses et courtes, grognant et montrant les dents. Ses oreilles étaient aplaties de fureur. Lorsqu'il se retourna pour battre en retraite, Julia s'agrippa à son flanc, et Rip le devança pour lui sauter à la gorge. Il abattit sur eux ses grandes pattes griffues. Il recula. Rip s'élança derrière lui et lui enfonça ses dents dans la patte. Pied-Bot poussa un hurlement aigu. Il fit demi-tour avec la vitesse d'un épervier et saisit le bulldog dans ses pattes de devant. Rip cria de douleur. Penny épaula son fusil. Il visa soigneusement et tira. Pied-Bot s'affaissa, Rip serré contre sa poitrine. Ses jours de meurtre étaient révolus.

Maintenant que tout était fini, les choses paraissaient bien simples. Ils l'avaient suivi. Penny l'avait abattu. Il gisait là...

Ils se regardèrent. Ils s'approchèrent de l'énorme carcasse. Jody avait les genoux faibles. La démarche de Penny était mal assurée.

Soudain, ils se prirent par les mains et se mirent à tourner en rond et à chanter à tue-tête jusqu'à l'enrouement. Ils s'arrêtèrent, soulagés. Penny riait aux éclats.

— Je n'avais pas dansé et chanté comme ça depuis je ne sais combien de temps. Dieu! ça m'a fait du bien.

L'exubérance de Jody n'était pas dissipée et il se remit à sauter. Penny, calmé, se pencha pour examiner l'ours. Il devait peser plus de cinq cents livres. Son pelage était magnifique. Penny leva l'énorme patte à laquelle un orteil manquait.

Il dit :

— Eh bien, mon vieux, tu as été un ennemi rudement difficile, mais tu as droit à mon estime.

Il s'assit triomphalement sur les côtes rebondies. Jody toucha l'épaisse fourrure.

Penny dit :

— Maintenant, il faut réfléchir. Nous voici loin de tout avec un paquet plus gros que toi, moi et ta mère ensemble et la vache par-dessus le marché.

Il sortit sa pipe et l'alluma lentement.

— Autant être commodément pour réfléchir, dit-il.

Il était de si bonne humeur que le problème qui paraissait insoluble à Jody n'était pour lui qu'une amusante épreuve d'ingéniosité.

Penny dit :

— Voyons d'abord si nous sommes hommes à le soulever.

Chacun prit une patte de devant et tira. L'effort nécessaire pour bouger ce poids mort était considérable. Jody n'aurait jamais pensé qu'un jour viendrait où il tiendrait ces énormes pattes dans ses petites mains. Il n'avait pas eu d'autre rôle dans cette chasse que de suivre le dos étroit et inexorable de son père, mais il se sentait à présent fort et puissant.

L'impossibilité d'avoir une ferme prise sur les pattes au pelage lisse était le principal obstacle à leur entreprise. Penny s'assit sur ses talons pour réfléchir.

Il dit enfin :

— Nous pourrions marcher jusqu'à Fort-Gates et demander de l'aide. Cela nous coûtera une bonne part de notre chasse, mais ça vaut la peine. Sinon, nous pouvons emprunter des harnais et le traîner, en traînant notre cœur avec peut-être bien. Ou bien encore, nous pouvons rentrer à la maison chercher la carriole.

— Mais la carriole n'est pas là, Pa. Ma doit être partie à la fête.

— C'est vrai, j'avais complètement oublié que c'était le réveillon.

Penny repoussa sa casquette et se gratta la tête.

— Alors, viens, petit.

— Où allons-nous?

— A Fort-Gates.

La route qui conduisait au petit village s'ouvrait à deux kilomètres de là. C'était agréable de quitter la vase et la brousse pour le bon chemin de sable. Un vent froid soufflait mais le soleil était bienfaisant.

Penny dit :

— Quand j'avais à peu près ton âge, mon oncle Miles, de Georgie, vint nous faire une visite. Et un jour froid, un peu comme aujourd'hui, il m'emmena dans ce même marécage que nous avons traversé tout à l'heure. Nous musions, sans rien chercher de particulier, et, devant nous, nous avons vu quelque chose qui ressemblait à un busard perché sur un bout d'arbre, picorant je ne sais quoi. Nous approchons, et qu'est-ce que tu crois que c'était?

— Ce n'était pas un busard?

— Ce n'était pas un busard du tout. C'était un ourson qui jouait avec son frère jumeau. Mon oncle Miles dit : " Tiens, on va attraper un ourson. " Ils étaient tout ce qu'il y a de doux, et il s'approche et en attrape un. Oui, mais quand il l'a eu attrapé, il n'avait rien où le mettre. Et ces chenapans vous mordillent si on ne les porte pas dans un sac. Alors, écoute, dans ces pays là-bas, les gens portent des sous-vêtements en hiver. L'oncle enlève sa culotte, enlève son caleçon long et noue les jambes pour faire un sac. Il y enfonce l'ourson et au moment où il allait remettre sa culotte, voilà un craquement, un tumulte dans les buissons et la mère ourse qui s'avance hors du fourré, droit sur lui. Alors il a filé vers l'étang en abandonnant l'ourson que sa maman a ramassé, caleçon compris. Mais elle le poursuivait de si près qu'il a trébuché sur un sarment et qu'il est tombé en plein dans les épines et les ronces. Et tante Moll qui avait l'esprit compliqué n'a jamais pu comprendre comment il se faisait qu'il était rentré sans caleçon, un jour d'hiver, et le derrière tout écorché.

Jody rit tout son saoul. Il se plaignit :

— Pa, tu as toutes ces histoires dans la tête et tu ne me les racontes pas.

— Il faut que je me retrouve dans les marais où elles se sont passées pour que je me les rappelle... Écoute!

On ne pouvait s'y tromper. Un bruit de chevaux résonnait sur la route derrière eux.

— Ça serait chic de n'avoir pas à aller jusqu'à Fort-Gates pour chercher de l'aide.

Le bruit approchait. Ils se rangèrent sur le bord de la route. Les cavaliers étaient les Forrester.

Buck conduisait la cavalcade. Ils étaient saouls comme des lords. Ils s'arrêtèrent.

— Voyez-moi ça! Ce vieux Penny Baxter et son fiston. Hé! Penny, que diable fais-tu ici?

Penny dit :

— J'ai été à la chasse. Et celle-là, je l'avais décidée. Nous deux, Jody, on a suivi le Pied-Bot.

— Non? A pied?... Écoutez ça, les garçons. C'est plus fort que de jouer au bouchon.

— Et on l'a eu, dit Penny.

Buck se secoua. Toute la bande parut redevenir sobre.

— Ne racontez pas d'histoire. Où est-il?

— A peu près à deux kilomètres à l'est, entre la source et la rivière.

— Ça ne m'étonne pas. C'est toujours par là qu'il se balade.

— Il est mort. Jody et moi on va à Fort-Gates chercher de l'aide pour le tirer du marécage.

Buck se raidit dans une dignité d'ivrogne.

— Vous allez à Fort-Gates pour qu'on vous aide à emporter Pied-Bot. Et vous avez devant vous les meilleurs ennemis de Pied-Bot.

Lem s'écria :

— Qu'est-ce que vous nous donnez si on vous le ramène?

— La moitié de la viande. J'avais l'intention de vous la donner de toutes manières, pour la façon dont il vous a tourmentés si longtemps et parce que Buck est venu me prévenir.

Buck dit :

— Vous et moi on est amis, Penny Baxter. Je vous préviens et vous me prévenez. Montez derrière moi et montrez le chemin.

La Meule dit :

— Dieu sait que je ne pensais pas patauger dans les marécages et retourner à l'île Baxter aujourd'hui. J'avais envie de m'amuser.

Buck dit :

— Vous avez toujours l'intention d'aller à la fête à Volusia, Penny Baxter?

— Si on peut rentrer l'ours à temps, oui. Mais on arrivera en retard.

— Montez derrière moi et montrez le chemin. Garçons, on va ramener l'ours et on va tous à la fête à Volusia. S'ils ne veulent pas de nous là-bas, ils le diront, s'ils osent.

Penny hésitait. Il serait difficile de trouver de l'aide à Fort-Gates, surtout le jour du réveillon. Mais les Forrester, à cette respectable cérémonie, ne seraient guère les bienvenus. Il décida de se faire aider par eux à soulever l'énorme carcasse, puis s'en remit à la chance pour les renvoyer sur leur chemin. Il monta derrière Buck. La Meule tendit la main à Jody et le hissa en croupe.

Penny dit :

— Y a-t-il un cœur généreux pour prendre mon bulldog? Il n'est pas gravement blessé, mais il a beaucoup couru et combattu.

Gabby ramassa Rip et le posa devant lui sur sa selle.

La route qui avait paru si longue à pied, n'était plus rien sur les chevaux des Forrester. Les Baxter se rappelèrent qu'ils n'avaient rien mangé depuis le petit déjeuner. Ils fouillèrent dans leur sac et mangèrent le pain et la viande préparée par Nellie Ginright. Penny avait le cœur si léger qu'il était presque à l'unisson de la griserie des Forrester.

Il cria :

— J'ai passé la nuit chez une ancienne amie à moi !...

Ils applaudirent.

— Seulement, elle n'était pas là !

Ils applaudirent de nouveau.

Jody se rappelait avec plaisir l'air jovial de Nellie.

Il dit à La Meule :

— La Meule, si ma mère avait été une autre, est-ce que j'aurais été moi, ou bien quelqu'un d'autre ?

La Meule hurla :

— Hé oh ! Jody qui veut changer de mère !

Il tambourina sur le dos de La Meule.

— Ce n'est pas vrai. Je voulais seulement savoir.

Penny dit :

— Voilà, derrière ce chanvre. C'est là qu'est notre ours.

On discuta de la façon de le dépecer. Buck voulait l'emporter entier, pour l'effet. Penny s'efforça de lui en démontrer l'impossibilité. Ils le convainquirent enfin de le partager en quartiers, comme il était d'usage pour un ours de si grande taille.

Chaque quartier pesait cent livres. Ils le dépouillèrent, le dépecèrent, la peau demeura intacte avec sa grande tête et ses pattes griffues.

Buck dit :

— Je la veux comme ça. J'ai idée d'une bonne farce.

Ils sortirent des bouteilles et burent à la ronde. Ils reprirent la route, un quartier sur chacun des quatre chevaux, et la peau sur le cinquième. Il fallait bien une grande famille comme celle des Forrester pour transporter le vieux Pied-Bot et les deux Baxter avec. La cavalcade était bruyante. Ils s'interpellaient les uns les autres.

Ils atteignirent l'îlot Baxter à la nuit tombée. La maison était fermée. Il n'y avait ni lumière, ni panache de fumée. Ma Baxter était partie vers la rivière, avec le cheval et la carriole. Fanion n'était pas là. Les Forrester descendirent de cheval, burent encore et demandèrent de l'eau. Penny leur proposa de faire à souper, mais ils ne pensaient qu'à Volusia. Ils mirent la viande d'ours dans la réserve. Buck garda obstinément la peau.

Jody trouvait étrange de marcher la nuit autour de sa maison fermée, comme si elle était la demeure d'autres gens et non des Baxter. Il tourna autour de la maison et appela : « Fanion! Ici, camarade! » Le piétinement des petits sabots pointus ne lui répondit pas. Il appela de nouveau, plein d'angoisse. Il revint vers la route. Fanion déboucha de la forêt au galop. Jody l'étreignit si fort qu'il se dégagea avec impatience. Les Forrester lui criaient de se dépêcher. Il aurait voulu que Fanion les accompagnât, mais il ne pouvait pas supporter qu'il s'échappât encore. Il le conduisit sous le hangar, l'attacha solidement et barricada la porte contre les maraudeurs. Il y courut de nouveau, la rouvrit et répandit devant Fanion les provisions qui restaient dans son sac. Les Forrester tempêtaient. Il barricada de nouveau la porte et courut grimper en croupe sur le cheval de La Meule, le cœur content. Il savait maintenant que Fanion lui reviendrait toujours.

La brousse retentissait du bruit de leurs chevaux, de leurs chants, de leurs cris joyeux.

Ils atteignirent le fleuve à neuf heures, et demandèrent le passage en hurlant. La rivière traversée, ils allèrent à cheval jusqu'à l'église. Elle était illuminée. Les chevaux, les carrioles et les bœufs étaient attachés aux arbres de la place.

Penny dit :

— Nous avons un peu l'air de brigands pour la fête de l'église. Si Jody y allait et nous rapportait à souper?

Mais les Forrester ne se laissèrent pas convaincre.

Buck dit :

— Maintenant, aidez-moi tous à me déguiser. Je veux répandre la terreur dans cette église.

Lem et La Meule l'enveloppèrent dans la peau d'ours. Il se mit à quatre pattes. Il ne trouvait pas l'effet assez réaliste, car la peau d'ours glissait et la grande tête tombait sur le côté. Penny avait hâte d'entrer pour rassurer Ma Baxter, mais les Forrester ne se pressaient pas. Ils délacèrent leurs bottes et ficelèrent les lacets autour de la poitrine de Buck. Il se déclara satisfait du résultat. Son torse massif remplissait la peau presque aussi complètement que celui de son premier propriétaire. Il s'exerça à grogner. Ils grimpèrent les marches de l'église. Lem ouvrit la porte toute grande pour faire entrer Buck, puis la repoussa en laissant une fente suffisante pour que les autres pussent regarder. On ne remarqua pas tout de suite l'étrange visiteur. Buck s'avança en imitant si parfaitement le dandinement de l'ours, que Jody en eut la chair de poule. Buck grogna. La compagnie se retourna. Buck s'arrêta. Il y eut un moment de stupeur, puis l'église se vida par les fenêtres; on eût dit un ouragan dispersant un tas de feuilles mortes.

Les Forrester entrèrent par la porte, éclatant de rire. Penny et Jody les suivaient.

Tout à coup, Penny sauta sur Buck et repoussa la tête, découvrant la face humaine.

— Enlevez ça, Buck. Vous avez envie de vous faire tuer?

Ses yeux avaient perçu l'éclat d'un canon de fusil à l'une des fenêtres. Buck se releva, et la peau tomba à terre. Les gens de la fête revinrent en foule. Dehors, une femme criait, refusait de se laisser rassurer, et deux ou trois enfants pleuraient de frayeur. La première réaction de l'assemblée fut un mouvement de colère.

Un homme cria :

— Jolie façon de célébrer la Noël ! Effrayer les enfants !

Mais l'esprit de la fête était solide, et la griserie joviale des Forrester contagieuse.

Penny fut très entouré. La réputation du vieux Pied-Bot était connue de tous. Ma Baxter alla chercher une assiette de viande pour son mari. Il s'assit au bout d'un des bancs de l'église, s'adossa au mur et essaya de manger. Il avala quelques bouchées. Puis les questions des hommes l'entraînèrent en un flot de paroles. L'assiette restait sur ses genoux, intacte.

Jody observait timidement les couleurs et les lumières inaccoutumées. La petite église était décorée de gui, de houx, et de plantes vertes. Le plafond disparaissait presque sous des guirlandes de papier vert, rouge et jaune. A l'entrée, se dressait un arbre de Noël, orné de figurines en papier et de quelques boules brillantes. Les cadeaux avaient été échangés, et les papiers froissés s'amoncelaient au pied de l'arbre. Des petites filles tournaient en rond avec des poupées de chiffon sur leurs poitrines plates. Les garçons trop jeunes pour s'intéresser aux récits de Penny jouaient par terre.

Les mets étaient disposés sur de longs tréteaux près de l'arbre de Noël. Grand-mère Hutto et sa mère y conduisirent Jody. Il sentait la gloire flotter autour de lui aussi comme un parfum délicieux. Les femmes l'entouraient et le suivaient à l'envi. Elles aussi posaient des questions sur la chasse. Au début, il était un peu pétrifié et ne pouvait répondre. Il avait chaud et froid à la fois et il fit tomber la salade de l'assiette qu'il tenait à la main. Dans l'autre, il pressait trois gâteaux. Grand-mère Hutto dit :

— Allons, laissez-le tranquille.

Il eut peur de ne plus pouvoir répondre aux questions et de manquer son moment de triomphe.

Il dit vivement :

— Nous l'avons poursuivi près de trois jours. Nous l'avons rejoint deux fois...

Elles l'écoutaient avec une attention flatteuse. Il était plein d'enthousiasme. Il commença du commencement, s'efforçant de conter comme il pensait que Penny aurait fait. Au milieu de son discours, il regarda les gâteaux. Le récit perdit de son intérêt.

— Alors, Papa l'a tué, conclut-il brusquement.

Il s'emplit la bouche de gâteaux. Les femmes assemblées allèrent lui chercher des bonbons.

Ma Baxter lui dit :

— Si tu commences par du gâteau, tu ne pourras rien manger d'autre.

— Je ne veux rien d'autre.

Grand-mère Hutto dit :

— Laissez-le, Ory. Il a tout le reste de l'année pour manger du pain.

— J'en mangerai demain, promit-il. Je sais qu'il faut manger du pain pour grandir.

Il allait d'un gâteau à l'autre et revenait.

Il demanda :

— Ma, est-ce que Fanion était rentré avant que tu partes?

— Il est rentré hier au crépuscule. Je peux dire que cela m'a inquiétée de le voir revenir sans vous. Mais Nellie Ginright a passé un moment ici ce soir et m'a donné de vos nouvelles.

Il la regarda avec approbation. Elle était vraiment élégante, se dit-il, dans son alpaga noir. Ses cheveux gris étaient bien coiffés et ses joues rougissaient de plaisir et d'orgueil. Les autres femmes lui parlaient avec respect. C'était une grande chose, songea-t-il, d'être de la famille de Penny Baxter.

Il dit :

— J'ai quelque chose de joli pour toi à la maison.

— C'est vrai? C'est rouge et brillant, n'est-ce pas?

— Tu l'as trouvé?

— Il faut bien que je fasse le ménage de temps en temps.

— Ça te plaît?

— C'est joli au possible. J'avais envie de le mettre, mais j'ai pensé que tu préférerais me le donner toi-même. Tu veux savoir la surprise que j'ai pour toi, ou non?

— Dis?

— J'ai un sac de sucre d'orge à la menthe. Et ton père t'a fait un fourreau en patte de cerf pour le couteau qu'Olivier t'a donné. Et il a fait un collier en peau de cerf pour ton faon.

— Comment est-ce qu'il a pu faire ça sans que je m'en aperçoive?

— Quand tu dors, il pourrait changer le toit de la maison que tu ne t'en apercevrais pas.

Il soupira, satisfait d'âme et de corps. Il regarda le reste du gâteau dans sa main. Il le tendit à sa mère :

— Je ne l'aime pas.

— Il est temps.

Il regarda la société autour de lui et fut repris de timidité. Eulalie Boyles jouait à chat perché dans un coin avec le garçon silencieux qui conduisait parfois le bac. Jody les observa de loin. Il l'aurait à peine reconnue. Elle avait une robe blanche avec des ruchés bleus, et des rubans bleus au bout de ses petites nattes. Il fut envahi de rancœur, non envers elle, mais envers le garçon du passeur. Eulalie, obscurément, lui appartenait à lui, Jody, pour qu'il en fît ce qui lui plaisait, quand ça n'aurait été que lui jeter des pommes de terre à la tête.

Les Forrester formaient un groupe à part au bout de l'église, près de l'entrée. Les plus hardies des femmes leur avaient apporté à manger. Regarder deux fois un Forrester, c'était chercher le scandale. Les plus turbulents des hommes les entouraient, et les bouteilles recommençaient à circuler. La voix des Forrester dominait les rumeurs de la réunion. Les violonistes allèrent chercher leurs instruments et se mirent à les accorder et à les racler. On commença un quadrille. Buck, La Meule et Gabby invitèrent des filles qui riaient sous cape. Lem fronçait les sourcils. Les Forrester transformèrent la danse en un jeu violent et tapageur. Grand-mère Hutto s'assit à l'écart. Ses yeux noirs flamboyaient.

— Vous ne m'auriez jamais fait venir ici, si j'avais su que ces diables noirs y seraient.

— Moi non plus, dit Ma Baxter.

Elles étaient assises, toutes raides, l'une à côté de l'autre, d'accord pour la première fois. Jody était à moitié gris lui-même de bruit et de musique, de gâteaux et de plaisir. Le monde extérieur était froid, mais l'intérieur de l'église était étouffant, avec son poêle ronflant et la chaleur des corps pressés et en sueur.

Un homme, un nouveau venu, parut sur le seuil. Une bouffée de vent froid le suivit et chacun leva les yeux pour voir qui l'avait apportée. Quelques-uns remarquèrent que les Forrester lui parlaient. L'homme leur répondit, et Lem dit quelque chose à ses frères. Un instant plus tard, les Forrester s'en allaient tous ensemble. Les hommes entourant Penny, satisfaits par son histoire de chasse, y allaient à présent des leurs. Le quadrille continua avec un contingent réduit. Quelques femmes s'approchèrent du groupe des chasseurs, protestant contre leur défection. Le nouveau venu fut invité à s'approcher des tables servies. C'était un voyageur débarquant d'un vapeur qui s'était arrêté pour faire du bois à l'embarcadère.

Il dit :

— Je disais à ces messieurs qu'il y a d'autres passagers qui sont descendus ici. Vous devez les connaître : M. Olivier Hutto et une jeune femme.

Grand-mère Hutto se dressa.

— Vous êtes sûr de ce nom?

— Mais oui, Madame. Il a dit qu'il habitait ici.

Penny s'approchait d'elle à travers les groupes. Il la prit à part.

Il dit :

— Je vois que vous savez la nouvelle. J'ai peur que les Forrester soient allés chez vous. J'ai l'intention d'y aller pour éviter des histoires. Voulez-vous venir? Peut-être qu'ils se conduiront mieux si vous êtes là pour leur faire honte.

Elle alla chercher son châle et son bonnet.

Ma Baxter dit :

— Je viens aussi. Je ne serais pas fâchée de dire à ces brutes ce que j'en pense.

Jody les suivit. Ils s'empilèrent dans la carriole des Baxter et retournèrent au fleuve. Le ciel était singulièrement brillant.

Penny dit :

— Il doit y avoir un bois qui brûle quelque part! Oh, mon Dieu!

La position de l'incendie n'était que trop reconnaissable. Au tournant de la route, en bas de l'allée de lauriers, les flammes montaient dans le ciel, la maison de grand-mère Hutto brûlait... Ils entrèrent dans la cour. La maison était un brasier. Les flammes révélaient le détail des chambres. Fluff courut à eux, la queue entre les jambes. Ils sautèrent en bas de la carriole.

Grand-mère appela : “ Olivier! Olivier! ”

— Il ne peut pas être là. Il serait sorti.

— Ils l'ont tué. Il est là! Olivier!

Il la retint malgré elle. Le sol éclairé par l'incendie montrait des pas de chevaux. Mais les Forrester et leurs montures étaient partis.

Ma Baxter dit :

— Ces brutes noires sont capables de tout.

Grand-mère Hutto se débattait.

Penny dit :

— Jody, pour l'amour du Ciel, remonte en carriole et va voir à la boutique de Boyles s'il n'y a personne qui ait vu par où s'en allait Olivier en quittant le bateau. S'il n'y a personne, retourne à la fête et demande à l'étranger.

Jody grimpa sur le siège de la carriole et fit tourner César. Ses mains étaient engourdies et il avait du mal à tenir ses rênes. Il ne pouvait se rappeler dans son affolement si son père lui avait dit de commencer par la fête ou par la boutique. Si Olivier était vivant, il ne lui serait plus jamais infidèle, même en pensée. La nuit d'hiver était brillante d'étoiles. César hennit. Un homme et une femme marchaient sur la route, se dirigeant vers le fleuve. Il entendit l'homme rire.

Il appela : " Olivier! " et sauta de la carriole en marche.

Olivier s'écria :

— Regarde-le-moi qui conduit tout seul! Hé Jody!

La femme était Twinck Weatherby.

Jody dit :

— Monte dans la carriole, Olivier, vite.

— Qu'est-ce qui se passe? En voilà des manières! Dis bonjour à la dame.

— Olivier, la maison de grand-mère brûle! Ce sont les Forrester.

Olivier jeta ses sacs dans la carriole. Il souleva Twinck et la posa sur le siège, puis il y bondit et prit les rênes. Jody grimpa à côté de lui.

Olivier passa la main dans sa chemise et posa son revolver sur le siège.

— Les Forrester sont partis, dit Jody.

Olivier fouetta le cheval qui prit le trot et tourna dans le chemin. La charpente de la maison apparaissait autour des flammes, comme si celles-ci étaient enfermées dans une boîte. Olivier suffoqua.

— Maman n'y était pas?

— Elle est dans la cour.

Olivier arrêta la carriole et descendit.

Il appela :

— Maman!

Grand-mère leva les bras au ciel et courut à son fils.

Il dit :

— Remets-toi, ma vieille. Ne tremble pas comme ça. Du calme.

Penny les rejoignit.

Olivier repoussa grand-mère et regarda la maison. Le toit craquait.

Il dit :

— De quel côté sont partis les Forrester?

Jody entendit grand-mère murmurer : « Mon Dieu! » Elle se ressaisit.

Elle dit tout haut :

— Je me demande ce que tu as à faire avec les Forrester?

Olivier se retourna vers elle.

— Jody dit que c'est eux qui ont fait ça.

— Jody, petit sot. Non, les idées qui peuvent venir à un enfant!... J'avais laissé une lampe allumée près de la fenêtre ouverte. Le vent aura rabattu les rideaux qui se sont enflammés. J'en ai été inquiète toute la soirée, pendant la fête. Jody, c'est très vilain de mentir.

Jody la regardait, ahuri. Sa mère était bouche bée.

Ma Baxter dit :

— Mais, vous savez...

Jody vit son père lui serrer le bras.

Penny dit :

— Oui, petit, il ne faut pas accuser ainsi les innocents qui sont à des lieues d'ici.

Olivier respira.

Il dit :

— Sûr que je suis content que ça ne soit pas eux. Je n'en aurais pas laissé un vivant.

Il se retourna et serra Twinck contre lui :

— Bonnes gens, je vous présente ma femme.

Grand-mère Hutto chancela un peu, puis s'approcha de la jeune femme et l'embrassa sur la joue.

— Je suis contente que vous ayez réglé ça, dit-elle. Peut-être qu'Olivier viendra me voir de temps en temps.

Olivier prit Twinck par la main et alla faire le tour de la maison. Grand-mère s'adressa aux Baxter, d'un air furieux.

— Si vous avez jamais le malheur de lui dire... Vous croyez que j'ai envie de voir deux provinces couvertes du sang des Forrester et des os de mon garçon pour une maison brûlée?

Penny lui mit les mains sur les épaules.

— Ma vieille, dit-il. Ma vieille... Si j'avais seulement autant de sagesse que toi...

Elle tremblait. Penny la serra contre lui et elle se calma. Olivier et Twinck revenaient.

Olivier dit :

— Ne t'en fais pas trop, Maman. On te construira la plus belle maison sur la rivière.

Elle rassembla ses forces.

— Je n'en veux pas. Je suis trop vieille. Je veux habiter Boston.

Jody regarda son père. Les traits de Penny étaient tirés.

Elle dit d'un air décidé :

— Je veux partir demain matin.

Olivier dit :

— Mais, maman, partir d'ici?

Son visage s'éclaira.

Il dit lentement :

— C'est toujours de Boston que j'embarque. Ma, je serai content que tu sois là-bas. Mais si je te lance sur ces Yankees, j'ai bien peur que tu ne recommences une guerre de sécession.

XXVII

LES Baxter étaient debout à l'embarcadère, dans l'aube froide, prenant congé de grand-mère, d'Olivier, de Twinck et de Fluff. Au tournant sud, le vapeur siffla. Grand-mère et Ma Baxter s'embrassèrent. Grand-mère prit Jody et le tint serré.

— Apprends à écrire pour écrire à grand-mère à Boston.

Olivier pressa la main de Penny.

Penny dit :

— Vous nous manquerez terriblement, à Jody et à moi.

Olivier tendit la main à Jody.

— Je te remercie de m'avoir défendu, dit-il. Je ne t'oublierai jamais. Même dans les mers de Chine.

Le menton de grand-mère était tendu, sa bouche serrée.

Penny dit :

— Si jamais vous changez d'avis et voulez revenir, sachez que vous serez les bienvenus à l'île à toute heure du jour et de la nuit.

Le vapeur apparut au tournant du fleuve et accosta à l'embarcadère. Il portait quelques lumières, car la rivière était encore noire.

Twinck dit :

— On allait oublier ce qu'on a pour Jody.

Olivier fouilla dans sa poche et lui tendit un paquet rond.

Elle dit :

— C'est pour vous, Jody, parce que vous avez lutté pour Olivier dans la bagarre.

Il était tout ahuri par les événements du jour. Il prit le paquet et la regarda stupidement. Elle se pencha et l'embrassa sur le front. Son contact était singulièrement agréable. Ses lèvres étaient douces et ses cheveux jaunes sentaient bon.

On jeta la passerelle. Un ballot de marchandises fut descendu sur le quai. Grand-mère se pencha et prit Fluff dans ses bras. Penny saisit son doux visage ridé entre ses mains et posa sa joue contre la sienne.

Il dit :

— Je vous aime vraiment beaucoup. Je... " Sa voix se brisa.

Les Hutto s'engagèrent sur la passerelle. L'hélice brassa l'eau, le courant lapait le bateau. Il s'écarta de la rive. Grand-mère et Olivier, au bastingage, leur faisaient signe. La sirène du bateau retentit de nouveau et le vapeur descendit la rivière. Jody sortit de son engourdissement et se mit à leur faire de grands signes.

— Au revoir, grand-mère! Au revoir, Olivier! Au revoir, Twinck!

— Au revoir, Jody!

Leurs voix s'éloignaient. Il semblait à Jody qu'ils s'en allaient dans un autre monde. C'était comme s'il les avait vus mourir. Il y avait des rayons roses à l'est mais le jour paraissait encore plus froid que la nuit. Les cendres de la maison Hutto brillaient doucement.

Les Baxter reprirent le chemin du retour. Penny était brisé de chagrin. Son visage était crispé. Jody était envahi par un tumulte de pensées si contradictoires, qu'il renonça à les tirer au clair et se tapit sur le siège de la carriole dans la chaleur de sa mère et de son père. Il ouvrit le paquet que Twinck lui avait donné. C'était un petit étui pour sa poudre à fusil. Il l'embrassa. Il se rappela qu'Easy Ozell était sur la côte est et il se demanda s'il suivrait grand-mère Hutto à Boston quand il apprendrait son départ. La carriole entra en cahotant dans la clairière. Le jour serait froid mais lumineux.

Ma Baxter dit :

— Eh bien, si c'était moi, je ne serais pas partie sans lancer la police sur ces espèces de brutes.

Penny dit :

— Personne ne pourrait rien prouver. Les traces de chevaux? Les Forrester n'auraient qu'à dire qu'ils avaient vu l'incendie et qu'ils étaient venus regarder. Ils pourraient même dire que le pays était plein de chevaux et que ce n'étaient pas les leurs.

— Alors, j'aurais dit la vérité à Olivier.

— Oui, et qu'est-ce qu'il aurait fait alors? Il se serait précipité et en aurait tué deux ou trois. Olivier a la tête chaude, et pourquoi pas? La plupart des gens se seraient jetés sur des types qui auraient fait ce qu'ils lui ont fait. Très bien. Qu'il tue quelques Forrester, alors, et qu'on le pende pour ça? Ou bien que les autres l'attrapent et les tuent tous lui, sa maman et sa jolie petite femme?

— Jolie petite femme! grogna-t-elle. Une rien du tout!

Jody se sentit animé d'un loyalisme nouveau.

— Elle est rudement jolie, Ma, dit-il.

— Les hommes sont tous les mêmes, conclut-elle.

L'île Baxter était devant eux. Un sentiment de sécurité, de bien-être, envahit Jody. Les autres gens connaissaient les catastrophes, mais la clairière était à l'abri de tout. La cabane l'attendait et la réserve pleine de bonne viande, avec la carcasse du vieux Pied-Bot, et puis Fanion. Par-dessus tout, Fanion. Il frémissait d'impatience en se dirigeant vers le hangar. Il avait quelque chose à lui raconter.

XXVIII

Le mois de janvier était doux. De temps à autre, le soleil se couchait dans un calme rouge et froid, les couvertures paraissaient trop minces dans la nuit, et le matin montrait une fine couche de glace sur les baquets d'eau. Puis, un jour ou deux plus tard, il se mettait à faire si chaud que Ma Baxter pouvait rester assise sous le porche dans l'après-midi à faire ses raccommodages, et que Jody pouvait courir les bois sans veste de laine.

Le soir, Penny, Ma et Jody, assis devant le feu, revivaient la nuit pendant laquelle ils étaient restés auprès des Hutto à regarder la maison incendiée, et avaient attendu avec eux le bateau du matin que rien n'aurait pu persuader à grand-mère de ne pas prendre.

— A mon avis, dit Penny, si cet étranger qui est venu à la fête, avait su que c'était la femme d'Olivier et n'avait pas dit comme ça qu'il y avait une femme avec lui, Lem lui-même n'aurait pas été l'embêter. Ils se seraient dit qu'il était temps d'en finir, du moment qu'il était marié.

— Femme ou pas, ce sont de basses brutes qui brûlent une maison en croyant quelqu'un dedans.

Penny soupira et fut obligé d'acquiescer. Les Forrester devaient faire leurs affaires à Fort-Gates. Ils ne passaient jamais plus par l'île Baxter. Ils n'avaient pas réclamé leur part de l'ours au retour. Le fait qu'ils évitaient ainsi Penny était un aveu de leur culpabilité. Cela l'attristait. Sa paix si durement gagnée était troublée. Une pierre lancée à distance et destinée à un autre l'avait atteint. Il était brisé et soucieux.

Jody pensait aussi aux Hutto, mais avec l'anxiété qu'on éprouve pour les personnages d'un conte. Grand-mère et Olivier et Fluff et Twinck s'étaient embarqués comme les gens s'embarquent dans un livre. Olivier se confondait avec les histoires lointaines qu'il lui avait racontées. Maintenant, dans ces histoires, il y avait aussi grand-mère et Twinck et Fluff. Olivier avait dit : “ Je ne t'oublierai pas, même dans les mers de Chine. ” Et c'est dans les mers de Chine, le plus souvent, qu'il l'imaginait, infiniment lointain, et entouré de gens aussi imaginaires que lui.

La fin janvier apporta une série de chaudes journées. Il y aurait peut-être encore des gelées avant le printemps. Mais ces jours tièdes étaient une bénédiction. Penny labourait les champs dont la moisson serait précoce. Il retourna le nouveau terrain que Buck avait défriché pour lui pendant qu'il était malade de la piqûre du serpent. Il avait décidé d'y faire du coton. Le terrain voisin serait réservé au tabac. Le bétail était réduit au vieux César et à Trixie, il pouvait réduire son foin, accroître son blé. On n'en avait jamais assez. La volaille était sous-alimentée, les cochons n'engraissaient pas suffisamment, les Baxter eux-mêmes diminuaient leurs rations à la fin de l'été, tout cela faute de blé. Rien n'était plus important.

Le gibier était rare, tant du fait de l'épidémie que de la voracité accrue des fauves survivants. Les cerfs étaient en mauvais point, la chair maigre, le pelage gris et terne. Ils erraient seuls le plus souvent. Les biches voyageaient seules aussi ou bien par couples. Une vieille biche accompagnait une jeune biche ou un chevreuil. Certaines étaient déjà grosses.

La principale besogne, une fois la terre retournée, était de ramasser du bois, de le couper, de le scier. Le bois était plus accessible que d'ordinaire, car l'ouragan avait renversé un grand nombre d'arbres, et les racines dénudées par les longs jours de pluie et de vent continuel en avaient laissé abattre plus encore. Des futaies entières étaient mortes sur les terres basses. On aurait dit que le feu et non l'eau les avait dévastées, car les arbres morts se dressaient, gris et dénudés.

Jody aimait à l'égal de leurs chasses, leurs expéditions matinales de bûcherons. Penny attelait le vieux César à la carriole par un matin lumineux et froid, après le petit déjeuner, et ils s'en allaient, cahotant sur la route, de-ci, de-là, au gré de leur fantaisie. Les chiens trottaient sous la carriole, et Fanion galopait devant ou à côté. Il avait l'air particulièrement futé avec son collier de peau de cerf. Ils s'arrêtaient à l'entrée d'une clairière et s'en allaient à pied en flânant à la recherche d'un arbre tombé, chêne ou pin de préférence. Il y avait abondance de bois résineux. C'était cela qui faisait les plus belles flambées, mais il fumait et noircissait pots et marmites. Ils maniaient la hache à tour de rôle, ou bien manœuvraient à deux la scie. Jody aimait son bruit rythmé, tandis qu'elle mordait le bois, et la bonne odeur de la sciure tombant sur le sol.

Les chiens flairaient les buissons, couraient après les lapins. Fanion mordillait des bourgeons, ou bien découvrait une succulente pousse d'herbe épargnée par la gelée. Penny apportait toujours son fusil. Parfois, Julia rabattait un lapin, ou bien un écureuil se balançant imprudemment sur un arbre voisin, et c'était autant de plus pour le souper. Un jour, un écureuil tout blanc les regarda hardiment mais Penny ne tira pas. C'était une curiosité, dit-il, comme le ragondin albinos. La viande de Pied-Bot s'était révélé dure et filandreuse de vieillesse, et il avait fallu la cuire longtemps pour l'amollir.

Les Baxter avaient été contents quand elle avait été finie.

Ma Baxter passait de longues heures à ses rapiéçages. Penny donnait des leçons à Jody. Les soirées s'écoulaient près du feu qui brillait haut, éclairant et chauffant à la fois. Le vent soufflait autour de la maison douillette. Par les nuits calmes de lune, on entendait aboyer les renards. Alors, la leçon était interrompue, Penny faisait signe à Jody et ils écoutaient ensemble. Les renards rendaient rarement visite au poulailler des Baxter.

— Ils connaissent la vieille Julia, disait Penny en riant. Ils ne tentent pas le diable.

Une nuit froide et brillante à la fin janvier, Penny et Ma Baxter étaient allés se coucher tandis que Jody s'attardait auprès du feu avec Fanion. Il entendit un bruit dans la cour comme un piétinement de chiens. Ils remuaient avec plus d'animation que d'ordinaire. Il s'approcha de la fenêtre et colla son front contre la vitre froide. Un chien étranger jouait, courait avec Rip. Julia les regardait d'un air indulgent. Il retint son souffle. Ce n'était pas un chien. C'était un loup gris, maigre et boiteux. Il se retourna pour appeler son père, puis, attiré par une force irrésistible, il revint à ce spectacle. Il était visible que le loup et le chien avaient déjà joué ensemble. Ce n'étaient pas des étrangers. Ils jouaient en silence, comme pour garder un secret. Jody s'approcha de la porte de la chambre et appela doucement.

— Qu'y a-t-il, petit?

Jody alla à la fenêtre sur la pointe des pieds et lui fit signe. Penny le suivit, pieds nus, et regarda ce que Jody lui désignait. Il sifflait tout bas. Il ne fit pas un geste vers son fusil. Ils regardaient sans rien dire. Au clair de lune, les mouvements des animaux se dessinaient clairement. Le visiteur avait la hanche estropiée. Ses mouvements étaient gauches.

Penny chuchota :

— C'est un peu pitoyable, n'est-ce pas?

— Tu crois que c'est un de ceux que nous avons cernés le jour de l'étang?

Penny acquiesça.

— C'est presque sûrement le dernier. Pauvre type, blessé et solitaire... Il vient voir ses plus proches parents pour faire une partie.

Peut-être leur chuchotement passa-t-il la fenêtre fermée, ou bien leur odeur. Sans bruit, le loup s'en retourna, quittant les chiens, franchit péniblement la barrière et disparut dans la nuit.

Jody demanda :

— Il ne fera pas de mal?

Penny étendit ses pieds vers l'âtre.

— Je me demande s'il est seulement de taille à trouver sa subsistance. Je ne voudrais pour rien au monde m'acharner sur lui. Un ours le finira, ou une panthère. Qu'il jouisse de son reste.

Ils s'installèrent ensemble près du feu, envahis du même sentiment de tristesse et d'étrangeté. C'était dur, même pour un loup, de se sentir si seul qu'il dût venir jusque dans la cour de son ennemi pour y trouver de la compagnie. Jody posa son bras sur Fanion. Il aurait voulu que Fanion comprît qu'on lui avait évité la détresse de la forêt. Quant à lui, Fanion l'avait délivré d'une solitude qui l'accablait au cœur même de sa famille.

Il revit le loup solitaire, une autre fois, sous la lune. Puis il ne revint plus. Par un accord tacite, on ne révéla pas ses visites à Ma Baxter. Elle aurait demandé sa mort. Penny pensait que Rip et Julia avaient dû faire sa connaissance au cours de l'une de leurs chasses, ou bien pendant qu'ils coupaient du bois et que les chiens couraient de leur côté.

XXIX

En février, Penny se trouva perclus de rhumatismes. Il en souffrait depuis des années lorsque le temps était humide ou froid. Il avait toujours été insouciant de sa santé, faisant ce qui lui plaisait ou ce qui lui paraissait nécessaire, sans prendre garde à la température et sans se ménager. Cette fois, il fut obligé de se coucher. Ça ne lui ferait pas de mal de se reposer, dit Ma Baxter. Mais lui se tourmentait en pensant à ses plantations de printemps.

— Que Jody s'en occupe! dit-elle avec impatience.

— Jody n'a jamais rien fait d'autre que me suivre. Il y a tant de gaffes qu'un enfant peut faire dans des travaux de ce genre.

— Oui et à qui la faute, s'il ne s'y connaît pas mieux? Tu l'as trop gâté. Quand tu avais près de treize ans, toi, est-ce que tu ne labourais pas comme un homme?

— Oui, et c'est pour ça que je ne tiens pas à ce qu'il le fasse avant d'avoir fini sa croissance.

— Cœur sensible, murmura-t-elle. La charrue n'a jamais fait de mal à personne.

Elle lui faisait des bouillons et lui préparait des remèdes. Il acceptait ses soins avec reconnaissance, mais il n'allait pas mieux. Il revint à son huile de panthère; il s'en frottait les genoux patiemment une heure de suite, et disait que cela lui faisait plus de bien que n'importe quoi.

Tandis que son père était réduit à l'inaction, Jody s'acquittait des menus travaux et continuait à s'occuper du bois. Il avait tendance à se hâter dans sa besogne car, lorsqu'elle était terminée, il était libre de vagabonder avec Fanion. Penny lui permettait même d'emporter le bon fusil. La compagnie de son père lui manquait; pourtant, il aimait à chasser seul. Lui et Fanion se sentaient libres. Ce qu'ils préféraient c'était les alentours du réservoir. Ils y avaient commencé un jeu, un jour où Fanion l'avait accompagné à la corvée d'eau. C'était un jeu forcené de poursuite sur les pentes abruptes du grand creux vert. Fanion y était imbattable, il remontait et redescendait la pente une demi-douzaine de fois tandis que Jody gagnait péniblement le sommet. S'apercevant que l'enfant ne pouvait pas le rattraper, il s'amusait tantôt à épuiser Jody, tantôt à se laisser prendre.

Un jour chaud et ensoleillé de la mi-février, Jody se trouvait au bas de la pente regardant la silhouette de Fanion se découper au sommet. L'espace d'une seconde, il éprouva l'impression bizarre que c'était un autre animal. Fanion était si grand... Il ne s'était pas rendu compte de la rapidité avec laquelle il avait grandi. On chassait des chevreuils qui n'étaient pas plus grands que lui. Il rentra auprès de Penny, tout excité. Penny était assis près du feu de la cuisine, enveloppé dans des couvertures, bien que le temps fût doux.

Jody éclata :

— Pa, tu sais que Fanion est presque un chevreuil?

Penny le regarda d'un air railleur.

— Je m'en suis aperçu. Donne-lui encore un mois et on pourra dire que c'est un chevreuil.

— Qu'est-ce qu'il aura de différent?

— Eh bien, il restera plus longtemps dans les bois. Il

deviendra plus grand. Il sera entre les deux. Il sera comme un homme sur une frontière. Il quittera une chose pour une autre. Derrière lui, le faon. Devant lui, le cerf.

Jody était songeur.

— Est-ce qu'il aura des cornes?

— Il n'aura probablement pas de cornes avant juillet.

Jody examina attentivement la tête de Fanion. Il tâta le bord dur de son front. Ma Baxter passa, une poêle à la main.

— Écoute, Maman, Fanion sera bientôt un chevreuil. N'est-ce pas, Maman, qu'il sera joli avec des petites cornes? N'est-ce pas que ses cornes seront jolies?

— Moi, je ne le trouverai pas joli quand bien même il aurait une couronne sur la tête. Et des ailes d'ange.

Il la suivit pour la câliner. Elle s'assit afin d'examiner le contenu de la poêle. Il vint frotter son nez contre sa joue. Il en aimait le contact duveté.

— Laisse-moi travailler.

— Dis, Ma, c'est vrai que ça t'est égal que Fanion ait des cornes?

— Ça sera ça de plus pour l'aider à faire des dégâts.

Il n'insista pas. Fanion n'était pas dans ses bonnes grâces. Il avait appris à se dégager de sa longe. Quand il n'y parvenait pas il recourait à la tactique des veaux attachés. Il tirait dessus, les yeux dilatés, suffoquant, et, devant ce chantage au suicide, on était bien obligé de le délivrer. Une fois lâché, il faisait le fou. On ne pouvait plus le retenir dans le hangar. Il l'aurait démoli. Il était violent, insolent. On ne l'admettait dans la maison que lorsque Jody était là pour le surveiller.

Ma Baxter posa un plat de pois secs sur la table et s'approcha du feu. Jody alla dans sa chambre chercher un morceau de peau de cerf. Il y eut un bruit de vaisselle renversée, et les cris furieux de Ma Baxter s'élevèrent. Fanion avait sauté sur la table, avalé une partie des pois et envoyé promener le plat, éparpillant le reste du légume d'un bout à l'autre de la cuisine. Jody accourut. Sa mère ouvrit la porte et chassa Fanion à coups de balai. Le tumulte semblait amuser l'animal. Il frappa ses chevilles l'une contre l'autre, leva sa queue qui ressemblait à un blanc fanion, secoua la tête comme pour dessiner une attaque avec des andouillers imaginaires, sauta la barrière et s'enfuit au galop vers les bois.

Jody dit :

— C'est ma faute, Ma, je n'aurais pas dû le laisser. Il avait faim, Ma. Le pauvre n'avait pas eu assez pour son petit déjeuner. C'est moi que tu aurais dû battre, Ma, et pas lui.

— Je vous corrigerai tous les deux. Maintenant, ramasse tous ces pois et lave-les.

Il ne demandait pas mieux. Il rampa sous la table et dans tous les coins pour rassembler les pois. Il les lava soigneusement et s'en alla chercher de l'eau pour remplacer et au-delà celle dont il venait de se servir.

— Là tu vois, Ma, dit-il. Il n'y a pas de mal. Toutes les petites blagues que Fanion fera, tu peux toujours compter sur moi pour les réparer.

Fanion ne revint pas avant le coucher du soleil. Jody lui porta à manger dehors quand ses parents furent couchés. Fanion n'avait plus ses longs sommeils de faon; ses nuits étaient de plus en plus agitées. Ma Baxter s'était plainte de l'avoir entendu piétiner plusieurs fois dans la chambre de Jody ou dans la salle. Jody avait inventé une histoire vraisemblable de rats sur le toit, mais sa mère était sceptique. Peut-être Fanion avait-il dormi dans les bois cet après-midi-là, car dans la nuit, il quitta sa couche de mousse, poussa la porte de la chambre de Jody et alla se promener dans la maison.

Jody fut réveillé par un cri perçant de sa mère. Fanion l'avait tirée d'un profond sommeil en posant son museau humide contre son visage. Jody poussa le faon dehors par la porte de devant, avant qu'elle ne pût se venger.

— Cette fois, c'est fini! écuma-t-elle. Cet animal ne me laisse la paix ni jour ni nuit. Non, il ne remettra plus les pieds dans cette maison. Jamais!

Penny s'était tenu à l'écart de la discussion. Maintenant il s'y mêla du fond de son lit.

— Ta mère a raison, mon gars. Il est trop grand et trop remuant pour être dans la maison.

Jody se recoucha et resta éveillé à se demander si Fanion avait froid. Il trouvait sa mère déraisonnable de se gendarmer contre ce doux museau. Lui n'était jamais las de le caresser. C'était une femme dure et méchante qui se moquait pas mal de sa solitude. Sa colère le soulagea et il s'endormit en serrant son oreiller pour se faire croire que c'était Fanion. Le faon grogna et piétina autour de la maison presque toute la nuit.

Au matin, Penny se sentit assez bien pour s'habiller et boitiller autour de la clairière, appuyé sur un bâton. Il fit sa ronde. Il rentra à la maison. Son visage était grave. Il appela Jody. Fanion avait piétiné les plants de tabac. Ils étaient prêt à sortir. Il en avait détruit près de la moitié. Il en resterait assez pour la récolte habituelle destinée à l'usage personnel de Penny. Mais il ne lui en resterait pas à vendre à Boyles comme il en avait eu l'intention.

— Je ne pense pas que Fanion l'ait fait exprès, dit-il. Il courait et gambadait pour s'amuser, voilà tout. Écoute ce que tu vas faire : tu vas planter une barrière tout autour du champ de tabac pour préserver ce qu'il en reste. J'aurais dû le faire plus tôt sans doute, mais je n'aurais jamais pensé qu'il s'attaquerait plus particulièrement à cet endroit.

La modération et la bonté de Penny accablèrent Jody comme la rage de sa mère n'avait su le faire. Désolé, il reprit son travail.

Penny lui dit :

— Maintenant, puisque c'est accidentel, on n'en dira rien à ta mère. Cela la tourmenterait trop.

Tout en travaillant, Jody réfléchissait à un moyen d'éviter les méfaits de Fanion. Il trouvait drôles la plupart de ses incartades, mais la destruction du tabac était grave. Il était sûr que pareille chose ne se renouvellerait pas.

XXX

MARS vint dans un resplendissement de fraîcheur ensoleillée. Les haies étaient fleuries et remplissaient la clairière de parfums. Les pêchers étaient en fleur, et la vigne sauvage. Les rouges-gorges chantaient tout le jour. Les tourterelles faisaient leur nid et s'appelaient en roucoulant.

Penny dit :

— Si j'étais mort, un jour comme ça me réveillerait.

Il y avait eu une petite averse pendant la nuit, et la brume entourant le lever du soleil indiquait qu'il y en aurait une autre avant le soir, mais la matinée était magnifique.

— Un temps à blé, dit Penny. Un temps à coton. Un temps à tabac.

— Tu as l'air content, dit Ma Baxter.

Il sourit et finit son petit déjeuner.

— Mais ce n'est pas une raison parce que tu te sens mieux, fit-elle d'un ton d'avertissement, pour t'en aller au champ et te tuer de travail.

— Je me sens si bien, dit-il, que je tuerais plutôt ce qui m'empêcherait de semer, toute la journée. J'ai l'intention de semer toute la journée. Aujourd'hui. Demain. Après-demain. Semer. Planter. Du blé, du coton, du tabac.

— Tu l'as déjà dit, fit-elle.

Il se leva et lui tapota le dos.

— Du foin! Des pommes de terre! Des légumes!

Elle ne put s'empêcher de rire et Jody rit avec elle.

— A t'entendre, dit-elle, tu planterais le monde!

— Je ne demanderais pas mieux.

Il étendit les bras.

— Un jour comme ça, je voudrais semer des sillons d'ici à Boston et de Boston jusqu'au Texas. Puis quand j'arriverais au Texas je reviendrais à Boston voir si les pousses ne commencent pas à poindre.

— Je comprends d'où Jody tient ses contes de fées.

Penny s'en alla à son travail en sifflant. Jody avala son petit déjeuner et le suivit. Penny relevait les tendres pousses du champ de tabac.

— Il faut les couver comme des bébés, dit-il.

Il fixa une douzaine de plants pour montrer à Jody la façon de s'y prendre, puis le regarda faire. Il attela César à la charrue et s'en alla dans le champ ouvrir les sillons. Jody travaillait, accroupi, ou bien s'agenouillait quand il avait les jambes fatiguées. Il travaillait à loisir, car Penny lui avait dit que rien ne pressait et que la besogne devait être soigneusement faite. Le soleil de mars prit de la force vers le milieu de la matinée, mais une brise fraîche se mit à souffler. Les pousses de tabac se recourbaient derrière lui, mais le froid noir de la nuit les redresserait. Il les arrosa avant de partir et dut retourner deux fois au réservoir pour chercher de l'eau. Fanion avait disparu depuis le petit déjeuner. Jody le regrettait mais il était content que le faon eût choisi ce matin-là pour s'éloigner. S'il était venu gambader autour de lui comme d'habitude, il aurait détruit les plants plus vite que Jody n'aurait pu les redresser. Il eut fini sa besogne à l'heure du déjeuner.

Il proposa encore à son père :

— Je peux t'aider pour tes autres plantations, maintenant, ou aller te chercher de l'eau.

— Pas besoin d'arroser. Il est de plus en plus probable qu'il y aura une averse.

Jody était anxieux de satisfaire son père pour lui faire oublier le tabac dévasté.

Il s'écria :

— Ça va plus vite, à deux, hein, Pa?

Penny ne répondit pas. Mais, comme les nuages envahissaient le ciel printanier et qu'un vent léger se levait au sud-est annonçant l'averse qui assurerait la rapide levée du blé, son humeur s'éclaira de nouveau. La pluie les surprit vers la fin de l'après-midi, mais ils continuèrent leurs semailles. Le champ de blé bien foulé et brun, soulevait ses courbes douces pour recevoir la pluie.

Fanion arriva, fuyant l'averse. Il vint se faire caresser par Jody. Il sauta en zigzag par-dessus la barrière puis s'arrêta sous un mûrier et tendit le cou pour atteindre le bout d'une branche. Jody s'assit sur la barrière, à côté de son père. Il se tourna vers lui pour lui faire remarquer le col élancé du faon tendu vers les feuilles nouvelles du mûrier. Son père observait le jeune chevreuil avec une expression impénétrable. Ses yeux étaient étroits et méditatifs. Il avait l'air d'un étranger, comme le jour où il s'était mis à la poursuite du vieux Pied-Bot. Un frisson traversa l'enfant, qui n'était pas dû à l'humidité de la pluie.

Il dit :

— Pa...

Penny se tourna vers lui, arraché à ses pensées. Il baissa les yeux comme pour dissimuler quelque chose dans son regard.

Il dit d'une voix détachée :

— Sûr que ton faon a grandi vite. Ce n'est plus le bébé que tu as rapporté dans tes bras tout le long du chemin dans la nuit noire... C'est un chevreuil maintenant, pour sûr.

Ces paroles ne firent pas plaisir à Jody. Il avait l'impression qu'elles ne disaient pas toute la pensée de son père. Penny posa un instant la main sur le genou de son fils.

— Vous êtes deux grands, dit-il. Ça me fait de la peine.

Ils glissèrent de la barrière et allèrent à l'étable, puis à la maison se sécher devant le feu. La pluie battait légèrement le toit de tuiles. Fanion meuglait dehors, demandant qu'on le laissât entrer. Jody regarda sa mère d'un air suppliant, mais elle était aveugle et sourde. Penny, courbatu, s'assit, le dos au feu, en se frottant les genoux. Jody mendia du pain et sortit. Il fit une litière fraîche sous le hangar et y attira Fanion à l'aide du pain. Il s'assit et le faon finit par replier ses longues jambes sous lui et s'étendre à son côté. Jody saisit les deux oreilles pointues et frotta son nez contre le museau humide.

— Tu es un chevreuil maintenant, dit-il. Tu m'entends? Tu as grandi. Maintenant, écoute-moi. Il faut être sage, puisque tu es grand. Il ne faut plus gambader dans le tabac. Il ne faut pas fâcher Pa. Tu entends?

Fanion mâchonnait.

— C'est très bien. Dès que nous aurons fini nos plantations, je pourrai recommencer à sortir avec toi. Attends-moi. Tu es resté dehors trop longtemps aujourd'hui. Il ne s'agit pas de faire le fou parce que je t'ai dit que tu étais un chevreuil.

Il laissa Fanion et eut la satisfaction de le voir rêver tranquillement dans le hangar. Ma Baxter et Penny avaient commencé à souper lorsqu'il entra dans la cuisine. Ils ne firent pas de commentaires sur son retard. Ils mangèrent en silence. Penny alla se coucher tout de suite après le repas. Jody se sentit soudain fatigué et se mit au lit sans même laver ses pieds poussiéreux. Quand sa mère entra dans sa chambre pour le lui rappeler, il était endormi, un bras en travers de l'oreiller. Elle le regarda un instant puis s'en alla sans le réveiller.

Au matin, Penny était de nouveau radieux.

— C'est le jour du coton, dit-il.

La douce pluie avait cessé pendant la nuit. Le matin était couvert de rosée. Les champs étaient d'un rose qui tournait au bleu lavande à l'horizon lumineux. Les oiseaux faisaient leur musique sur les haies.

— Ils essayent de faire pousser les ronces, dit Penny.

Jody recommença à suivre son père, semant les petites graines brillantes. Il était curieux de la nouvelle culture des Baxter et posait d'interminables questions. Fanion avait disparu peu après le petit déjeuner, mais revint en trottinant vers le milieu de la matinée rejoindre les planteurs. Penny l'observa de nouveau. Ses sabots pointus s'enfonçaient dans la terre douce et humide, mais les grains étaient si profondément enfoncés qu'il n'y avait pas de danger.

Jody regarda son père.

— Il revient quand il s'ennuie après toi, dit Penny.

— Pour ça, il est comme un chien, n'est-ce pas, Pa? Il veut me suivre, comme Julia te suit.

— Tu l'aimes beaucoup, dis, petit?

— Bien sûr.

Penny dit :

— Enfin, on verra.

La remarque n'avait guère de sens et Jody n'y fit pas attention.

Les travaux continuèrent toute la semaine. Penny se levait tôt et rentrait tard. Il ne se ménageait pas. Les plantations étaient terminées, mais il n'en avait pas fini pour ça. Il était dans une fièvre de travail, car les conditions atmosphériques étaient favorables et la nourriture de l'année dépendait du printemps. Il portait les deux lourds seaux d'eau du réservoir aux plants de tabac et au jardin, et il recommençait.

Un tronçon d'arbre que Buck Forrester avait laissé pourrir dans le nouveau champ de coton l'ennuyait. Il creusa le sol tout autour, puis y fixa des chaînes et le fit tirer par César. Le vieux cheval peinait, les flancs haletants. Penny noua une corde autour du tronçon, dit : " Allons-y ! " à César et poussa un cri. Jody vit le visage de son père devenir livide. Penny porta la main à ses reins et tomba à genoux. Jody courut à lui.

Il murmura :

— Ça va. Ça va aller mieux. Emmène César... Attends... Prends ma main... Je vais monter dessus.

Il était plié en deux par la souffrance. Jody l'aida à grimper sur le tronçon. De là, il réussit à se hisser sur le dos de César. Il était penché en avant, la tête posée sur le cou du cheval, cramponné à sa crinière. Jody détacha les chaînes et conduisit César dans la cour. Penny ne fit pas un mouvement pour descendre. Jody alla lui chercher une chaise pour l'aider. Penny s'y laissa glisser, de là sur le sol, et se traîna dans la maison. Ma Baxter se retourna. Elle laissa tomber une poêle avec fracas.

— Je le savais ! Tu t'es fait mal ! Tu ne sais pas t'arrêter !

Il se traîna à son lit et s'y jeta, à plat ventre. Elle le suivit, le retourna et lui glissa un oreiller sous la tête. Elle lui retira ses chaussures, et étendit une légère couverture sur lui. Il allongea ses jambes avec soulagement. Il ferma les yeux.

— Ça fait du bien... Oh ! Ory, ça fait du bien... Ça va aller mieux dans un instant. J'ai dû me luxer quelque chose.

XXXI

PENNY ne se remettait pas. Il restait couché, souffrant sans se plaindre. Ma Baxter voulait envoyer Jody chez le docteur Wilson, mais Penny s'y opposa.

— Je suis déjà en reste avec lui, dit-il. Ça ira bientôt mieux.

— Tu dois avoir quelque chose de cassé.

— Eh bien même... Ça se remettra.

Ma Baxter se lamentait. " Si tu avais pour deux sous de bon sens... Mais tu veux faire comme si tu étais gros et grand comme un Forrester. "

— Mon oncle Miles était grand et fort et il s'est luxé la hanche. Il s'est très bien remis. Tais-toi, s'il te plaît, Ory.

— Je ne me tairai pas. Je veux que la leçon te serve pour de bon.

— Elle me sert. Tais-toi, je t'en prie.

Jody était soucieux. Pourtant, Penny avait souvent de légers accidents, essayant, avec sa petite stature trapue, de faire le travail de dix. Jody se rappelait encore vaguement le jour où un arbre que Penny abattait était tombé sur lui, lui broyant une épaule; son père avait gardé le bras en écharpe pendant de longs mois mais il avait guéri et retrouvé ses forces. Rien ne pouvait abattre Penny longtemps. Le serpent à sonnettes lui-même n'était pas parvenu à le tuer, se disait-il pour se rassurer. Penny était invincible comme la terre.

Toutefois, Ma Baxter s'inquiétait et s'agitait, mais elle aurait fait de même s'il se fût agi d'une foulure du petit doigt.

Peu de temps après l'accident, Jody vint annoncer à son père que le blé levait.

— Mais c'est magnifique!

Le pâle visage sur l'oreiller était radieux.

— J'espère que je pourrai me lever à temps, sinon tu me remplaceras. (Il fronça les sourcils.) Mon gars, tu sais aussi bien que moi qu'il faut empêcher ce chevreuil d'aller dans les champs.

— Je l'empêcherai. Il n'a rien abîmé.

— C'est très bien. C'est parfait. Mais fais bien attention, n'est-ce pas?

Jody passa la plus grande partie du jour suivant en chasse avec Fanion. Ils allèrent presque jusqu'à la source Juniper et revinrent avec quatre écureuils.

Penny dit :

— Voilà ce que j'appelle un fils. Il rapporte à manger à son vieux père.

Jody était en grande faveur, et Fanion avec lui.

Une légère pluie tomba pendant la nuit. Au matin, à la demande de Penny, il alla voir si la pluie avait fait pousser le blé et s'il n'y avait pas de traces de vers. Il sauta par-dessus la haie et s'engagea dans le champ. Il avait parcouru quelques mètres lorsqu'il s'avisa qu'il aurait dû voir les pointes vert pâle du blé. Il n'y en avait point. Il était stupéfait. Il alla plus loin. Pas de blé. Ce n'est qu'à l'autre bout du champ qu'il vit apparaître les pousses délicates. Il revint sur ses pas le long des sillons. Les traces des pas pointus de Fanion étaient nettes.

Jody s'affola. Il marchait à travers le champ, espérant un miracle qui ferait venir le blé. Peut-être avait-il un cauchemar, et allait-il trouver, en se réveillant, le blé vert et tendre. Il s'enfonça une branche dans le bras pour savoir. La sombre détresse qu'il éprouvait était bien celle d'un mauvais rêve, mais la douleur de son bras était aussi réelle que la disparition du blé. Il rentra à la maison d'un pas traînant. Il s'assit dans la cuisine sans aller voir son père. Penny l'appela. Il entra dans la chambre.

— Hé bien, petit, comment s'annonce la récolte?

— Le coton a levé. Il est très beau.

Son enthousiasme était factice. " Le foin commence aussi. " Il étendit les jambes et se mit à remuer les doigts de ses pieds nus. Il les regardait avec attention, comme s'il leur eût découvert une fonction nouvelle.

— Et le blé, Jody?

Son cœur battait aussi vite que les ailes d'un oiseau. Il avala et plongea.

— Quelque chose a mangé presque tout.

Penny ne répondit pas. Son silence aussi était un cauchemar. Enfin, il dit :

— Tu ne sais pas ce qui a fait ça?

Il regarda son père. Ses yeux étaient désespérés et suppliants.

Penny dit :

— Tant pis. J'enverrai ta mère voir. Elle me le dira.

— N'envoie pas Maman!

— Il faut bien qu'elle sache.

— Ne l'envoie pas!

— C'est Fanion qui l'a fait, n'est-ce pas?

Les lèvres de Jody tremblaient.

— Je crois... Oui.

Penny le regarda avec pitié.

— Je suis désolé, petit. Je m'y attendais plus qu'à moitié. Va jouer un moment. Dis à ta mère de venir.

— Ne lui raconte pas. S'il te plaît, Pa, ne lui raconte pas.

— Il faut bien qu'elle le sache, Jody. Maintenant, va. Je ferai tout ce que pourrai pour toi.

Il alla en trébuchant dans la cuisine.

— Pa te demande, Maman.

Il sortit de la maison. Il appela Fanion d'une voix tremblante. Le chevreuil vint à lui. Jody descendait la route avec lui, le bras étendu sur son échine. Il l'aimait plus que jamais, dans son péché. Fanion entrechoqua ses chevilles et l'invita à courir. Jody n'avait pas le cœur à jouer. Il marcha lentement jusqu'au réservoir. Les abords en étaient aussi jolis et fleuris qu'un jardin. Mais il ne fut même pas tenté d'en faire le tour. Il revint à la maison et y entra. Son père et sa mère étaient encore en conversation. Penny l'appela à côté de son lit. Le visage de Ma Baxter était cramoisi. Sa défaite était brûlante. Elle pinçait les lèvres.

Penny dit tranquillement :

— Nous nous sommes mis d'accord, Jody. Ce qui s'est passé est très grave, mais nous allons essayer un remède. Je suis sûr que tu es prêt à travailler dur pour arranger les choses.

— Je ferai n'importe quoi, Pa. Je tiendrai Fanion enfermé jusqu'à la moisson...

— Nous n'avons pas d'endroit où enfermer un sauvage comme ça. Maintenant, écoute-moi. Va chercher du blé dans la grange. Choisis les meilleurs épis. Ta mère t'aidera à les dépouiller. Après tu iras semer les grains pour remplacer ceux qui sont perdus. Creuse tes trous comme tu m'as vu faire, sème tes grains et couvre-les.

— Je sais très bien.

— Puis, quand tu auras fini, demain matin probablement, tu attelleras César à la carriole et tu iras à la vieille clairière sur le chemin des Forrester, au tournant de la route. Tu arracheras la barrière abandonnée qui se trouve là et tu chargeras les piquets sur la carriole. N'en prends pas trop à la fois, car César ne pourrait pas remonter une trop lourde charge. Tu feras autant de voyages qu'il faudra. Empile les pieux le long de notre haie. Enfonce les premiers sur le côté est qui borde la cour. Après, tu feras cette barrière — en commençant par ces deux côtés-là — aussi haute que les pieux te le permettront. J'ai remarqué que ton chevreuil passe toujours la haie par ce côté-là. Si tu peux l'empêcher de venir par là, peut-être qu'il restera dehors jusqu'à ce que tu aies fini de bâtir le reste.

Il semblait à Jody qu'il avait été enfermé dans une petite boîte noire, qu'on en ouvrait à présent le couvercle, que le soleil, la lumière et l'air l'envahissaient, et qu'il était libre.

Penny dit :

— Maintenant, si ta barrière arrive à être trop haute pour toi, et que je ne sois pas sur pied à ce moment-là, ta mère t'aidera à l'attacher.

Jody se tourna joyeusement vers sa mère pour l'embrasser. Elle battait le sol du pied avec mauvaise humeur. Elle regardait devant elle sans parler. Il décida que mieux valait ne pas la toucher. Rien ne pouvait gâter son plaisir. Il courut dehors. Fanion broutait le long de la route, près de la grille. Jody lui mit les bras autour du cou.

— Pa a décidé, dit-il. Maman balance son pied, mais Pa a décidé.

Fanion était absorbé par les tendres pousses d'herbe et il se dégagea pour y retourner. Jody s'en alla en sifflant dans la grange et tria le blé à la recherche d'épis aux larges grains. Il faudrait bon nombre d'épis pour servir de semence. Il les porta dans un sac, sous le porche de derrière, s'installa sur le seuil et se mit à les éplucher. Sa mère vint s'asseoir à côté de lui. Son visage était un masque glacé. Elle ramassa un épi et commença à travailler.

— Hou! grommela-t-elle.

Penny lui avait formellement interdit de gronder Jody. Il ne lui avait pas défendu de se parler à elle-même.

— Ne pas lui faire de peine! Houh! Et la peine de nos ventres vides cet hiver, est-ce qu'il y pense?

Jody se déplaça jusqu'à lui tourner presque le dos. Il se mit à fredonner sans faire attention à elle.

— Finis cette mélopée!

Il cessa de fredonner. Ce n'était pas le moment d'être insolent ou de discuter. Ses doigts avaient des ailes. Les grains tombaient des épis. Il avait hâte de s'éloigner de sa mère et de faire ses semailles. Il ramassa le sac de grains, le jeta sur son épaule, et s'en alla au champ. Il avait encore une heure avant le déjeuner pour travailler. Seul dans le champ, il était libre de chanter et de siffler. La journée de mars était bleue et dorée. Le contact du grain dans ses mains était agréable. Fanion l'aperçut et le rejoignit.

Il dit :

— Tu fais bien de profiter de ton reste, mon vieux. Tu seras bientôt à la porte.

Il avala son déjeuner et retourna en courant à sa besogne. Il travaillait si vite qu'il en aurait fini en deux heures le lendemain matin. Il s'assit près du lit de Penny après le dîner, en babillant ainsi qu'un écureuil. Penny l'écoutait gravement comme toujours, mais ses réponses étaient parfois distraites comme si ses pensées étaient ailleurs. Ma Baxter boudait. Le déjeuner et le dîner avaient été maigres et sans recherche, comme si elle se vengeait derrière sa citadelle particulière, la marmite.

Jody alla se coucher, l'âme en paix et le corps las. Il se lava les pieds sans qu'on le lui dît, et s'endormit immédiatement. Il se réveilla avant l'aube avec un sentiment de responsabilité. Il sortit du lit et s'habilla tout de suite.

Ma Baxter dit :

— Dommage qu'il te faille une chose comme celle-là pour te secouer!

Dressé entre elle et Fanion durant les derniers mois, il avait appris la valeur des méthodes de son père qui remplaçait les discussions par le silence. Cela blessait davantage sa mère sur le moment, mais elle cessait plus vite de déblatérer. Il mangea de bon appétit, mais à la hâte, glissa une poignée de biscuits dans sa chemise à l'intention de Fanion et s'en alla immédiatement à son travail. Au commencement, il ne voyait pas assez clair pour planter. Il regarda le soleil se lever derrière la vigne. Dans la pâle lumière d'or, les jeunes feuilles et les vrilles ressemblaient aux cheveux de Twinck Weatherby. Il s'apercevait que le soleil levant et le soleil couchant lui donnaient tous deux une impression agréablement triste. Le levant lui apportait une tristesse sauvage et libre; le couchant un sentiment de solitude mais non de découragement. Il s'abandonna à cette agréable mélancolie jusqu'à ce que la terre autour de lui tournât du gris au lavande puis à la couleur des épis séchés.

Il se mit au travail avec ardeur. Fanion sortit des bois où il avait apparemment passé la nuit. Jody lui donna les biscuits et lui laissa passer son nez dans sa chemise pour y chercher les miettes qui restaient. Il riait de sentir le doux museau humide contre sa chair nue.

Quand il en eut fini avec le blé, au début de la matinée, il courut au bétail. Le vieux César paissait. Il leva sa tête grise avec un doux étonnement. Jody avait eu rarement à le harnacher. Il se laissa atteler docilement et recula avec politesse entre les brancards de la carriole. Cela conféra à Jody une agréable sensation d'autorité. Il prit une voix aussi grave que possible et proféra des ordres inutiles. César obéissait humblement. Jody monta sur le siège, fit claquer les rênes et prit la direction de la clairière abandonnée. L'expédition plaisait à Fanion qui trottait devant. De temps à autre, il s'arrêtait net au milieu de la route, par pure malice, et Jody était obligé de retenir le cheval et de cajoler le chevreuil pour le faire avancer.

— Tu es rudement grand, depuis que tu es un chevreuil, lui disait-il.

Il agita les rênes et mit César au trot, puis il se rappela qu'il aurait plusieurs trajets à faire, et laissa le vieil animal reprendre son pas lent. A la clairière, ce fut un jeu d'arracher la vieille barrière. Les pieux tombaient d'eux-mêmes. Le chargement parut d'abord facile, puis son dos et ses bras commencèrent à lui faire mal et il fut obligé de s'arrêter pour se reposer. On ne risquait pas de surcharger la voiture car il n'y avait pas moyen d'empiler les pieux, passé une certaine hauteur. Il essaya de persuader Fanion de sauter sur le siège à côté de lui. Le chevreuil regarda la place étroite et se détourna sans se laisser convaincre. Jody voulut le porter mais il était étonnamment lourd et il ne put faire plus que de lui soulever les pattes de devant pour les appuyer à la roue de la carriole. Il y renonça et mit César sur le chemin de la maison. Fanion prit sa course et les devança. Jody décida de commencer à planter ses piquets en partant du coin de la haie près de la maison, et de travailler alternativement aux deux côtés. De cette façon, la provision de pieux une fois épuisée, il aurait du moins dressé la barrière aussi haut que possible aux points favoris de passage de Fanion.

Le déchargement prit plus de temps qu'il n'avait imaginé. Au beau milieu, il fut saisi de découragement. Le blé serait mûr avant qu'il n'eût commencé la barrière. Le temps était sec et le grain lent à germer. Chaque matin, il s'attendait avec inquiétude à voir les pâles pousses. Chaque matin il s'apercevait avec soulagement qu'elles ne pointaient pas encore. Il se levait tous les jours avant l'aube et prenait un petit déjeuner froid sans déranger sa mère, ou bien avalait un morceau sans même se mettre à table. Il travaillait le soir jusqu'au coucher; le rouge et l'orange s'effaçaient entre les pins, et les piquets se confondaient avec la couleur du sol. Il avait les yeux cernés par le manque de sommeil. Penny n'avait pas eu le temps de lui couper les cheveux et ils pendaient en broussailles dans ses yeux. Il ne se plaignait pas, lorsque, après le souper, à l'heure où ses paupières se faisaient lourdes, sa mère lui demandait d'aller chercher du bois qu'elle aurait fort bien pu apporter elle-même dans la journée. Penny le regardait avec une peine plus aiguë que celle de ses reins malades. Il l'appela un soir près de son lit.

— Je suis content de te voir travailler si dur, mon gars, mais ton chevreuil lui-même, malgré tout l'amour que tu as pour lui, ne mérite pas que tu te tues.

Jody dit d'un air entêté :

— Je ne me tue pas. Tâte mes muscles. Je deviens très fort.

Penny tâta le bras mince et dur. C'était vrai. Le mouvement régulier de lever les lourds piquets lui développait les bras, le dos et les épaules.

Penny dit :

— Je donnerais une année de ma vie, pour pouvoir t'aider.

— J'y arriverai bien tout seul.

Le quatrième matin, il décida de commencer à dresser la barrière sur le côté préféré de Fanion. De la sorte, si le blé levait avant qu'il eût fini, Fanion ne le prendrait pas au dépourvu. Il l'attacherait à un arbre par les pattes, nuit et jour, et le laisserait se débattre s'il le fallait jusqu'à ce que la barrière fût terminée. Il s'aperçut avec plaisir que son travail avançait rapidement. En deux jours, il eut élevé une barrière de cinq pieds sur les côtés sud et est.

Ma Baxter voyant l'impossible réalité, s'adoucit. Au matin du sixième jour, elle dit :

— Je n'ai rien à faire aujourd'hui. Je vais t'aider à la barrière.

— Oh! Ma! Tu es gentille, Ma!

— Ce n'est pas une raison pour m'étouffer. Je n'aurais jamais cru que tu serais capable de travailler comme ça.

Elle s'essoufflait facilement, mais le travail lui-même n'était pas trop pénible avec une paire de mains à chaque bout des légers pieux. Le mouvement était rythmique comme le balancement de la scie. Le visage de Ma Baxter était rouge, haletant, en sueur, mais elle riait et elle resta avec Jody presque tout le jour et une partie du lendemain. Il y avait assez de pieux empilés pour faire la barrière plus haute, et ils la montèrent jusqu'à plus de six pieds, ce qui suffirait, disait Penny, à empêcher le chevreuil de passer.

— Si c'était déjà un cerf, dit-il, il sauterait facilement huit pieds.

Ce soir-là, Jody s'aperçut que le blé faisait craqueler la terre. Au matin il essaya d'entraver Fanion. Il tendit une corde assez lâche entre ses pattes. Fanion se débattit et se jeta par terre comme un fou. Il se mit à genoux et s'agita si violemment qu'il se fût cassé une patte si on ne l'eût délivré. Jody coupa la corde et le laissa aller. Il s'enfuit au galop dans les bois et ne reparut de la journée. Jody travailla comme un forcené au côté ouest, car ce serait la ligne d'attaque la plus logique du chevreuil sur le champ, lorsque le sud et l'est lui seraient fermés. Ma Baxter lui donna deux ou trois heures d'aide dans l'après-midi. Il employa tous les piquets qui restaient.

Deux averses firent pousser le blé. Il avait plus d'un centimètre de haut. Un matin que Jody s'apprêtait à retourner à la clairière abandonnée pour y chercher d'autres pieux, il grimpa sur sa nouvelle barrière pour regarder le champ. Il aperçut Fanion broutant le blé à l'autre bout. Il descendit et appela sa mère.

— Ma, tu veux venir m'aider à chercher des pieux? Il faut que je me dépêche. Fanion est déjà dans le champ.

— Ce bout-là n'est rien, dit-elle. Il a commencé par ici.

Il suivit la direction de son doigt. Les traces aiguës conduisaient à la barrière et apparaissaient de nouveau de l'autre côté, à l'intérieur du champ.

— Et il a mangé ça aussi, dit-elle.

Jody regarda. De nouveau, les pousses avaient été arrachées jusqu'à la racine. Les sillons étaient nus. Les traces de chevreuil les longeaient avec netteté.

— Il n'a pas été loin, Ma. Regarde un peu plus loin, le blé y est encore. Il n'en a mangé qu'un tout petit peu.

— Oui, mais qu'est-ce qui l'empêchera de finir le reste?

Elle redescendit de la barrière et reprit d'un pas lourd le chemin de la maison.

— Voilà qui est fini, dit-elle. J'étais une idiote de céder.

Jody s'agrippa à la barrière. Il était frappé de stupeur. Il ne pouvait ni sentir, ni penser. Fanion le flaira, leva la tête et vint vers lui en bondissant. Jody descendit dans le champ. Il n'avait pas envie de le voir. Fanion franchit aussi légèrement qu'un oiseau la haute barrière sur laquelle il avait peiné. Jody alla dans sa chambre, se jeta sur son lit et enfouit son visage dans son oreiller.

Il attendait l'appel de son père. La conversation entre Penny et Ma Baxter durait longtemps cette fois. Il s'attendait à des difficultés. Il s'attendait à quelque chose qui le menaçait depuis des jours.

Il ne s'attendait pas à l'impossible. Il ne s'attendait pas aux paroles de son père.

Penny dit :

— Jody, on a fait tout ce qui était possible. Je regrette beaucoup. Je ne peux pas te dire combien je regrette. Mais nous ne pouvons pas laisser détruire notre récolte. Nous ne pouvons pas tous mourir de faim. Emmène le chevreuil dans les bois, attache-le, et tire dessus.

XXXII

Jody marchait vers l'ouest avec Fanion à côté de lui. Il portait le fusil de Penny sur son épaule. Son cœur battait, s'arrêtait, recommençait à battre.

Il dit à mi-voix :

— Je ne ferai pas ça. Voilà tout.

Il s'arrêta sur la route.

Il dit tout haut :

— Ils ne peuvent pas m'obliger à faire ça.

Fanion le regarda avec de grands yeux, puis pencha la tête vers une touffe d'herbe au bord du chemin. Jody reprit lentement sa marche.

— Je ne le ferai pas, je ne le ferai pas, et je ne le ferai pas. Ils peuvent me battre. Ils peuvent me tuer. Je ne le ferai pas.

Il tenait d'imaginaires conversations avec sa mère et son père. Il leur disait à tous deux qu'il les haïssait. Sa mère tempêtait et Penny restait calme. Sa mère le battait avec une branche d'hickory jusqu'à ce qu'il sentît le sang couler sur ses jambes. Il lui mordait la main et elle le battait de nouveau. Il lui donnait des coups de pied dans les chevilles et elle le battait encore et le jetait dans un coin.

Par terre, il relevait la tête et disait :

— Tu ne peux pas me forcer. Je ne le ferai pas.

Il lutta ainsi en pensée jusqu'à une extrême fatigue. Il s'arrêta à la clairière abandonnée. Il y restait un petit bout de barrière qu'il n'avait pas encore arraché. Il se jeta dans l'herbe, sous un arbre à chapelets, et sanglota jusqu'à ce qu'il n'eût plus de sanglots. Fanion vint le caresser du museau et il l'étreignit. Il s'assit, pantelant.

Il dit :

— Je ne le ferai pas. Je ne le ferai pas.

Quand il se releva, il était étourdi. Il s'appuya contre le tronc de l'arbre à chapelets. Il était en fleur. Les abeilles y bourdonnaient et le parfum était suave dans l'air printanier. Il avait honte d'avoir pleuré. Ce n'était pas le moment de pleurer. Il fallait réfléchir. Il fallait trouver un moyen d'en sortir, comme Penny sortait des situations menaçantes. Il commença par s'exciter. Il bâtirait une cage pour Fanion. Une cage haute de dix pieds. Il cueillerait des graines, de l'herbe et des baies et les lui apporterait là. Mais il passerait tout son temps à rassembler de la nourriture pour un animal en cage... Penny était sur le dos, dans son lit... Il faudrait s'occuper des champs... Il n'y avait personne d'autre pour le faire que lui.

Il pensa à Olivier Hutto. Olivier serait venu l'aider aux champs jusqu'à ce que Penny allât mieux. Mais Olivier était parti pour Boston et les mers de Chine, loin de la vilenie qui s'était acharnée sur lui. Il pensa aux Forrester. Il regrettait amèrement qu'ils fussent à présent les ennemis des Baxter. Buck l'aurait aidé. Même maintenant... Mais que pouvait Buck? Une pensée lui vint, aiguë. Il lui sembla qu'il supporterait d'être séparé de Fanion, s'il savait le chevreuil vivant quelque part dans le monde. Il penserait à lui, vivant et malicieux, portant haut et joyeux sa queue en fanion. Il irait trouver Buck et se livrerait à lui? Il lui rappellerait Aile-de-Paille, il lui parlerait d'Aile-de-Paille jusqu'à ce que la gorge de Buck se serrât. Alors il lui demanderait d'emmener Fanion à Jacksonville dans sa carriole comme il avait emmené les oursons. On mettrait Fanion dans un vaste parc où les gens viennent pour regarder les animaux. Il y gambaderait; on lui donnerait beaucoup à manger, et une biche, et chacun l'admirerait. Lui, Jody, ferait des cultures pour son compte afin de gagner de l'argent, et, une fois par an, il irait rendre visite à Fanion. Il ferait des économies, et il aurait une ferme à lui, et il rachèterait Fanion, et ils vivraient ensemble.

Il était rempli d'enthousiasme. Il prit au trot le chemin de l'île Forrester. Il avait la gorge sèche, les yeux gonflés et brûlants. Son espoir le ranimait, et tandis qu'il montait le chemin des Forrester sous les chênes-lièges, il se sentit de nouveau bien. Il courut à la maison et monta sur le perron. Il gratta à la porte ouverte et entra. Il n'y avait dans la pièce que le père et la mère Forrester. Ils étaient assis immobiles dans leurs fauteuils.

Il dit haletant :

— Bonjour. Où est Buck?

Pa Forrester tourna lentement la tête sur son cou ridé comme celui d'une tortue.

— Il y a longtemps qu'on ne t'a vu, dit-il.

— Où est Buck, Monsieur, s'il vous plaît?

— Buck? Mais Buck est parti avec toute la bande vendre des chevaux au Kentucky.

— Au moment des plantations?

— Le moment des plantations est aussi celui des affaires. Ils aiment mieux vendre que labourer. Ils pensent qu'ils feront assez d'affaires pour acheter notre nourriture. — Le vieux cracha. — Et peut-être bien qu'ils ont raison.

— Ils sont tous partis?

— Tous et chacun. Buck et Gabby seront de retour en avril.

Ma Forrester dit : “ Ça sert à quelque chose à une femme de mettre au monde toute une bande de gars et de les élever, pour les voir tous partir à la fois. Il faut dire qu’ils nous ont laissé de quoi, et qu’ils ont rentré le bois. On ne manquera de rien jusqu’à ce qu’ils soient de retour en avril.

— Avril...

Il se tourna d’un air morne vers la porte.

— Reste un moment avec nous, petit. Je serai contente de te faire à déjeuner. Du pudding au raisin, eh? Aile-de-Paille et toi, vous aimiez bien mon pudding au raisin.

— Il faut que je m’en aille, dit-il. Je vous remercie.

Et soudain, il éclata de désespoir :

— Qu’est-ce que vous feriez, si vous aviez un chevreuil qui mange le blé et si vous ne pouviez pas l’en empêcher, et si votre papa vous disait de le tuer?

Ils le regardèrent fixement. Ma Forrester gloussa.

Pa Forrester dit :

— Eh bien, je le tuerais.

Il comprit qu’il ne s’était pas exprimé bien clairement. Il dit :

— Mais si c’était un chevreuil que vous aimiez comme vous aimiez tous Aile-de-Paille?

Pa Forrester dit :

— Mais l’amour n’a rien à faire avec le blé. On ne peut pas laisser une bête manger le blé. A moins d’avoir des gars comme les miens qui ont d’autres façons de gagner leur vie.

Ma Forrester demanda :

— C’est ce faon que tu avais amené ici l’été dernier pour qu’Aile-de-Paille lui donne un nom?

— C’est lui, Fanion, dit-il. Vous n’en voudriez pas? Aile-de-Paille l’aurait pris.

— Mais quoi, nous ne serions pas plus malins que vous

pour le garder. D'ailleurs, il ne resterait pas. Qu'est-ce que c'est qu'une lieue pour un chevreuil?

Eux aussi étaient un mur de pierre.

Il dit :

— Bon, alors, au revoir, et s'en alla.

La clairière des Forrester était triste sans les grands gars et leurs chevaux. Ils avaient aussi emmené presque tous les chiens. Il n'en restait qu'un couple maigre, enchaîné au coin de la maison, et se grattant d'un air morne. Jody fut content de s'en aller.

Il emmènerait Fanion lui-même à Jacksonville. Il regarda autour de lui en quête d'une longe par où le conduire, afin qu'il ne s'en retournât pas à la maison, comme il avait fait pendant la chasse de Noël. Il arracha péniblement une branche de vigne avec son canif. Il en entoura le cou de Fanion et prit la direction du nord-est. Fanion fut docile à la laisse pendant un certain temps puis commença à s'impatienter et se débattit.

Jody lui dit :

— Pourquoi est-ce que tu deviens si désobéissant?

C'était épuisant d'essayer d'enseigner la sagesse au chevreuil. A la fin, il y renonça et lui retira sa longe de vigne. Dans l'après-midi, Jody se trouva las, d'une fatigue née de la faim. Il avait quitté la maison sans prendre son petit déjeuner, tant il avait de hâte de s'en aller. Il mâcha quelques feuilles, à l'imitation de Fanion, mais elles ne firent qu'exciter son appétit. Ses pieds traînaient. Il s'étendit au bord du chemin pour se reposer au soleil, et convainquit Fanion de s'étendre auprès de lui. Il était ivre de faim, de chagrin et du soleil de mars sur sa tête. Il s'endormit. Quand il se réveilla, Fanion était parti. Il examina ses traces. Elles entraient dans la brousse, en sortaient, puis revenaient à la route et continuaient tout droit vers la maison.

Il n'y avait qu'à suivre. Il était trop fatigué pour réfléchir plus avant. Il atteignit l'île Baxter après la nuit tombée. Une chandelle brûlait dans la cuisine. Les chiens coururent à lui. Il les flatta pour les calmer. Il s'approcha silencieusement de la maison et regarda par la fenêtre. Le dîner était terminé. Sa mère faisait ses éternels rapiéçages à la lumière de la chandelle. Il ne savait s'il devait entrer ou s'éloigner, lorsque Fanion traversa la cour au galop. Il vit sa mère lever la tête, tendre l'oreille.

Il se glissa vivement derrière la réserve où l'on fumait la viande et appela Fanion à voix basse. Le chevreuil vint à lui. Il se tapit contre le mur de la réserve. Sa mère vint à la porte de la cuisine et l'ouvrit. Une bande de lumière s'étendit sur le sable. La porte se referma. Il attendit longtemps, jusqu'à ce que la lumière se fût éteinte dans la cuisine. Il laissa le temps à sa mère de se coucher et de s'endormir. Il pénétra dans la réserve et y trouva les restes de la viande d'ours fumée. Il pensait avec nostalgie au garde-manger de la cuisine, mais il n'osait pas y aller. Il avait l'impression d'être un étranger et un voleur. C'est ce que devaient ressentir les loups, songeait-il, et les chats sauvages, et les panthères, et tous les fauves qui regardaient dans la clairière avec de grands yeux et un ventre vide. Il se fit une litière dans l'étable. Il y dormit avec Fanion près de lui, pas très réchauffé dans la nuit froide de mars.

Il se réveilla après le lever du soleil, engourdi et misérable. Fanion était parti. Il alla à contrecœur vers la maison. A la barrière, il entendit la voix de sa mère élevée par la colère. Elle avait découvert le fusil qu'il avait posé contre le mur de la réserve. Elle avait découvert Fanion. Elle avait découvert aussi que Fanion avait mis à profit les premières lueurs du jour pour brouter, non seulement le blé, mais encore une partie du cerfeuil. Jody s'avança, découragé, vers sa fureur. Il était là, debout, tête basse, tandis qu'elle l'accablait.

Enfin elle dit :

— Va voir ton père. Pour une fois, il est avec moi.

Il entra dans la chambre. Les traits de son père étaient tirés.

Penny dit doucement :

— Pourquoi n'as-tu pas fait ce que je t'avais dit?

— Pa, je n'ai pas pu. Je ne peux pas le faire.

Penny appuya sa tête contre l'oreiller.

— Viens près de moi, petit. Jody, tu sais que j'ai fait tout ce que j'ai pu pour te laisser le petit cerf.

— Oui, Pa.

— Tu sais que nous avons besoin de notre récolte pour vivre.

— Oui.

— Tu sais qu'il n'y a absolument rien à faire, pour empêcher ce chevreuil sauvage de la détruire.

— Oui.

— Alors, pourquoi ne fais-tu pas ce qu'il faut?

— Je ne peux pas.

Penny ne répondit pas.

— Dis à ta mère de venir ici. Va dans ta chambre et ferme la porte.

— Oui.

Il était reposant d'obéir à des ordres simples.

— Pa dit que tu viennes.

Il alla dans sa chambre et ferma la porte. Il s'assit sur son lit, se tordit les mains. Il entendit des chuchotements. Il entendit des pas. Il entendit un coup de fusil. Il se précipita hors de sa chambre pour ouvrir la porte de la cuisine. Sa mère était debout sur le seuil, le fusil fumant dans ses mains. Fanion était effondré à côté de la haie.

Elle dit :

— Je ne voulais pas le blesser. Je ne sais pas viser. Tu sais que je ne sais pas.

Jody courut à Fanion. Le chevreuil se souleva sur ses trois jambes intactes et s'éloigna en chancelant comme si l'enfant lui-même était son ennemi. Il saignait d'une cuisse de devant. Penny se traîna hors de son lit. Il tomba sur un genou, s'appuyant au chambranle de la porte.

Il s'écria :

— Je l'aurais fait moi-même si j'avais pu. Je ne peux même pas me tenir debout. Va l'achever, Jody. Il faut faire cesser son supplice.

Jody revint en courant et arracha le fusil à sa mère.

Il criait :

— Tu l'as fait exprès. Tu l'as toujours détesté.

Il s'éleva contre son père.

— Tu t'es mis contre moi. C'est toi qui lui as dit de le faire.

Il hurlait si fort qu'il en avait la gorge déchirée.

— Je vous déteste. Je voudrais que vous mouriez. Je ne veux plus jamais vous revoir.

Il courut après Fanion en pleurant.

Penny appela :

— Viens m'aider, Ory, je ne peux pas me relever.

Fanion courait sur ses trois pattes, fou de douleur et de peur. Il tomba deux fois et Jody le rejoignit.

Il sanglotait :

— C'est moi! C'est moi! Fanion!

Fanion se remit sur ses jambes et repartit. Le sang coulait de sa blessure. Il grimpa le bord du réservoir. Il chancela un instant et bascula. Il roula sur le côté. Jody courut après lui. Fanion était étendu au bord de l'eau. Il ouvrit de grands yeux liquides et les tourna vers l'enfant avec un regard d'étonnement. Jody pressa le canon de son fusil sur la nuque lisse et tira. Fanion frémit un instant puis resta immobile.

Jody jeta son fusil et s'étendit à plat ventre. Il hoqueta et vomit et hoqueta encore. Il enfonça ses ongles dans la terre. Il la battit de ses poings. Le réservoir tournait autour de lui. Il s'évanouit dans le noir comme dans une eau sombre.

XXXIII

JODY prit la route de Fort-Gates. Sa démarche était raide comme si seules les jambes vivaient encore en lui. Il avait laissé le chevreuil mort sans avoir le courage de le regarder. Rien n'importait que de s'en aller. Il n'avait pas d'endroit où aller. Mais cela non plus ne faisait rien. Au-dessus de Fort-Gates, il traverserait la rivière sur le bac. Ses projets se précisaient. Il allait vers Jacksonville. Il s'en allait à Boston. A Boston, il trouverait Olivier Hutto et prendrait la mer avec lui, laissant ses ennemis derrière lui, comme Olivier avait fait.

Le meilleur moyen de gagner Jacksonville et Boston était le bateau. Il fallait donc s'engager tout de suite sur la rivière. Il lui fallait une barque. Il se rappela le canoë avarié de Nellie Ginright, dans lequel Penny et lui avaient traversé les sources salées pendant la chasse au vieux Pied-Bot. A la pensée de son père, une lame aiguë traversa son engourdissement, puis la blessure se figea de nouveau. Il décida de déchirer sa chemise pour boucher les trous du canoë, de pagayer jusqu'au lac George, et de le traverser pour gagner le grand fleuve au nord. Une fois sur ses eaux, il ferait signe à un vapeur qui le mènerait à Boston. Olivier paierait son passage quand il arriverait. S'il ne le trouvait pas, on le mettrait en prison. Ça non plus n'avait pas d'importance.

Il arriva à la Source Salée. Un homme dans une barque pêchait. Jody suivait le bord de l'eau et l'appela.

— Est-ce que je peux venir avec vous un bout de chemin jusqu'à mon bateau?

— Bien sûr.

Le pêcheur accosta et il monta près de lui.

L'homme demanda :

— Tu habites par ici?

Il secoua la tête.

— Où est ton bateau?

— Plus loin que chez Mme Nellie Ginright.

— Tu es de sa famille?

Il secoua la tête. Les questions de cet étranger irritaient ses blessures. L'homme le regarda avec curiosité, puis se remit à ramer. La barque descendait sans heurt le courant rapide. L'eau était bleue, et le ciel de mars au-dessus d'elle était bleu aussi. Un léger vent agitait les nuages blancs. C'était le genre de temps qu'il avait toujours préféré. Les lauriers d'eau étaient en fleur et leur parfum remplissait l'air. Un spasme lui fit si mal tout à coup qu'il eut envie de porter la main à sa gorge. La beauté de cette fin de jour lui était douloureuse. Il ne voulait pas regarder les aiguilles neuves des cyprès. Il regarda l'eau, les gardons, les truites, et ne leva plus les yeux.

Le pêcheur dit :

— Voici la maison de Mme Nellie Ginright. Tu veux t'arrêter?

Il secoua la tête.

— Mon bateau est plus loin.

En passant, il vit Mme Nellie debout devant sa maison. Le pêcheur leva la main et elle lui fit signe. Jody ne broncha pas. Il se rappelait la nuit dans sa maison, et le matin où elle leur avait fait à déjeuner en plaisantant avec Penny et où elle les avait remis sur leur chemin, réchauffés, réconfortés, pleins d'amitié. Il refoula ce souvenir. Le cours d'eau se resserrait. Les rives se rapprochaient.

Il dit :

— Là-bas, c'est mon bateau.

— Mais mon gars, il est à moitié sombré.

— Je vais l'arranger.

— Tu as quelqu'un pour t'aider? Tu as des rames?

Il secoua la tête.

— Voilà un bout de pagaye. Ce n'est pas ce que moi j'appelle un bateau. Enfin, au revoir.

L'homme se remit à descendre le courant et fit un signe d'adieu à l'enfant. Il prit un biscuit et un morceau de viande dans une boîte sous son banc et commença à y mordre, tout en s'éloignant. L'odeur de la nourriture vint jusqu'à Jody. Cela lui rappela qu'il n'avait rien eu à manger depuis deux jours sinon quelques bouchées de viande d'ours fumée. Ça ne faisait rien. Il n'avait pas faim.

Il tira le bateau sur la rive et le vida. Une longue immersion l'avait fait gonfler, et le fond était fendu. Il arracha les manches de sa chemise, les déchira et en fit des tampons pour calfater les trous. Il prit de la résine à un pin avec son canif et l'étendit à l'extérieur.

Il remit le bateau à l'eau, empoigna la pagaie cassée et se mit à descendre l'eau. Il était gauche à ce jeu, et le courant le poussait d'un bord à l'autre et jusque dans les roseaux de la rive. Il s'entailla les mains à vouloir s'y frayer un passage. Le bateau dériva de nouveau et se prit dans la vase. Il l'en tira. Il commençait à apprendre la technique, mais il se sentait faible et étourdi. Il regretta de ne pas avoir demandé au pêcheur de l'attendre. Il n'y avait rien de vivant en vue qu'un busard tournoyant dans le ciel bleu. Le busard trouverait Fanion au bord de l'eau du réservoir. Il eut de nouveau mal au cœur et laissa le bateau dériver dans les herbes. Il posa sa tête sur ses genoux jusqu'à ce que la nausée fût passée.

Il se raidit et commença à pagayer. Il était en route pour Boston. Ses lèvres étaient serrées, ses yeux fixes. Le soleil était bas dans le ciel lorsqu'il arriva à l'embouchure du cours d'eau qui se déversait dans le grand lac George. Une bande de terrain s'étendait vers le sud. De l'autre côté, il n'y avait que des marécages. Il fit virer le canoë, atterrit, et tira son embarcation sur la rive. Il s'assit sous un chêne-liège, s'adossa au tronc et regarda le lac.

Il n'y avait plus guère qu'une heure ou deux avant le coucher du soleil. Il avait peur de se laisser surprendre par l'obscurité au milieu des eaux du lac dans son canoë branlant. Il décida d'attendre au bord de la bande de terrain qu'un bateau passât. S'il n'en voyait point, il dormirait sous le chêne-liège et pagayerait plus loin le lendemain matin. Une espèce d'engourdissement avait figé ses pensées toute la journée. A présent, elles se précipitaient comme les loups dans l'étable. Elles étaient si déchirantes qu'il lui semblait qu'il devait invisiblement saigner, comme Fanion avait saigné. Fanion était mort. Il n'accourrait plus jamais à lui. Il se tortura à se répéter :

— Fanion est mort.

Mots amers comme la tisane d'alun.

Il n'avait pas encore touché sa plus profonde blessure. Il dit tout haut :

— Pa s'est mis contre moi.

C'était d'une horreur plus aiguë que si Penny était mort de la morsure du serpent. Il frotta ses poings sur son front. La mort était supportable. Aile-de-Paille était mort et il pouvait le supporter. La trahison était intolérable. Si Fanion était mort, si l'ours, le loup ou la panthère s'était glissé vers lui, il aurait éprouvé un grand chagrin mais il aurait pu le supporter. Il serait allé vers son père et son père l'aurait consolé. Sans Penny il n'y avait pas de consolation possible. Le sol s'était désagrégé sous lui. Son amertume absorba sa peine; les deux ne firent plus qu'un.

Le soleil s'enfonçait derrière la cime des arbres. Il abandonna l'espoir de héler un bateau avant la nuit. Il se fit un lit de mousse au pied du chêne-liège. Les grenouilles se mirent à chanter. Il avait toujours aimé leur musique qui, du réservoir, venait jusqu'à sa maison. Leur cri ce soir était lugubre.

Le lac était rose, mais les ombres envahissaient la terre. A la maison, ce devait être l'heure du dîner. Il pensait à la nourriture à présent malgré ses nausées. Il commençait à avoir mal à l'estomac comme si celui-ci eût été plein et non vide. Il se rappela l'odeur de la viande et du biscuit du pêcheur. L'eau lui vint à la bouche. Il mangea quelques feuilles d'herbe. Il les arracha de la tige avec ses dents comme les bêtes arrachant la viande. Aussitôt, il vit des animaux ramper vers la carcasse de Fanion. Il vomit l'herbe.

L'ombre recouvrit la terre et les eaux. Un hibou cria près de lui dans le fourré. Il frissonna. Le vent du soir s'élevait, il avait froid. Il entendit un bruissement qui pouvait être celui des feuilles sous le vent, ou le passage de petits rongeurs. Il n'avait pas peur. Il lui semblait que si un ours arrivait, ou une panthère, il pourrait les toucher, les caresser, et qu'eux comprendraient son chagrin. Pourtant, les bruits de la nuit lui donnaient la chair de poule. Un feu de camp aurait été le bienvenu. Penny savait allumer un feu sans briquet, à la manière des Indiens, mais lui n'y était jamais arrivé. Si Penny était là, il y aurait un feu flambant, de la chaleur, de la nourriture, du réconfort. Il n'avait pas peur. Il était seulement désolé. Il se recouvrit de mousse, pleura, tomba des larmes dans le sommeil.

Le soleil le réveilla, et les oiseaux noirs aux ailes rouges qui babillaient dans les branches. Il se leva et retira les longues brindilles de mousse de ses cheveux et de ses vêtements. Il était faible et la tête lui tournait. Maintenant qu'il était reposé, il s'apercevait qu'il avait faim. L'idée de nourriture était un supplice. Des crampes traversaient son estomac comme des petits fers rouges. Il songea à remonter le cours d'eau en pagayant jusqu'à la maison de Mme Nellie Ginright pour lui demander à manger. Mais elle lui poserait des questions. Elle lui demanderait pourquoi il était tout seul, et il n'y avait pas de réponse, sinon que son père l'avait trahi, et que Fanion était mort de cette trahison. Mieux valait continuer son chemin comme il l'avait décidé.

Une nouvelle onde de solitude l'envahit. Il avait perdu Fanion et il avait aussi perdu son père. Le petit homme maigre qu'il avait vu pour la dernière fois accroupi de souffrance sur le seuil de la cuisine et appelant au secours pour qu'on le relevât, était un inconnu. Il remit son canoë à l'eau, prit sa pagaie et se dirigea vers le milieu du lac. Il était lancé dans le monde, et il lui semblait qu'il y était un étranger et solitaire, et qu'il allait à l'abîme. Il pagaya dans la direction où devait passer le vapeur. La vie ne se concentrait plus dans le chagrin, derrière lui, mais dans l'angoisse devant. A mesure que la terre s'éloignait, il sentait le vent fraîchir; une brise rude soufflait. Dédaignant les appels de son ventre, il pagaya désespérément. Le vent soufflait sur le canoë et le faisait tourner. Les vagues montaient. Leur doux murmure devint un sifflement. Elles commençaient à recouvrir la proue du canoë. Il y avait un centimètre d'eau dans le fond. Pas le moindre bateau en vue.

Il regarda derrière lui. La rive reculait de façon inquiétante. Devant lui, les eaux s'étendaient sans fin. Pris de panique, il fit tourner son bateau et se mit à pagayer follement vers la rive. Mieux valait, après tout, remonter le cours d'eau et demander du secours à Mme Nellie Ginright. Mieux vaudrait même peut-être marcher jusqu'à Fort-Gates et partir de là. Le vent l'aidait, il mit le cap vers une baie qui devait être l'embouchure du cours d'eau qu'il cherchait. Quand il l'atteignit, il vit qu'elle se perdait en marécages. L'embouchure cherchée n'était nulle part.

Il tremblait de fatigue et de peur. Il se dit qu'il n'était pas perdu, car le fleuve sortait au nord du lac George et finissait par arriver à Jacksonville; il n'avait qu'à le suivre. Mais il était si large, et la rive si confuse... Il se reposa longtemps, puis se mit à pagayer vers le nord, longeant de tout près la rive plantée de cyprès, en suivant les interminables courbes, les baies, les indentations. Ses crampes d'estomac étaient aiguës. Il eut une vision de fièvre de la table des Baxter. Il voyait des tranches de jambon fumantes et ruisselantes de jus. Il en sentait la savoureuse odeur. Il voyait des biscuits dorés et du pain blanc à croûte brune. Il sentait l'odeur des écureuils rôtis, avec une intensité telle que la salive afflua dans sa bouche. Il sentait la tiédeur du lait de Trixie. Il aurait disputé aux chiens leur pâtée.

C'était donc cela, la faim. C'était de ça que sa mère parlait lorsqu'elle disait : “ Nous aurons faim. ” Il avait ri, car il croyait connaître la faim et c'était une sensation agréable en somme. Il savait à présent que ce n'était là que l'appétit. Il s'agissait d'autre chose à présent, d'une chose terrifiante. Une grande mâchoire l'enveloppait, et des griffes s'enfonçaient dans sa chair. Il se défendit contre une nouvelle panique. Il trouverait bientôt une cabane de pêcheurs, se dit-il. Il mendierait de la nourriture sans vergogne, avant de continuer. Aucun homme ne refuse une pitance à son semblable.

Il pagaya vers le nord, le long de la rive, pendant tout le jour. Vers la fin de l'après-midi, il eut des nausées dues à la chaleur du soleil, mais il n'avait rien d'autre à vomir que l'eau de la rivière qu'il avait bue. Une cabane apparut entre les arbres et il y entra, plein d'espoir. Elle était vide. Il s'y glissa comme un ragondin ou un opossum affamé. Il y avait des pots sur une planche poussiéreuse, mais tous vides. Dans une niche, il trouva quelques poignées de farine moisie. Il la mélangea avec de l'eau et mangea cette espèce de pâte. Elle était sans goût, même pour sa faim, mais elle apaisa ses douleurs d'estomac. Il y avait des oiseaux et des écureuils dans les arbres et il essaya de les atteindre avec des pierres, mais il ne fit que les disperser. Il était fiévreux et exténué, et la farine dans son ventre lui donnait sommeil. La cabane lui offrait un abri, il se fit un lit avec quelques haillons habités de vermine. Il dormit d'un sommeil ivre traversé de cauchemars.

Au matin, il avait de nouveau une faim aiguë et les crampes s'enfonçaient comme des doigts aux ongles pointus dans ses entrailles. Il trouva des glands de l'année passée que les écureuils avaient enterrés et il les mangea sans les mâcher, si goulûment qu'ils mirent de nouveaux couteaux dans son estomac contracté. Une espèce de léthargie s'empara de lui et il dut se forcer à reprendre sa pagaie. S'il n'avait pas eu le courant pour lui, il n'aurait pas pu aller plus loin. Il ne fit pas beaucoup de chemin pendant la matinée. L'après-midi, trois bateaux passèrent au milieu du lac. Il se leva, agita les bras et cria. Ils n'y firent pas attention. Quand ils eurent disparu, il éclata en sanglots. Il décida de s'éloigner de la rive pour se mettre sur le passage du prochain bateau. Le vent était tombé. L'eau était calme. Sa réverbération lui brûlait le visage, le cou, les bras. Le soleil était brûlant. Sa tête battait. Des taches noires alternaient devant ses yeux avec des boules d'or oscillantes. Un léger murmure remplissait ses oreilles.

Tout ce qu'il sut, lorsqu'il ouvrit les yeux, c'est qu'il faisait noir et qu'on le portait.

Une voix d'homme dit :

— Il n'est pas saoul. C'est un enfant.

Un autre dit :

— Étendez-le dans la cabine en bas. Il est malade. Attachez son bateau derrière.

Jody regarda. Il était couché sur une couchette, dans ce qui devait être le bateau-poste. Une lampe ondoyait contre le mur. Un homme se pencha sur lui.

— Qu'est-ce qui t'est arrivé, petit? Pour un peu, on te faisait chavirer dans l'obscurité.

Il essaya de répondre, mais ses lèvres étaient enflées.

Une voix dit de plus haut :

— Essayez de lui donner quelque chose à manger.

— Tu as faim, petit?

Il fit oui de la tête. Le bateau était en marche à présent. Jody vit une tasse avancée vers lui. Il leva la tête et s'en saisit. La tasse contenait une bouillie froide, épaisse et grasse; les deux premières gorgées n'avaient aucun goût, puis la salive afflua dans sa bouche, tout son être se tendit pour recevoir la soupe, et il l'avala si goulûment qu'il fit tomber des petits morceaux de viande et de pommes de terre.

L'homme demanda avec curiosité :

— Il y a combien de temps que tu n'avais pas mangé?

— Je ne sais pas.

— Eh, capitaine! Le petit gars ne sait même pas depuis combien de temps il n'a pas mangé.

— Donnez-lui-en beaucoup, mais doucement. Pas trop, ou bien il va vomir dans ma couchette.

La tasse revint et des biscuits avec. Il s'efforçait de se dominer, mais il tremblait lorsque l'homme tardait trop entre deux rations. La troisième tasse avait infiniment meilleur goût que la première; on refusa de lui en donner davantage.

L'homme dit :

— D'où viens-tu?

Une langueur s'emparait de lui. Il soupira. La lampe balancée lui tirait les yeux. Il les ferma. Il sombra dans un sommeil aussi profond que la rivière.

Il fut réveillé par la halte du petit vapeur. Un instant, il se crut encore dans le canoë, en lutte contre le courant. Il se leva et se frotta les yeux. Il n'avait plus mal à l'estomac. Il monta les quelques marches qui conduisaient sur le pont. Le jour se levait. On descendait les sacs postaux sur un débarcadère. Il reconnut Volusia. Le capitaine se tourna vers lui.

— Tu l'as échappé belle, mon petit ami. Comment as-tu dit que tu t'appelais, déjà, et où penses-tu aller?

— J'allais à Boston, dit-il.

— Tu sais où c'est Boston? Si loin au nord qu'il te faudrait bien le reste de ta vie pour y arriver, du train dont tu allais.

Jody regardait devant lui.

— Dépêche-toi. C'est un bateau du gouvernement. Je ne peux pas attendre toute la journée. Où habites-tu?

— Dans l'île Baxter.

— Je n'ai jamais entendu parler d'une île Baxter sur cette rivière.

Le second prit la parole.

— Ce n'est pas une île pour de vrai, capitaine. C'est une ferme dans la brousse... A une vingtaine de kilomètres d'ici environ, en remontant la route.

— Alors, comme ça, tu voulais filer, garçon? Boston? Diable! Tu as des parents?

Jody acquiesça.

— Ils savent où tu allais?

Il secoua la tête.

— Tu te sauvais, alors? Eh bien, si j'étais un petit bonhomme haut comme trois pommes, je resterais à la maison.

A part tes parents, qui s'encombrera d'un moustique comme toi? Allons, jette-le sur le quai, Joe.

Des bras hâlés le descendirent.

— Détache sa barque. Attrape-la, petit. Partons.

Il y eut un coup de sifflet. Les hélices commencèrent à tourner. Le bateau-poste se mit à monter le courant. Un étranger ramassa le sac postal et le chargea sur son épaule. Jody était accroupi, tenant la corde de son canoë. L'étranger lui jeta un coup d'œil et s'en alla vers Volusia. Les premiers rayons du soleil s'allongeaient sur la rivière. Le courant entraînait le canoë. Son bras se fatiguait à le retenir. Les pas de l'étranger s'éteignirent sur la route. Il n'y avait plus d'autre endroit où aller que l'île Baxter.

Il monta dans le canoë et prit la pagaie. Il se dirigea vers la rive ouest. Il attacha le canoë à un pieu. Il regarda par-dessus la rivière. Le soleil levant éclairait les ruines carbonisées de la maison Hutto. Sa gorge se serra. Le monde l'avait rejeté. Il se retourna et se mit à remonter lentement la route. Il était faible et il avait de nouveau faim, mais la nourriture de la nuit l'avait remis. Les nausées avaient disparu et la douleur.

Sans y penser, il se mit en route vers l'ouest. Il n'y avait pas d'autre direction. L'île Baxter l'attirait comme un aimant. Il n'y avait pas d'autre réalité que celle de la clairière. Il cheminait. Il se demandait s'il oserait rentrer à la maison. Sans doute ses parents ne voudraient-ils plus de lui. Il leur avait causé beaucoup d'ennuis. Peut-être que s'il entrait dans la cuisine, sa mère le chasserait comme elle avait chassé Fanion. Il n'était utile à personne. Il avait flâné, joué, mangé sans retenue. Ils avaient accepté son insolence et son appétit. Et Fanion avait détruit la plus grande partie de la récolte. Sans doute se trouveraient-ils mieux sans lui et ne serait-il pas le bienvenu.

Il traînait le long de la route. Le soleil était fort. L'hiver était fini. Il songea vaguement que c'était l'avril. Le printemps s'était installé dans la brousse et les oiseaux s'accouplaient et chantaient dans les buissons. Lui seul dans le monde était sans foyer. Il était allé voir le monde, et le monde était un rêve agité, fugitif et désolé, flanqué d'étangs et de cyprès. Il s'arrêta pour se reposer au milieu de la matinée à l'intersection de la grande route et de la route du nord. La végétation s'ouvrait ici à la chaleur du soleil. Sa tête commençait à lui faire mal. Il se leva et prit le chemin de Silver Glen. Il se disait qu'il n'avait pas l'intention de rentrer à la maison. Il irait seulement jusqu'à la source, il descendrait vers la rive fraîche et ombreuse et s'y étendrait un moment au bord de l'eau courante. Tous ses os lui faisaient mal. Il avait tellement soif, que sa langue était collée à son palais. Il descendit vers la source en trébuchant, se laissa tomber à plat ventre au bord de l'eau peu profonde et il but. Il but jusqu'à ce que son estomac fût gonflé. Il se sentit mal à l'aise, roula sur le dos et ferma les yeux. La nausée passa, il était engourdi. Il restait étendu, anéanti de fatigue. Il flottait dans un espace hors du temps. Il ne pouvait ni avancer, ni reculer. Quelque chose était fini. Rien ne commençait.

Vers la fin de l'après-midi, il s'éveilla. Il s'assit. Un magnolia précoce étendait sa floraison d'un blanc de cire au-dessus de lui.

Il pensa : " C'est l'avril. "

Un souvenir le traversa. Il était venu là un an auparavant par un jour suave et tendre. Il avait pataugé dans l'eau et s'était étendu comme à présent dans l'herbe. Il y avait eu là quelque chose de beau et de plaisant. Il s'était fabriqué un moulin. Il se leva, le cœur battant plus vite. Il lui semblait que, en retrouvant son moulin, il retrouverait avec lui toutes les autres choses disparues. Le moulin n'existait plus. L'eau l'avait emporté avec son joyeux tournoiement.

Il se répéta avec obstination : « Je vais m'en faire un autre. »

Il coupa des rameaux au merisier sauvage. Il les tailla fiévreusement. Il découpa les ailes dans une palme. Il installa son ouvrage, et mit les ailes en mouvement. Elles tournaient. Le moulin tournait. L'eau argentée le faisait mouvoir. Mais ce n'était que des lambeaux de palme qui rasaient l'eau. Il n'y avait pas de magie dans ce mouvement. Le moulin avait perdu sa vertu exaltante.

Il dit : « Jeux d'enfant... »

Il le démolit du bout du pied. Les débris flottèrent sur l'eau. Il se jeta sur le sol et se mit à sangloter amèrement. Il n'y avait plus de consolation nulle part.

Il y avait Penny. Une onde de nostalgie l'envahit et il éprouva soudain le besoin impérieux de le voir. Ne pas le voir était intolérable. Le son de la voix de son père était une nécessité. Il aspirait à la vue de ses épaules voûtées comme il n'avait jamais, au plus aigu de sa faim, aspiré à la nourriture. Il se releva, remonta la rive et se mit à courir sur la route de la clairière, pleurant tout en courant. Son père ne serait peut-être pas là. Il était peut-être mort. Sa récolte dévastée, et son fils en fuite, peut-être, pris de désespoir, était-il parti et Jody ne le retrouverait-il plus jamais.

Il sanglota : « Pa... Attends-moi. »

Le soleil se couchait. Il était affolé à l'idée de ne pas atteindre la clairière avant le soir. Il s'épuisait à courir, et il fut obligé de ralentir son pas. Sa chair était traversée de frissons. Son cœur battait. Il dut s'arrêter complètement pour se reposer. L'ombre le surprit à près d'un kilomètre encore de la maison. Même dans l'obscurité, les points de repère restaient familiers. Les grands pins de la clairière étaient reconnaissables, plus noirs que la nuit croissante. Il arriva à la barrière. Il la longea en tâtonnant. Il ouvrit la grille et entra dans la cour. Il tourna autour de la maison pour gagner le seuil de la cuisine et y monta. Il se haussa vers la fenêtre, sur ses pieds nus, pour regarder.

Un feu brûlait dans l'âtre. Penny était assis auprès, tout courbé, enveloppé dans des couvertures. Il avait une main sur ses yeux. Jody alla à la porte, l'ouvrit et entra. Penny leva la tête.

— Ory?

— C'est moi.

Il crut que son père ne l'avait pas entendu.

— C'est Jody.

Penny tourna la tête et le regarda avec étonnement, comme si ce garçon maigre, couvert de haillons, le visage taché de sueur et de larmes, les yeux creusés sous ses cheveux en désordre, était quelque étranger dont il attendait qu'il expliquât sa venue.

Il dit :

— Jody.

Jody baissa les yeux.

— Approche.

Il alla à son père et se tint debout à côté de lui. Penny tendit la main, lui prit la sienne, la tourna et la caressa entre ses paumes. Jody sentit des gouttes sur ses doigts comme une pluie chaude.

— Mon gars... J'avais presque désespéré de toi.

La main de Penny remonta le long de son bras. Il leva la tête pour le regarder.

— Ça va tout à fait?

Il acquiesça.

— Ça va tout à fait. Tu n'es pas mort ni parti. Ça va tout à fait.

Son visage s'illumina : " Gloire à Dieu! "

C'était incroyable, songeait Jody. Il était désiré.

Il dit :

— Il fallait que je rentre.

— Eh! bien sûr.

— Je ne pensais pas ce que j'ai dit... que je vous détestais.

La lumière du visage se résolut dans le sourire familier.

— Bien sûr. Quand j'étais petit, moi aussi je parlais comme un petit.

Penny remua dans son fauteuil.

— Il y a à manger dans le placard. Là, dans la marmite. Tu as faim?

— Je n'ai mangé qu'une fois. Hier dans la nuit.

— Une fois seulement? Alors, maintenant, tu sais. La Faim... (Ses yeux brillaient dans la lumière de l'âtre, tels que Jody les avait imaginés.) La Faim... elle a une figure encore plus féroce que celle du vieux Pied-Bot, n'est-ce pas?

— C'est terrible!

— Il y a des biscuits. Ouvre le pot de miel. Il doit y avoir du lait dans la gourde.

Jody tâtonnait parmi les plats. Il mangea debout, avalant goulûment. Penny le regardait.

Il dit :

— Je regrette que tu aies dû l'apprendre comme ça.

— Où est Ma?

— Elle est partie en carriole chez les Forrester pour leur acheter du grain. Elle a décidé de recommencer les semailles. Elle a emporté les poulets pour les leur vendre en échange. Cela coûtait à sa fierté, mais il le fallait bien.

Jody ferma la porte du placard.

Il dit :

— J'aurais dû me laver. Je suis terriblement sale.

— Il y a de l'eau chaude sur le feu.

Jody versa de l'eau dans la cuvette et se frotta le visage, les bras et les mains.

L'eau était trop noire, même pour ses pieds. Il la jeta par

la porte, en versa de nouveau, s'assit par terre et se lava les pieds.

Penny dit :

— J'aimerais bien savoir où tu as été?

— J'ai été sur la rivière. Je voulais aller à Boston.

— Je comprends.

Il paraissait petit et ratatiné dans ses couvertures.

Jody dit :

— Comment ça va, Pa? Tu vas mieux?

Penny regarda longuement les braises du foyer.

Il dit :

— Autant que tu saches la vérité. Je ne vaux guère le plomb pour m'abattre.

Jody dit :

— Quand j'aurai fini le travail, il faudra que tu me laisses aller te chercher le vieux docteur.

Penny l'observait.

Il dit :

— Tu reviens différent. Tu as profité de la punition. Tu n'es plus un enfant. Jody...

— Oui.

— Je m'en vais te parler, d'homme à homme. Tu as cru que je me mettais contre toi. Mais il y a une chose qu'il faut que tous les hommes sachent. Peut-être que tu la sais déjà. Ce n'était pas seulement moi. Ce n'était pas seulement qu'il fallait abattre ton chevreuil. Mon gars, la vie se met contre vous.

Jody regarda son père. Il acquiesça.

Penny dit :

— Tu as vu comment vont les choses dans le monde des hommes. Tu as connu des hommes bas et méchants. Tu as vu la Mort et ses tours. Tu t'es mesuré avec la Faim. Tout le monde veut la vie belle et facile. Elle est belle, petit, magnifiquement belle, mais elle n'est pas facile. La vie jette un homme par terre, et il se relève et elle le rejette par terre. J'ai été en difficulté toute ma vie.

Ses mains jouaient avec les plis de la couverture.

— Je voulais la vie facile pour toi. Plus facile que pour moi. Le cœur d'un homme se déchire à voir ses petits affronter le monde. A savoir qu'ils seront écrasés comme il l'a été. Je voulais t'épargner le plus longtemps possible. Je voulais te laisser batifoler avec ton chevreuil. Je savais la solitude dont il te délivrait. Mais tous les hommes sont solitaires. Que faire alors? Que faire, quand on est tombé? Accepter son sort et recommencer.

Jody dit :

— J'ai honte de m'être sauvé.

Penny se redressa.

Il dit :

— Tu es presque assez grand pour faire ton choix. Tu pourrais vouloir prendre la mer comme Olivier. On dirait qu'il y a des hommes faits pour la terre et d'autres faits pour la mer. Mais je serais heureux si tu choisissais de vivre ici et de cultiver la clairière. Je serais heureux de voir le jour où tu creuserais un puits pour qu'aucune femme ici ne soit plus obligée de faire sa lessive au bord du réservoir. Tu veux?

— Je veux.

— Donne-moi la main.

Il ferma les yeux. Le feu dans l'âtre n'était plus que braises. Jody le couvrit de cendres pour les retrouver au matin.

Penny dit :

— Maintenant, j'ai besoin qu'on m'aide à gagner mon lit. On dirait que ta mère découche.

Jody lui tendit son épaule et Penny s'y appuya lourdement. Il boita jusqu'à son lit. Jody tira sa couverture.

— C'est le boire et le manger de te voir à la maison, petit. Va te coucher, repose-toi. Bonne nuit.

Ces paroles le réchauffaient.

— Bonne nuit, Pa.

Il entra dans sa chambre et ferma la porte. Il ôta sa chemise déchirée et sa culotte et se glissa sous les chaudes couvertures. Son lit était doux et moelleux. Il s'étendit voluptueusement, allongeant les jambes. Il lui faudrait se lever de bonne heure le lendemain pour traire la vache, apporter du bois et travailler au champ. Fanion ne serait pas là pour l'amuser pendant sa besogne. Son père ne prendrait pas la plus lourde part du fardeau. Tant pis! Il s'en tirerait seul.

Il se surprit à tendre l'oreille. Ce qu'il souhaitait entendre, c'était le bruit du chevreuil courant autour de la maison ou venant s'étendre sur la litière de mousse dans le coin de sa chambre. Il ne l'entendrait plus jamais. Il se demandait si sa mère avait jeté de la terre sur la carcasse de Fanion, ou si les busards l'avaient nettoyée. Fanion!... Il ne croyait pas qu'il pourrait jamais aimer personne, homme ou femme, ou son propre enfant, comme il avait aimé ce chevreuil. Il serait seul toute sa vie. Mais un homme accepte son sort et continue.

En s'endormant, il appela : “ Fanion. ”

Ce n'était pas sa voix qui appelait. C'était une voix d'enfant. Quelque part, derrière le réservoir, de l'autre côté du magnolia, sous les chênes-lièges, un enfant et un chevreuil couraient côte à côte et s'éloignaient pour toujours.

LE LIVRE DE POCHE
ENCYCLOPÉDIQUE

Cette nouvelle série s'est fixé pour objectif de mettre entre les mains de ses lecteurs

TOUTES LES CLÉS
DU MONDE MODERNE
ET DE LA VIE PRATIQUE

Instruments de travail et de connaissance, les volumes qui la constituent se proposent de faciliter la vie de ceux qui les liront et de leur faire connaître l'essentiel des grands problèmes d'aujourd'hui.

Leur conception générale procède du même principe que leur présentation : à la commodité du format, à la maniabilité de l'ouvrage, à son élégance correspondent la clarté de l'exposition, la simplicité et la précision du ton, le souci constant de ne rien laisser dans l'ombre.

LE LIVRE DE POCHE ENCYCLOPÉDIQUE

a fait appel dans ce but aux meilleurs spécialistes dans chacun des domaines traités.

L'ensemble des volumes parus et à paraître constituera pour toutes ces raisons

UNE COLLECTION UNIQUE

PREMIERS TITRES PARUS

LA CUISINE POUR TOUS *

par un groupe de professeurs de l'Enseignement Ménager sous la direction de

Ginette MATHIOT

Un livre de cuisine de plus? Oui. Mais, au prix du LIVRE DE POCHE et pour ses lecteurs, le *livre de cuisine indispensable à tous ceux qui veulent pratiquer le grand art culinaire tout en se nourrissant sainement et rationnellement. LA CUISINE POUR TOUS s'ouvre sur un exposé très simple et très complet des principes et des usages qu'il convient de connaître. Les 1 243 recettes qu'elle rassemble sont réalisables par tous, parce qu'elles sont clairement et méthodiquement expliquées. Un certain nombre d'entre elles sont suivies d'une recette complémentaire qui permet de transformer le plat de tous les jours en mets de luxe. L'ouvrage se termine par une remarquable innovation : une table des recettes classées par* temps de préparation et de cuisson. *Grâce à cette table, on pourra établir sans erreur son menu en fonction du temps dont on dispose.*

LA PÊCHE ET LES POISSONS DE RIVIÈRE *

par **Michel DUBORGEL**

Voici le manuel idéal pour les millions de personnes qui pratiquent la pêche en eau douce — ou qui se proposent de la pratiquer. Tous les poissons de nos régions y sont étudiés, tant du point de vue de leurs caractéristiques et de leurs mœurs que de celui de leur pêche proprement dite... et même de leur valeur culinaire, puisque chaque chapitre se termine sur une série de recettes. La partie la plus importante de l'ouvrage est consacrée aux méthodes de pêche : méthodes classiques aussi bien que « trucs » inédits et tours de mains personnels, tirés de la grande expérience de l'auteur. De nombreuses figures et croquis, d'innombrables anecdotes, un style clair et vivant font de LA PÊCHE ET LES POISSONS DE RIVIÈRE un livre d'une lecture agréable et passionnante pour les profanes comme pour les techniciens éprouvés.

LAROUSSE DE POCHE

On ne dit plus un dictionnaire, on dit un Larousse. En publiant ce LAROUSSE DE POCHE spécialement conçu pour sa série encyclopédique, LE LIVRE DE POCHE offre à tous ceux qui lisent et qui écrivent — c'est-à-dire à tout le monde — un compagnon de tous les instants. Il apporte, en effet, sous un format pratique et maniable, toutes les précisions utiles sur les 32 000 mots essentiels de la langue française : différents sens, orthographe, éclaircissements grammaticaux, etc... LE LAROUSSE DE POCHE est, en outre, complété par un substantiel lexique des Arts, des Lettres et des Sciences, dans lequel l'Histoire et la Géographie occupent la place importante qui leur revient.

POUR PARAITRE ENSUITE

BEAUTÉ-SERVICE
par Josette LYON
Être belle n'est pas aussi difficile qu'on le pense...

LES MAINS PARLENT
par le Professeur Joseph RANALD
Y a-t-il un secret dans les lignes de la main?

COMMENT CONNAITRE VOTRE ENFANT ?
par Rose VINCENT
Êtes-vous sûr de bien comprendre et de bien élever vos enfants?

COMMENT SE FAIRE DES AMIS ?
par Dale CARNEGIE
Savoir se faire des amis, la grande chance de votre vie...

LE VOL. SIMPLE : 150 f. (b.c.)
Belgique : 22 — Suisse : 2
Canada : 50 Cts

LE VOL. DOUBLE(*) : 250 f. (b.c.)
Belgique : 40 — Suisse : 3,50
Canada : 1 $

LE LIVRE DE POCHE
HISTORIQUE

L'Histoire a toujours suscité l'intérêt du plus vaste public. Mais sous l'étiquette historique se cachent des marchandises très diverses, depuis les études les plus sérieuses — dont l'accès est parfois aride et rebutant — jusqu'aux récits romancés les plus fantaisistes.

Avec cette nouvelle collection, le dessein du LIVRE DE POCHE a été de rassembler, sous la forme pratique, claire et facilement abordable qui a fait son succès, les œuvres historiques les plus sérieusement établies et dont la lecture n'en reste pas moins aussi passionnante que celle d'un roman. Aussi a-t-il fait appel à des auteurs qui pour être historiens n'en oublient pas pour cela d'être écrivains — et souvent parmi les meilleurs de ce temps. Leurs ouvrages — qu'ils traitent d'une époque proche ou lointaine, d'une grande figure ou de l'Histoire d'un pays déterminé — sont toujours parfaitement et scrupuleusement documentés tout en restant d'une lecture facile et captivante. LE LIVRE DE POCHE HISTORIQUE, en adjoignant à ces œuvres des témoignages directs — comme les MEMOIRES DU GENERAL DE GAULLE — constituera pour le lecteur une bibliothèque aussi attrayante et complète que possible, d'où se dégagera clairement le vaste panorama des événements qu'il est indispensable de connaître pour comprendre la place qu'occupe l'époque contemporaine dans le cours de l'Histoire.

PREMIER TITRE PARU

GÉNÉRAL DE GAULLE

MÉMOIRES DE GUERRE*

L'APPEL (1940-1942)

Il est peu de lectures qui soient plus attachantes que celle de ce premier tome des MÉMOIRES DU GÉNÉRAL DE GAULLE. *Après avoir exposé les raisons qui conduisirent la France à la défaite, Charles de Gaulle évoque les circonstances qui l'amenèrent à refuser l'armistice et à lancer de Londres l'appel historique du 18 juin. Il retrace l'extraordinaire épopée de la France Libre dont on peut suivre pas à pas les difficiles et glorieuses étapes, jusqu'au moment où la France combattante devient une réalité avec laquelle alliés et ennemis doivent compter. Ces Mémoires, qui sont complétés par une série de documents essentiels, constituent une contribution capitale à l'Histoire de notre temps.*

A PARAITRE

NAPOLÉON*

par Jacques BAINVILLE

Parmi les innombrables ouvrages parus sur le grand Empereur, le NAPOLÉON *de Jacques Bainville compte parmi les plus lumineux, les plus sérieux et les plus objectifs. Ce n'est ni un pamphlet ni un plaidoyer passionné : c'est plutôt, pour reprendre les termes même de l'auteur, « l'histoire naturelle » d'un homme exceptionnel. Il appartient au lecteur de se faire une opinion, en partant des causes générales et particulières et de l'enchaînement des faits exposés par le grand historien qu'est Bainville.*

LE VOL. SIMPLE : 150 f. (b.c.)
Belgique : 22 — Suisse : 2
Canada : 50 Cts

LE VOL. DOUBLE (*) : 250 f. (b.c.)
Belgique : 40 — Suisse : 3,50
Canada : 1 $

LE LIVRE DE POCHE

poursuit son effort en publiant, au rythme de trois volumes par mois, les œuvres romanesques françaises et étrangères les plus remarquables de l'époque contemporaine. Par sa présentation solide et attrayante (couverture illustrée en quatre couleurs et laquée, tranches teintées), par son format pratique et maniable, par la modicité de son prix comme par le choix prestigieux de ses titres, LE LIVRE DE POCHE répond à un besoin précis : le lecteur peut emporter partout avec lui, et avoir constamment sous la main, l'ouvrage de son goût dans son texte intégral.

VOLUMES PARUS

ARAGON
Les Cloches de Bâle (*).

GEORGES ARNAUD
Le Salaire de la Peur.

HERVÉ BAZIN
Vipère au Poing.

PIERRE BENOIT
Kœnigsmark. La Châtelaine du Liban. Mademoiselle de La Ferté.

ELIZABETH BOWEN
Les Cœurs détruits (*).

ERSKINE CALDWELL
Le Petit Arpent du Bon Dieu. La Route au Tabac.

FRANCIS CARCO
L'Homme traqué.

COLETTE
Gigi. L'Ingénue libertine.

A.-J. CRONIN
Les Clés du Royaume (*). La Dame aux Œillets. Sous le Regard des Étoiles.

EUGÈNE DABIT
L'Hôtel du Nord.

DANIEL-ROPS
Mort où est ta Victoire? (*).

DAPHNÉ DU MAURIER
L'Auberge de la Jamaïque (*). Le Général du Roi (*).

ROLAND DORGELÈS
Le Cabaret de la Belle Femme.

MAURICE DRUON
Les Grandes Familles (*).

ANDRÉ GIDE
La Symphonie pastorale.

GRAHAM GREENE
Le Troisième Homme.

ÉLIZABETH GOUDGE
La Cité des Cloches (*).

ERNEST HEMINGWAY
L'Adieu aux Armes. Pour qui sonne le Glas (*).

PHILIPPE HÉRIAT
Famille Boussardel (*).

ALDOUS HUXLEY
Contrepoint (*).

MARGARET KENNEDY
La Nymphe au Cœur fidèle.

JOSEPH KESSEL
L'Équipage.

JOHN KNITTEL
Thérèse Étienne (*).

ARTHUR KŒSTLER
Le Zéro et l'Infini.

JEAN DE LA VARENDE
Nez de Cuir.

D.-H. LAWRENCE
L'Amant de Lady Chatterley (*).

ROSAMOND LEHMANN
L'Invitation à la Valse.

ANITA LOOS
Les Hommes préfèrent les Blondes.

BETTY MACDONALD
L'Œuf et moi.

MALAPARTE
Kaputt (*).

ANDRÉ MALRAUX
La Condition humaine. Les Conquérants. La Voie royale.

JEAN MARTET
Le Récif de Corail.

SOMERSET MAUGHAM
Le Fil du Rasoir (*).

ANDRÉ MAUROIS
Les Silences du Colonel Bramble *suivis des* Discours *et des* Nouveaux Discours du Docteur O'Grady (*).

HENRY DE MONTHERLANT
Les Jeunes Filles. Pitié pour les Femmes. Le Démon du Bien. Les Lépreuses.

MARCEL PAGNOL
Fanny. Marius.

MARCEL PROUST
Un Amour de Swann.

ROMAIN ROLLAND
Colas Breugnon.

MAZO DE LA ROCHE
Jalna (*). Les Whiteoaks de Jalna (*).

A. DE SAINT-EXUPÉRY
Pilote de Guerre. Terre des Hommes. Vol de Nuit.

JEAN-PAUL SARTRE
Les Mains sales. Le Mur.

JOHN STEINBECK
Des Souris et des Hommes. Les Raisins de la Colère (*).

ROGER VERCEL
Capitaine Conan. Remorques.

VERCORS
Le Silence de la Mer.

MARY WEBB
Sarn.

FRANZ WERFEL
Le Chant de Bernadette (*).

KATHLEEN WINSOR
Ambre (*).

ÉMILE ZOLA
La Bête humaine. La Faute de l'Abbé Mouret (*). Nana (*). Le Rêve. Thérèse Raquin.

VOLUMES PARUS ET A PARAITRE EN 1955

ARAGON
Les Beaux Quartiers (*).

MARCEL AYMÉ
La Jument verte.

HERVÉ BAZIN
La Mort du Petit Cheval.

PIERRE BENOIT
Le Lac Salé.
Axelle *suivi de* Cavalier 6 (*).

GEORGES BERNANOS
Journal d'un Curé de Campagne.

LOUIS BROMFIELD
Emprise (*).

EMILY BRONTË
Les Hauts de Hurle-Vent (*).

JAMES CAIN
Le Facteur sonne toujours deux Fois.

FRANCIS CARCO
Brumes.

ALBERT CAMUS
La Peste.

GILBERT CESBRON
Notre Prison est un Royaume.
Les Saints vont en Enfer.

JEAN COCTEAU
Les Parents terribles.

COLETTE
La Chatte.
La Seconde.
Duo *suivi de* Le Toutounier.

A.-J. CRONIN
Le Destin de Robert Shannon.

ALEXANDRE DUMAS FILS
La Dame aux Camélias.

ELIZABETH GOUDGE
L'Arche dans la Tempête (*).

GRAHAM GREENE
La Puissance et la Gloire.

MARGARET KENNEDY
L'Idiot de la Famille (*).
Solitude en Commun (*).

ROSAMOND LEHMANN
La Ballade et la Source (*).

PIERRE LOUŸS
Les Aventures du Roi Pausole.

PIERRE MAC ORLAN
Le Quai des Brumes.

JEAN MARTET
Marion des Neiges.

FRANÇOIS MAURIAC
Thérèse Desqueyroux.

ANDRÉ MAUROIS
Climats.

THYDE MONNIER
Fleuve (*).

RAYMOND QUENEAU
Pierrot mon Ami.

M. K. RAWLINGS
Jody et le Faon (*).

MAZO DE LA ROCHE
Finch Whiteoak (*).

ÉMILE ZOLA
L'Assommoir (*).
Germinal (*).

GILBERT DUPÉ
La Ferme du Pendu.

HENRI DUVERNOIS
Les Sœurs Hortensias.

CLAUDE FARRÈRE
La Bataille.

ANATOLE FRANCE
Crainquebille. Le Crime de Sylvestre Bonnard. Histoire comique. L'Ile des Pingouins. Le Lys rouge. Le Petit Pierre. La Révolte des Anges. Thaïs.

PIERRE FRONDAIE
L'Homme à l'Hispano.

MAURICE GENEVOIX
Raboliot.

ANDRÉ GIDE
Les Caves du Vatican. L'École des Femmes. Les Faux-Monnayeurs (2 *vol*.). Isabelle. La Symphonie pastorale.

O.-P. GILBERT
Mollenard. Les Portes de la Solitude.

JEAN GIONO
Le Chant du Monde. Colline. Le Grand Troupeau. Un de Baumugnes.

MAXIME GORKI
Ma Vie d'Enfant.

JULIEN GREEN
Adrienne Mesurat. Leviathan.

GRAHAM GREENE
La Puissance et la Gloire. Le Troisième Homme. Tueur à Gages.

SERGE GROUSSARD
La Femme sans Passé.

GYP
Le Mariage de Chiffon.

LUDOVIC HALÉVY
L'Abbé Constantin. La Famille Cardinal.

ERNEST HEMINGWAY
L'Adieu aux Armes. Pour qui sonne le Glas (*).

ÉMILE HENRIOT
Aricie Brun.

RICHARD HUGHES
Un Cyclone à la Jamaïque.

ALDOUS HUXLEY
Jouvence.

MARGARET KENNEDY
La Nymphe au Cœur fidèle.

JOSEPH KESSEL
Belle de Jour. Les Cœurs purs. Le Coup de Grâce, L'Équipage. Nuits de Princes.

J. KESSEL et H. ISWOLSKI
Les Rois aveugles.

RUDYARD KIPLING
Simples Contes des Collines.

ARTHUR KŒSTLER
Spartacus. Le Yogi et le Commissaire.

JACQUES de LACRETELLE
Silbermann.

VALÉRY LARBAUD
Fermina Marquez.

JEAN DE LA VARENDE
Le Centaure de Dieu.

D.-H. LAWRENCE
L'Amant de Lady Chatterley (*).

ROSAMOND LEHMANN
L'Invitation à la Valse.

EUGÈNE LE ROY
Jacquou-le-Croquant.

PIERRE LOTI
Les Désenchantées. Madame Chrysanthème. Le Mariage de Loti. Matelot. Mon Frère Yves. Ramuntcho. Le Roman d'un Enfant. Le Roman d'un Spahi. La Troisième Jeunesse de Mme Prune.

PIERRE MAC ORLAN
A Bord de l'Étoile-Matutine. La Bandera. Le Quai des Brumes.

ANDRÉ MALRAUX
La Condition humaine.

GUY DE MAUPASSANT
Une Vie.

FRANÇOIS MAURIAC
Les Anges noirs. Le Baiser au Lépreux. La Fin de la Nuit. Le Fleuve de Feu. Le Mystère Frontenac. Le Nœud de Vipères. Thérèse Desqueyroux.

ANDRÉ MAUROIS
Ariel ou la Vie de Shelley. Bernard Quesnay. Le Cercle de Famille. Climats. Ni Ange ni Bête.

PROSPER MÉRIMÉE
Carmen.

ROBERT MERLE
Week-End à Zuydcoote.

OCTAVE MIRBEAU
Le Jardin des Supplices.

HENRY DE MONTHERLANT
La Reine morte. Le Songe.

PAUL MORAND
Lewis et Irène. Ouvert la Nuit.

IRÈNE NEMIROVSKY
David Golder.

MARCEL PAGNOL
Marius. Topaze.

ÉDOUARD PEISSON
Passage de la Ligne.

JOSEPH PEYRÉ
Sang et Lumières.

MARCEL PROUST
Un Amour de Swann.

RAYMOND RADIGUET
Le Bal du Comte d'Orgel. Le Diable au Corps.

JULES ROMAINS
Le Dieu des Corps. Lucienne.

JULES ROY
La Vallée heureuse.

A. DE SAINT-EXUPÉRY
Courrier Sud. Terre des Hommes. Vol de Nuit.

JEAN-PAUL SARTRE
Les Mains sales. Le Mur. La Nausée.

ANDRÉ SAVIGNON
Filles de la Pluie.

GEORGES SIMENON
Les Inconnus dans la Maison. Le Voyageur de la Toussaint.

J. et J. THARAUD
La Maîtresse servante.

MARCELLE TINAYRE
La Maison du Péché.

LÉON TOLSTOI
Anna Karenine (2 *vol.*).

HENRI TROYAT
L'Araigne.

CLÉMENT VAUTEL
Mon Curé chez les Riches.

LOUISE DE VILMORIN
Madame de *suivi de* Julietta.

KATHLEEN WINSOR
Ambre (*).

XXX
Amitié amoureuse.

ÉMILE ZOLA
La Bête humaine. Le Rêve. Une Page d'Amour (2 *vol.*). Thérèse Raquin.

TITRES PARUS ET A PARAITRE EN 1955

HERVÉ BAZIN
Vipère au poing.

FRANCIS CARCO
L'Homme traqué.

ANATOLE FRANCE
L'Anneau d'Améthyste. L'Étui de Nacre. Les Sept Femmes de la Barbe Bleue.

ARTHUR KŒSTLER
Le Zéro et l'Infini.

ANDRÉ MALRAUX
Les Conquérants.

ROMAIN ROLLAND
Colas Breugnon.

ARMAND SALACROU
Histoire de Rire *suivi de* L'Archipel Lenoir.

JOHN STEINBECK
Des Souris et des Hommes.

B. TRAVEN
Le Trésor de la Sierra Madre.

JEAN-LOUIS VAUDOYER
La Bien-Aimée.

ROGER VERCEL
Capitaine Conan.

MARY WEBB
Sarn.

etc....

LE VOL. SIMPLE : 230 f. (b. c.)
Belgique : 33 f. — Suisse : 2,95.

LE VOL. DOUBLE (*) : 375 f. (b. c.)
Belgique : 54 f. — Suisse : 4,70.

BRODARD ET TAUPIN — IMPRIMEUR - RELIEUR
Paris-Coulommiers. — France.
1369-I-11-4357 - Dépôt légal : 483 - 4e trimestre 1955.